De duivelscode

Van dezelfde auteur

Spel op leven en dood
Moordritueel
De ooggetuige
Blinde haat
Het duivelscontract
Op glad ijs
De insluiper
Zieke geest
Oog om oog
Noodsprong
Dood spoor
Verbeten strijd
Wurggreep
Vals spel

John Sandford

De duivelscode

A.W. Bruna Uitgevers B.V., Utrecht

Oorspronkelijke titel
The Devil's Code

Vertaling
Martin Jansen in de Wal

ISBN 90 229 8527 X
NUR 332

Derde druk, april 2002

Voor Pat en Ray Johns

1

St. John Corbeil

Een mooie herfstavond in Glen Burnie, een donderdag, met straten vol herfstbladeren. Een fietser met een knipperende koplamp en een hond naast zich, een atmosfeer die rust en vrede ademde. Een prima avond voor een kasjmieren jasje en een intiem restaurantje; een rijke, veelbesproken politicus die er forel eet met een vreemde vrouw. Zoiets.
Terrence Lighter zou het niet meemaken.
Vanavond in elk geval niet. Vanavond was hij alleen en op weg naar huis met het laatste nummer van *SmartMoney* in zijn hand en een pornofilm van de videotheek in zijn jaszak. Hij floot een deuntje. Zijn vrouw April was naar haar moeder in Michigan en hij had twee sixpacks bier in de koelkast en een grote zak nachochips op het aanrecht. En de video.
Hij zag het helemaal voor zich: als hij thuiskwam, zou hij een blikje bier opentrekken, de videoband in de recorder stoppen, zichzelf een beetje vermaken en dan overschakelen naar Thursday Night Football. In de rust zou hij April bellen over iets wat hij in de tuin zou doen. Hij kon het telefoonnummer nooit onthouden. Vervolgens zou hij naar de tweede helft van de wedstrijd kijken en na het laatste fluitsignaal zou hij weer helemaal klaar zijn voor zijn videoband.
Een onaangename gedachte kwam in hem op: Dallas. Waar waren ze in Dallas verdomme mee bezig? Waar hadden ze die belastende foto's vandaan? Hoe had die gluiperd ze in handen gekregen? Dat zou hij volgende week moeten regelen. Hij had nog niets gehoord uit Dallas, maar als dat maandagmiddag nog zo was, moest hij zijn adjunct vragen hem in te dekken.
Maar dat was volgende week. Vanavond had hij zijn videoband, zijn bier en zijn nacho's. Geen slecht vooruitzicht voor een drieënvijftigjarige top-

bureaucraat met een seksueel afstandelijke vrouw. Helemaal niet slecht...
Lighter was anderhalf blok van zijn huis toen achter een seringenbosje naast een donker huis een man vandaan stapte. Hij was helemaal in het zwart gekleed en Lighter zag hem pas toen hij voor hem stond. De man zei niets, maar zijn arm kwam omhoog.
Lighters laatste gedachte was: een pistool?
Een 9mm met geluiddemper. De man schoot Lighter één keer in zijn hoofd en Lighter draaide naar rechts door de kracht van de inslag. Hij deed nog een verdwaasde stap op het gazon en sloeg toen tegen de grond. De man schoot hem nog een keer in zijn achterhoofd, boog zich voorover en zocht in zijn jasje naar zijn portefeuille. Hij vond hem. Hij zag de videoband en nam die ook mee.
Hij liet het lichaam liggen en rende met soepele, lichte passen weg, het gazon over, langs de sering, klom over het hek in de achtertuin en rende langs een bloembed naar de volgende straat. Hij rende nog honderdvijftig meter door, geruisloos op zijn sportschoenen, onzichtbaar in zijn zwarte joggingpak. Hij had de route die middag verkend en gelet op schuttingen, honden en stenen muurtjes. Op de hoek van de straat wachtte een tweede man hem op in een auto. De schutter rende tot aan de hoek, minderde vaart en wandelde rustig de hoek om. Als er mensen op straat waren, zou niemand hem hebben zien rennen...
Toen ze wegreden, vroeg de tweede man: 'Is alles goed gegaan?'
'Perfect.' De schutter keek in de portefeuille. 'We hebben er zelfs vierhonderd dollar en een wipfilm aan overgehouden.'

De avond daarna waren ze weer op pad.
Deze keer was het doelwit een krakkemikkig huis in een arbeiderswijk in het zuidwesten van Dallas. Op de boogvormige oprit voor de deur stond een twee jaar oude Porsche Boxter. Aan de achterkant van het huis brandde licht en door een kier in de gordijnen achter het grote raam aan de voorkant was een schemerlamp met een gele kap te zien. De geur van braadworst hing in de lucht, waarschijnlijk afkomstig van een barbecue in de achtertuin van een van de huizen. Eén of twee blokken verderop speelden kinderen op straat en hun gelach en geschreeuw werden gedempt door de afstand, zodat het klonk als gekras van een oude grammofoonplaat.
De twee mannen staken een verwaarloosd gazon van droog gras over en stapten op de betonnen verhoging die als veranda dienstdeed. De grootste van de twee raakte het pistool in zijn schouderholster aan en probeerde de voordeur. Die zat op slot.

Hij keek naar de kleinere man, die zijn schouders ophaalde, en drukte op de bel.

John James Morrison was van dezelfde leeftijd als de mannen voor zijn deur, maar langer, magerder en zonder hun soepele motoriek; een brildragende struisvogel met een verfijnde glimlach en het merkwaardige vermogen om bij vrouwen in de smaak te vallen. Hij leefde van kaneelsnoepjes die Hot Tamales heetten, cola light en peperonipizza voor de proteïnen. Soms trilde hij helemaal van de suiker en cafeïne in zijn lichaam, en hij vond dat lekker.
De mannen voor zijn deur waren getraind en stonden stijf van de voedingssupplementen en hormoonpreparaten terwijl Morrisons lichaamsbeweging hooguit bestond uit een enkele pirouette in zijn Herman Miller Aeron-bureaustoel van duizend dollar, die hij met zich meenam als hij voor consultatieklussen het land in trok.
Morrison en zijn stoel reden heen en weer in de kleinste van de twee slaapkamers, door een zee van lege colablikjes en printeruitdraaien met geperforeerde randen. Boven op de overvolle prullenmand naast zijn bureau lag een drie dagen oude pizzadoos met resten peperoni en kaas te stinken. De rommel zou hij een andere keer wel eens opruimen. Daar had hij nu geen tijd voor.
Morrisons gezicht lichtte vaalblauw op terwijl hij naar de getallen op de monitor tuurde, de codes checkte en dat nogmaals deed. In de hoek, op de grond, stond een Optimus-gettoblaster met een stapeltje cd's op de rechterspeaker. Hij reed zijn stoel ernaartoe, boog zich naar voren en zocht tussen de cd's naar iets wat hem niet zou afleiden. Het werd er een van Harry Connick jr., die hij in het laatje schoof. Even later, toen Connicks *Love Is Here to Stay* uit de speakers klonk, draaide Morrison een rondje in zijn stoel en maakte er een danspasje bij. Hij zou nog wel een cola lusten...

Er werd gebeld.
Om elf uur 's avonds, en Morrison had geen vrienden in Dallas, zeker geen vrienden die om die tijd zouden langskomen. Hij stond op, deed twee passen naar de deur van de werkkamer en keek langs de deurpost door de voorkamer en de kier in de gordijnen naar buiten. Hij kon de veranda aan de voorkant zien. Eén of twee mannen. Hij kon hun gezichten niet zien, maar hij herkende de contouren in het licht.
'O shit!' Hij liep de werkkamer weer in, klikte een computerbestand aan en sleepte het naar een icoon waaronder SHREDDER stond. Hij klikte op

DELETE, wachtte op het verzoek om bevestiging en klikte op 'Ja, ik weet het zeker.' De shredder stond in de hoogste stand en als het bestand vernietigd was, zou het niet meer terug te halen zijn. Maar dat kostte tijd. Hij moest tijd maken. Hij zette de monitor uit maar liet de computer aanstaan. Hij pakte zijn laptop, deed het licht in de werkkamer uit, trok de deur achter zich dicht maar liet hem op een kier van vijf centimeter staan, zodat ze konden zien dat het binnen donker was. Misschien zouden ze de werkkamer niet meteen binnengaan en had de shredder de tijd om zijn werk te doen. Hij nam de laptop mee naar de keuken en zette hem alvast aan. Hij klapte het scherm op, zette de laptop op de eetbar en trok een kruk bij.

Er werd weer gebeld. 'Ik kom eraan,' riep Morrison en hij haastte zich naar de deur. Onderweg wierp hij snel een blik in de computerkamer. Het lampje van de harde schijf knipperde nog. Er was pas één gigabyte van de twintig gedeletet, dus hij moest tijd rekken.

Maar de tijd was op. De man bonkte met zijn vuist op de deur.

Hij liep weer terug, deed het licht in de woonkamer aan om te laten zien dat hij eraan kwam, keek nog een keer door de gordijnen naar buiten – weer tien seconden gewonnen – en draaide ten slotte de voordeur van het slot. 'Ik moest even een broek aantrekken,' zei hij tegen de twee mannen op de stoep. 'Wat is er loos?'

Ze namen Morrison mee door een achteringang van het gebouw en brachten hem in een dienstlift naar boven, waar ze hem door het zwaarbewaakte gedeelte naar de beveiligde afdeling voerden. Corbeil wachtte daar op hem.

St. John Corbeil was een streng uitziende man van begin veertig, met een hoekig gezicht dat verweerd was door stress, weer en wind. Hij had kleine, blauwe, intelligente ogen die diep in hun kassen lagen, en zijn scherpe neus en dunne lippen gaven hem een havikachtig uiterlijk. Zijn haar was kort, in militaire stijl, met een klein jaren-vijftigkuifje.

'Meneer Morrison,' zei hij. 'Ik heb een bandje dat ik u wil laten horen.'

Morrison was nerveus, maar nog niet echt bang. Hij was thuis al bedreigd, zij het niet met geweld. Als hij niet mee zou gaan, hadden ze gezegd, zou AmMath hem aanklagen voor overtreding van de veiligheidsnormen, voor bedrijfsspionage en diefstal van bedrijfsgeheimen. Hij zou nooit meer voor een respectabel bedrijf werken, hadden ze gezegd.

Het dreigement had effect. Als ze hem aanklaagden, zou niemand hem ooit nog inhuren. Vertrouwen was van het allergrootste belang als een bedrijf je toeliet tot zijn computersysteem. Als je zo diep in de computerwereld zat, lag alles open en bloot voor je. Alles. Aan de andere kant, als hij met ze kon praten, kon hij misschien een deal sluiten. Hij zou de klus kwijtraken, maar ze zouden hem niet vervolgen. Het niet openbaar maken.

Dus ging hij mee. Hij en de ene man gingen in Morrisons auto – 'We hebben geen zin je dat hele klote-eind terug te brengen,' had de ander gezegd – en de tweede man zou achter hen aan rijden. Hij had zich echter nog niet laten zien.

Dus stond Morrison er nerveus en met afhangende schouders bij, als een boerenknecht die bij de koning is ontboden, toen Corbeil het cassettebandje in de recorder deed. Hij herkende de stem: Terrence Lighter.

'John, wat zijn jullie daar verdomme aan het doen? Die idioot staat ineens bij me op de stoep...'

Shit, ze hadden hem.

Morrison besloot zich eruit te bluffen. 'Ik stuitte op iets waarvan ik dacht dat het verdacht was... het had niets met Clipper te maken, maar het was wel topgeheim en er werd mee omgesprongen op een manier... nou, ik vond dat het niet op die manier behandeld had mogen worden,' zei hij tegen Corbeil. Hij stond zijn zaak te bepleiten en Corbeil zat in de rechtersstoel. 'Toen ik in het Jet Propulsion Laboratory werkte, werd me verteld dat als ik ooit op zo'n verdachte zaak stuitte, ik die minstens twee niveaus hoger moest melden, zodat hij niet onder het tapijt kon worden geveegd en het hiaat in de beveiliging kon worden verholpen.'

'Dus ben je naar Lighter gegaan.'

'Ik denk niet dat ik veel keus had. En je moet niet vergeten dat ik met Lighter heb gepraat,' zei Morrison. 'Daarom denk ik dat we nu de FBI moeten bellen. Vragen wat zij ervan denken.'

'Stomme klootzak.' Corbeil haalde een mobiele telefoon tevoorschijn, drukte op een knop, wachtte even en vroeg: 'Iets gevonden?' Blijkbaar niet, want hij zei: 'Oké, laat de diskettes achter. We gaan hier door volgens plan.'

Corbeils beveiligingsman, die geduldig bij de deur had staan wachten, keek op zijn horloge en zei: 'Als we het doen, kunnen we beter opschieten. Goodie komt over een kwartier naar boven en ik moet het gebouw uit om mijn positie in te nemen.'

Corbeil bleef Morrison aankijken en Morrison vroeg: 'Wat?'

Corbeil schudde zijn hoofd, stond op, liep naar de beveiligingsman en zei: 'Laat mij het doen.'

De bewaker haalde een .40 Smith & Wesson tevoorschijn en gaf hem aan Corbeil, die zich omdraaide en hem op Morrison richtte.
'Je kunt ons beter vertellen wat je met die data hebt gedaan, anders gaat het heel erg pijn doen,' zei hij op kalme toon.
'Richt dat wapen niet op me,' zei Morrison. 'Richt dat wapen niet op me...'
Corbeil voelde dat zijn bloed sneller ging stromen. Dit werk had hij altijd het leukst gevonden. Hij had Irakese kolonels en een paar andere sufkoppen doodgeschoten, had herten geschoten en antilopen en elanden en reebokken en wilde zwijnen en drie soorten beren en mollen en prairiehonden en meer vogels dan hij kon tellen, en het had allemaal even lekker gevoeld.
Hij schoot Morrison twee keer in de borst. Morrisons mond ging niet open van verbazing, hij wankelde niet, greep niet met zijn handen naar zijn borst en keek hem niet verbijsterd aan. Hij viel gewoon als een zoutzak op de grond.
'Jezus, mijn oren,' zei Corbeil tegen de beveiligingsman. Hij liet niets merken van zijn plotselinge erectie. 'Niks aan,' zei hij. 'De Irakezen waren leuker.'
Maar zijn hand trilde toen hij het wapen teruggaf. De beveiligingsman had het eerder gezien, toen ze aan het jagen waren op de ranch.
'Laten we nu het andere schot doen,' zei de bewaker.
'Ja.' Hij haalde een .38 uit de bureaula, vouwde Morrisons levenloze hand eromheen en schoot één keer in een stapel oude kranten.
'Ga jij maar,' zei Corbeil. 'Ik dump die kranten wel.'
'Ik sta rechts van Goodie,' zei de beveiligingsman. 'Dat is links voor jou.'
'Ik weet het,' zei Corbeil ongeduldig.
'Nou, jezus, als je het maar niet vergeet.'
'Ik vergeet het niet,' snauwde Corbeil.
'Sorry. Maar onthoud dat ik voor jou links sta. En je moet nu herladen en de lege hulzen meenemen...'
'Ik weet het, William, ik weet het allemaal. Dit gaat net zozeer om mijn leven als het jouwe.'
'Oké.' De blik van de beveiligingsman dwaalde even af naar het roerloze lichaam van Morrison. 'Wat een eikel.'
'We hadden geen keus; het was een miljoen tegen één dat hij dat spul zou vinden,' zei Corbeil. Hij keek op zijn horloge en vervolgde: 'Ga nou maar.'

Larry Goodie deed zijn holsterriem om, zuchtte en ging op weg naar de liften. Halverwege piepte het alarm bij de personeelsdeur en toen hij zich omdraaide, zag hij dat William Hart zichzelf met zijn pasje binnenliet.
'Hufter,' mompelde Goodie. Hij liep door, maar langzamer nu. Er liep 's nachts maar één lift en Hart moest waarschijnlijk ook naar boven. Toen Hart kwam aanlopen, drukte Goodie op de knop en plooide hij zijn mond in een glimlach.
'Hoe gaat het, Larry?' vroeg Hart.
'Stille nacht,' zei Goodie.
'Nou, zo hoort het ook, nietwaar?' zei Hart.
'Zal wel,' zei Goodie.
'Wanneer heb je voor het laatst een drukke nacht gehad?'
Goodie wist dat hij in de maling werd genomen en dat beviel hem niet. De jongens van TrendDirect waren oké. Maar die van AmMath, die 'lui van boven', waren allemaal hufters. 'De meeste nachten zijn stil,' gaf hij toe. 'Ik heb een keer problemen gehad met een kaartlezer. Elke keer als er iemand binnenkwam...'
De liftbel zei *ping* op de tiende verdieping en ze stapten uit. Goodie wilde links afslaan en Hart rechtsaf, maar opeens pakte Hart Goodies mouw vast. 'Larry, was dat slot zo?'
Goodie volgde Harts blik en zag dat er iets mis was met het slot van het kantoor van Gerald R. Kind. Hij deed een stap ernaartoe en keek nog eens. Iemand had een koevoet tussen de deur gezet. 'Nee, dat denk ik niet,' zei Goodie. 'Ik ben hier een uur geleden nog geweest.' Hij draaide zich om en keek de gang in. De lichten op de beveiligde afdeling waren uit. Dat was raar, want die brandden altijd vierentwintig uur per dag.
'We kunnen het beter even checken,' fluisterde Hart.
Hart deed de deur van het kantoor open en Goodie zag dat de deur aan de andere kant openstond. 'Stil,' fluisterde Hart. Hij ging het kantoor binnen, liep door naar de tussendeur en kwam terecht in de gang naar de beveiligde afdeling. De deur aan het eind van de gang stond open en de beveiligde afdeling daarachter was donker.
'Moet je die monitor zien,' fluisterde Hart toen ze door de gang slopen. Een van de monitorschermen straalde een vreemde gloed uit, alsof de monitor net was uitgezet. 'Volgens mij is hier net iemand geweest.'
'Ik doe het licht aan,' fluisterde Goodie terug. Zijn hart klopte in zijn keel, want zoiets als dit had hij nog nooit meegemaakt.
'Hou je wapen klaar,' zei Hart, en hij trok een automatisch pistool uit de holster van zijn riem. Goodie slikte en haalde met trillende hand zijn

revolver uit de holster. Ook dat had hij nog nooit gedaan.
'Klaar?' vroeg Hart.
'Misschien kunnen we beter de politie bellen,' fluisterde Goodie.
'Doe jij het licht nu maar aan,' fluisterde Hart nauwelijks hoorbaar naar zijn metgezel. 'Steek je hand om de deurpost; de schakelaar zit rechts.'
Goodie sloop naar de deuropening en stak zijn hand naar binnen, toen iemand ineens schreeuwde: 'Nee!'
Goodie draaide zich met een ruk om, zag iets oplichten, een gezicht, en toen *Wham!* Een lichtflits kwam hem tegemoet en hij had het gevoel of hij met een honkbalknuppel tegen zijn ribbenkast werd geslagen. Hij viel achterover en zag Harts wapen vlak boven zijn hoofd vuur spuwen.
Wham! Wham! Wham! Wham!
Goodie telde de schoten niet, maar zijn wereld leek alleen nog uit herrie te bestaan. Toen raakte zijn achterhoofd de vloerbedekking, ging zijn mond open in een kreun en stond zijn hele lichaam in brand. Zo bleef hij liggen, onbeweeglijk, totdat Harts gezicht boven hem verscheen. 'Hou vol, Larry. Godverdomme, hou vol. Ik bel onmiddellijk een ambulance. Hou vol...'

2

De Canadese winter begon op vrijdagochtend.
Bleak Thomas en ik waren gaan vissen op snoek in de English River. Overdag was het zonnig en 's nachts helder en fris, zodat we geen last hadden van muggen en we optimaal konden profiteren van de laatste herfstdagen in Ontario.
Het slechte weer was in één nacht het land komen binnenschuiven. Toen we opstonden, scheen er nog een nevelig zonnetje, maar om een uur of negen kwam uit het noordwesten een dik pak donkere wolken opruk-ken. We konden de kou ruiken, niet echt als geur, maar het kwam er wel heel dicht in de buurt. Je draaide je gezicht ernaartoe, voelde je neusgaten tintelen en dacht: winter.
Het slechte weer kwam niet als een verrassing. We hadden de satellietfoto's gezien – het lagedrukgebied dat zich in het poolgebied aan het ontwikkelen was – toen we vijf dagen daarvoor per watervliegtuig waren vertrokken, maar nu we op onze laatste ochtend op het vliegtuig stonden te wachten, kijkend op onze horloges en luisterend of we de eenmotorige Cessna 185 al hoorden terwijl we sneeuwvlokken zo groot als kwartjes zagen vallen, vroegen we ons af wat er zou gebeuren als het vliegtuig aan de grond was gebleven. Als er een fout was gemaakt en de mensen op de basis dachten dat we al weg waren.
De winter was lang in Noordwest-Ontario en Bleak Thomas zou waarschijnlijk niet al te best smaken. Bleak dacht ongetwijfeld in dezelfde richting, met mij als menu. Toen de Cessna opeens als een zilveren albatros boven het meer verscheen en het motorgeronk ons over het water tegemoetkwam, zei Bleak: 'Maar een uur te laat.'
'Echt? Ik dacht zelfs dat hij aan de vroege kant was.' Ik geeuwde en rekte me uit.
'O, ja,' zei Bleak. 'Daarom heb je je nagels tot aan je oksels staan afkluiven.'

De piloot had haast. Voortgedreven door een wolk van sneeuwvlokken taxiede hij naar de aanlegsteiger. Bleak en ik gooiden onze uitrusting naar binnen, we bokten even op de golven en weg waren we, de lucht in. De piloot had niet de moeite genomen om te checken of we de boten goed hadden vastgelegd en het vuur in de potkachel hadden gedoofd; hij geloofde ons op ons woord. Tien minuten later, toen we uit het sneeuwgordijn tevoorschijn kwamen, zei hij: 'Mooi. Ik land altijd beter als ik het meer kan zien.' En daarna tegen mij: 'Er heeft een vrouw voor je gebeld, ongeveer om de tien minuten.'

'O, ja? Heeft ze gezegd hoe ze heette?' Ik dacht aan LuEllen omdat ze de enige vrouw was die ik kende die me wel eens dringend nodig had, maar de piloot zei: 'Lane Ward.'

Ik schudde mijn hoofd. 'Ken ik niet.'

'Nou, ze kent jou wel en wil blijkbaar heel graag met je praten,' zei de piloot. We moesten bijna schreeuwen om boven het motorgeronk uit te komen. 'Ze zei niet waar het over ging. Alleen dat ze onderweg was en geen nummer had waarop ze teruggebeld kon worden.'

Daarna had hij niet veel meer te zeggen. We concentreerden ons op de meren en heuvelruggen die achthonderd voet lager voorbijgleden. Binnen drie weken zou de piloot ski's nodig hebben om te landen. Een paar mijl voor de basis, toen de piloot bijstuurde om in de lengteas van het meer te komen, boog Bleak zich van de achterstoel naar voren en zei: 'We begonnen ons daar een beetje zorgen om je te maken.'

'Ik had wat problemen met het vliegtuig toen ik vanochtend wilde opstijgen,' zei de piloot. 'Ik stond de motor op te warmen toen de propeller eraf vloog.' Bleak en ik keken van de propeller naar de piloot, maar die grijnsde alleen en zei: 'Die grap was al oud toen Pontius Pilatus piloot was.'

De vrouw van de piloot heette Moony. Ze was een overgebleven hippie met paisleysjaaltjes en een glimlach vol tanden, en ze verbouwde een beetje weed in bloembakken in de vensterbank. Ze kookte al dertig jaar eten voor terugkerende vissers maar was er nog nooit in geslaagd een behoorlijke maaltijd klaar te maken. De klanten namen haar flensjes mee naar het meer en lieten ze als frisbees over het wateroppervlak zeilen. En als ze gezonken waren, raakten zelfs de vissen ze niet aan.

Moony vroeg of we bleven lunchen, maar we bedankten haar, sprongen in onze huurwagen en gingen op weg naar Kenora. Zes uur later hadden we de auto teruggebracht en liepen we de trap op naar de aankomsthal van Minneapolis-St. Paul International.

'Ik heb ergere trips meegemaakt,' zei Bleak.

Het was zijn manier om te zeggen dat hij het naar zijn zin had gehad.

Bleak was meubelmaker. Hij kreeg duizend dollar voor een stoel en vijftienduizend voor een handgemaakte en met houtsnijwerk versierde eettafel voor tien personen. Hij gaf het merendeel van zijn geld weg aan de Lutherse Armenzorg. Bleak geloofde dat vakmensen die te veel geld hadden soft werden, een opvatting die ik niet deelde. Niet dat hij een geloofsfanaat was, want hij was inmiddels aan zijn vijfde vrouw en het waren alle vijf prima vrouwen geweest. Toen we de trap naar de aankomsthal op liepen en hij bovenaan een vrouw met donker haar zag staan, zei hij zacht: 'Moet je dat kontje zien, Kidd.'
'Jezus, Bleak, zo kun je niet praten in Minnesota,' mompelde ik voordat ik opkeek.
'Ik bedoelde het als compliment,' mompelde Bleak terug.
De vrouw draaide zich om en keek naar ons terwijl we de trap op kwamen met onze tassen, viskoffers en hengels. Haar blik bleef eerst op Bleak rusten, zoals dat met veel vrouwen gebeurde – hij had lang zwart haar en de gebronsde huid van een indiaanse gids – en daarna keek ze naar mij. Toen we boven waren, vroeg ze: 'Ben jij Kidd?'
'Ja,' zei ik.
'Ik ben Lane Ward.' Ze zag eruit alsof haar vader Mexicaan was. Ze had er het zwarte haar, de bijpassende ogen en het ronde gezicht voor, maar ze was bleek, zoals Angelsaksische vrouwen dat waren. Ze stak haar hand uit en ik schudde hem, waarbij ik de subtiele bloemengeur van een Frans parfum rook. 'Ik ben Jack Morrisons zus.'
'Ah, Jack,' zei ik. 'Hoe is het met hem?'
'Hij is dood,' zei ze. 'Hij is precies een week geleden doodgeschoten.'
Daar schrok ik van. Ik keek Bleak aan en hij zei: 'Jezus.'

De parkeergarage van Minneapolis-St. Paul International Airport wordt constant verbouwd en aangezien parkeren er onmogelijk is, waren we allemaal met een taxi gekomen. Bleak nam er nu een naar zijn werkplaats in het zuidelijke deel van de stad en Lane en ik namen er een naar mijn huis in St. Paul.
'Hoe wist je dat ík Kidd was, dat Bleak mij niet was?' vroeg ik toen we op de taxi stonden te wachten.
'Jij lijkt meer op een crimineel,' zei ze.
'Je wordt bedankt. Maar ik ben kunstenaar.'
'Onzin,' zei ze. 'Ik weet van Anshiser. Ik weet wat Jack en jij hebben gedaan.'
Dat ze van Anshiser wist, vond ik verontrustend. Als ik had geweten dat Jack haar erover zou vertellen, zou ik niet met hem hebben samenge-

werkt. Hoewel dat misschien niet reëel zou zijn geweest. Er waren zoveel mensen die een beetje wisten van wat ik deed. Maar die kenden elkaar niet, dus konden ze hun aantekeningen niet vergelijken. 'Zie ik eruit als een crimineel?'
'Meer dan je vriend, door je... eh, je neus.'
Shit, ik had mezelf altijd gezien als een redelijk aantrekkelijke vent: begin veertig, een meter vijfentachtig, al mijn haar nog en nauwelijks grijs erin. Mijn neus, moet ik toegeven, is een paar keer gebroken geweest en nooit meer helemaal recht gekomen. Ik had altijd gedacht dat hij mijn gezicht een zekere charme verleende. 'Mijn neus is een deel van mijn charme,' zei ik gekwetst toen de taxi kwam aanrijden. Ik hield het portier voor haar open.
'Jack zei dat je charmant kon zijn, als je wilde. Hij zei ook dat je dat net zo vaak niet wilde.' Ze stapte in en ik ging naast haar zitten.
'Wat is er met Jack gebeurd?' vroeg ik.
'Laten we even wachten totdat we bij jou thuis zijn,' zei ze, met een blik op het achterhoofd van de taxichauffeur.
De winter was onderweg, maar zat nog steeds in Ontario. In de straten van St. Paul lieten de bomen hun bladeren vallen, maar was het nog altijd een graad of vijftien toen we de Mississippi overstaken op weg naar West Seventh Street. Lane was stil en vormde zich een indruk van de couleur locale, die op dat moment bestond uit een man met een sigaar, een korte broek en zwarte kniekousen, die langzaam langsreed op een oeroude Honda Dream. 'Chique wijk,' zei ze, 'voor een stad in het Midden-Westen.'
'Ja, we zijn hier erg op onszelf,' zei ik.
De rest van de rit praatten we wat terwijl ik haar stiekem opnam, lichamelijk. Ze was aantrekkelijk en had een goed figuur dat eerder afkomstig was van een zorgvuldig samengesteld dieet dan van training; meer een fotomodel dan een sportvrouw.
Ze had filosofie en wiskunde gestudeerd op Berkeley, en informatica op Stanford. Ze woonde nu in Palo Alto en verdeelde haar tijd tussen een internetbedrijf en lesgeven op Stanford. Het internetbedrijf, dat e-Accountant heette, deed de boekhouding, administratie en belastingzaken voor internetsites die te klein waren om dat zelf te doen. Ze hoopte er gematigd rijk van te worden. Ze was gescheiden van een knaap die Ward heette.
'Hij zei altijd dat hij kinderen wilde,' vertelde Lane, 'maar er was altijd iets wat hij eerst wilde: een auto, een boot, een huis of een vakantiehuisje. Ik heb hem gezegd dat ik niet langer kon wachten en dat ik, als hij

me niet onmiddellijk een kind gaf, mijn koffer zou pakken. Zelfs toen kon hij geen besluit nemen.'
'Dus heb je je koffer gepakt.'
'Yep.'
'Zijn er al nieuwe gegadigden voor het eventuele vaderschap?' vroeg ik.
'Ja, een heel aardige man op Stanford, een antropoloog die zelf in een scheiding verwikkeld is.'
'Ah. Had jij daar iets mee te maken?'
'Nee, hij weet nog niet eens dat hij een gegadigde voor de vacature is,' zei ze. 'Maar dat zal niet lang meer duren. Hij zal een uitstekende vader zijn, denk ik.'
'Hij boft,' zei ik.
Het gezicht van de taxichauffeur verscheen in de achteruitkijkspiegel en ik zag dat hij glimlachte. Aantrekkelijke vrouwen waren snel amusant.

Ik wist niet of je gelukkig mocht zijn als je met een taxi werd afgezet bij je huis, in gezelschap van de treurende zuster van een vriend die net is doodgeschoten, maar toen we uit de taxi stapten, was ik dat. Ik vind het altijd heerlijk om naar het noorden te gaan, maar net zo plezierig om weer thuis te komen. Een paar dagen op het water gaf je ideeën, en als je er lang genoeg bleef, kreeg je de onweerstaanbare drang om aan het werk te gaan, om die ideeën op papier te zetten. Bleak was net zo; als je hem lang genoeg in een vishuisje liet zitten, zou hij de meubels met behulp van zijn vismes versieren met houtsnijwerk.
En het was een drukke boel in huis. We moesten vijf trappen op lopen omdat de lift volgepakt was met de beelden en keramiek van Alice Beck, die ergens een expositie had. 'Sorry, Kidd,' riep Alice naar beneden. 'Over tien minuten zijn we klaar.' Dus namen we de trap; ik met mijn weekendtas en hengels, en Lane met mijn viskoffer.
We maakten een tussenstop op de tweede, want Lane wilde de vazen van Alice bekijken. Ze vond ze erg mooi en Alice nodigde ons uit voor de opening, over twee dagen.
Lane schudde haar hoofd. 'Ik zou graag willen komen, maar dan hebben we een begrafenis,' zei ze, waarna we doorliepen naar boven. Op de volgende overloop keek ze naar beneden en zei zacht: 'Mooi spul.'
Ik knikte. 'Ze zeggen dat ze net zo goed is als Lucie Rie, maar ik ben bang dat ze op een dag het hele gebouw in de as legt. Ze heeft een Marathon-keramiekoven in de achterkamer staan. Ik kan hem 's nachts horen loeien, alsof er iemand gecremeerd wordt.'

‘Mag dat?’
‘Iemand cremeren?’
‘Nee, gekkie, die keramiekoven.’
‘Ik betwijfel het,’ zei ik.
‘Heb je geklaagd?’
‘Nee, ik heb haar geholpen het ding naar boven te sjouwen.’

Ik was weer thuis en de kat was er ook.
Hij zat op de rugleuning van de bank en keek door het raam naar de Mississippi: een rode cyperse kater met een kop ter grootte van een General Electric stoomstrijkijzer. Hij nam niet de moeite om op de grond te springen toen ik binnenkwam. Sterker nog, hij negeerde me totaal. Een oude dame, een kunstenares, had hem eten gegeven toen ik weg was, en hij had zijn kattenluikje, zodat hij geen kattenbak nodig had, behalve midden in de winter.
‘Hallo, kat,’ zei ik. Hij wendde zijn blik af, maar ik wist dat hij rond bedtijd naar me toe zou komen om om eten te bedelen.
‘Hij lijkt op je,’ zei Lane.
‘Wie?’
‘De kat.’
‘Dank je.’ Ik nam aan dat het als compliment was bedoeld, hoewel de kat er nogal gehavend uitzag. Zijn ene oor was bijna helemaal van zijn kop gebeten en soms, op koude ochtenden, hinkte hij met zijn achterpoot en keek hij miauwend naar me op alsof hij om een paar aspirines vroeg. Ik zette de weekendtas op de grond, liep naar de keuken en riep naar Lane: ‘Vertel me over Jack.’ En ik vroeg: ‘Wil je koffie?’
Ze stemde in met de koffie. ‘Ik denk dat hij vermoord is,’ zei ze terwijl we wachtten totdat het water in de magnetron kookte. ‘Hij zou doodgeschoten zijn tijdens een inbraak op de beveiligde afdeling van een bedrijf dat AmMath heet, in Dallas. Hij is twee keer in de borst geschoten en was op slag dood. Een tweede man is gewond geraakt.’
‘Maar niet gedood?’
‘Nee.’
‘Dan kan hij je vertellen wat er gebeurd is.’ De magnetron piepte en ik haalde de twee mokken eruit.
‘Nee, nee... De man die gewond is geraakt, zou door Jack neergeschoten zijn,’ zei ze. ‘Ze zeggen dat Jack gewapend was en het vuur heeft geopend toen hij werd betrapt. Er waren twee bewakers, of beveiligingsmensen, of hoe je ze wilt noemen, en Jack zou de ene neergeschoten hebben, waarna de andere Jack neerschoot.’

'Jack?' Zo had hij hem nooit gekend.
'Precies,' zei Lane. 'Het is absoluut uitgesloten dat Jack iemand zou neerschieten. Jack zou niet eens op iemand schieten als zijn leven in gevaar was, laat staan als hij werd betrapt tijdens een inbraak, of wat hij daar ook aan het doen was. Tenzij...' Ze keek me zijdelings aan met een iets loensende blik.
'Ja?'
'Tenzij jij hem, toen hij met jou werkte, hebt geleerd een wapen te dragen. Als voorzorg of zoiets.'
Ik schudde mijn hoofd. 'Nooit. Ik draag nooit wapens. Het enige wat je met een wapen kunt doen is op iemand schieten. Ik ga niet op iemand schieten voor een schema van een microchip.'
'Dat is wat hij me verteld heeft,' zei ze. 'Dat je je nooit inliet met gewelddadigheden.'
Voorzover Jack wist, dacht ik. Maar ik had twee of drie keer geweld moeten gebruiken, hoezeer ik ook had geprobeerd het te vermijden, en ik had er spijt van. Of, om helemaal eerlijk te zijn, spijt van een deel ervan. Want er was een keer een klootzak aan de overkant van de Mississippi geweest die ik, als hij opstond uit de dood, met genoegen door de houtversnipperaar zou halen.
'Waar was Jack mee bezig?' Ik roerde oploskoffie door het hete water en gaf haar een mok. Ze keek me recht aan en stond iets te dichtbij, waardoor ze andere mannen misschien van de wijs zou hebben gebracht.
'Daar wil niemand veel over zeggen. Het enige wat ze kwijt willen is dat hij de beveiligde afdeling van AmMath was binnengedrongen – dat zijn de mensen die Clipper II doen – en dat hij het vuur opende toen ze binnenkwamen,' zei ze.
Clipper II was een orwelliaanse nachtmerrie die werkelijkheid was geworden: een onhaalbare zaak, of de grootste grap die ooit met het belastinggeld van burgers was uitgehaald... kies maar uit. Het project was gestart als antwoord op de angst binnen de Amerikaanse overheid voor onbreekbare codes die onderscheppings- en afluistertechnieken onmogelijk maakten. Wat inderdaad waar was, zij het dat hun antwoord erop zo draconisch was, dat het project vanaf het eerste begin tot mislukken gedoemd was.
De Clipper II-chip was, net als de oorspronkelijke Clipper-chip daarvoor, ontworpen om onbreekbare codes te decoderen. Als de chip verplicht was gesteld, wat de Amerikaanse overheid wilde, zou iedereen hem moeten gebruiken. En de decoderende eigenschappen waren honderd procent zeker en absoluut onbreekbaar.

Alleen bevatte de chip een paar sleutels die uitsluitend voor de Amerikaanse overheid waren bedoeld, voor het geval dat. Als het nodig was, konden ze de sleutel in een bepaalde chip activeren, een vergunning tot onderscheppen aanvragen en alle berichten decoderen die via die chip werden verzonden. Op die manier – beweerden ze – kon justitie allerlei maffiosi, drugsdealers, geldwitwassers en ander tuig aanpakken.
Hackers vonden dit natuurlijk een vreselijk idee. Zij maakten al gebruik van coderingen die zo goed waren dat niemand ze kon breken, ook de Amerikaanse overheid niet. Het idee dat ze terug moesten naar minder zekere coderingen zodat de overheid iedereen kon bespioneren die ze wilde, dreef hen tot waanzin. Geen hacker ter wereld geloofde dat de overheid eerst zou afwachten totdat de vergunning zou worden toegekend en dan pas zou gaan onderscheppen. Ze zou eerst onderscheppen en dan pas vragen of het wel mocht, precies zoals nu met het afluisteren van telefoons gebeurde.
Het goede nieuws in deze hele controverse was dat iedereen die zich serieus met coderen bezighield, wist dat het te laat was voor Clipper II, net zoals het tien jaar daarvoor te laat was geweest voor Clipper I. Onbreekbare codes waren als de geest uit de fles gekomen en zouden zich er nooit meer in laten stoppen.
Lane nam een slokje koffie, kromp even ineen omdat hij te heet was en vroeg me iets. Omdat ik aan Clipper II zat te denken, miste ik de vraag.
'Wat?'
'Plegen mensen een moord voor software?'
'Ik in elk geval niet,' zei ik. 'Maar Windows is ook software en de maker ervan heeft miljarden dollars verdiend. In sommige delen van de stad kun je vermoord worden voor twaalf dollar vijfennegentig. Dus ik neem aan dat er software bestaat die mensen zou kunnen aanzetten tot moord.' Daar dachten we allebei even over na. 'Als het echt is gebeurd zoals jij zei – wacht even, laat me uitpraten – en Jack heeft iemand neergeschoten, hoeft dat niet vanwege software te zijn geweest. Misschien heeft hij het gedaan om te voorkomen dat hij gepakt en naar de gevangenis gestuurd zou worden. De gevangenis in Texas.'
'Maar je weet net zo goed als ik dat Jack niet iemand zou neerschieten,' zei Lane. 'En aangezien íémand die bewaker heeft neergeschoten, moet er een vierde persoon in die ruimte zijn geweest, ook al beweert het bedrijf dat alleen Jack en de twee bewakers er waren.'
'Misschien heeft de ene bewaker de andere neergeschoten om de indruk te wekken dat Jack eerst heeft geschoten...'
Ik zei het half gekscherend, maar ze ging er serieus op in. 'Nee, daar

heb ik over nagedacht. De bewaker die is neergeschoten, is daarbij zwaargewond geraakt. De kogel is dwars door zijn long gegaan. Het was een oudere man en hij is bijna overleden op weg naar het ziekenhuis.'
'Dus alles sluit.'
'Bijna te goed,' zei ze. 'Ze hebben Jacks huis doorzocht en zogenaamd geheime bestanden gevonden op een paar Jaz-disks die hij in een schoen had verstopt. Kwam dat even mooi uit. Dat deed hem pas echt de das om. Het enige wat er niet in past, is het schieten. Jack had de pest aan wapens. Hij was er doodsbang van, durfde niet eens een wapen aan te raken.'
Ze raakte op toeren en ik remde haar af met een directe, nuchtere vraag.
'Wat deed Jack in Dallas?'
'Een klus,' zei Lane. 'Hij zat er al drie maanden en had nog een maand of drie te gaan. AmMath had een paar oude supercomputers, Crays, overgenomen van de meteorologische dienst en ze hadden moeite om ze aan de praat te houden. Jack had jaren daarvoor al eens voor ze gewerkt, en ze hadden hem ingehuurd om de besturingssoftware te stroomlijnen.'
'O,' zei ik, want ik wist niets beters te bedenken.
'Vraag me waarom ik naar jou toe ben gekomen,' zei ze.
'Oké. Waarom ben je naar mij toe gekomen?'
'Eerst een vraag. Ben je in Dallas geweest? Ooit? Met Jack?'
Ik schudde mijn hoofd. 'Nee, Jack en ik hadden al twee jaar niet samengewerkt.'
'Dat weet je zeker?'
'Ja, dat weet ik zeker. Hij heeft toen wat software voor me herschreven.' Daarmee kon ik in de ontwerpcomputers van Toyota komen als ik dat wilde. 'Maar dat was in november, twee jaar geleden.'
'Wat heeft dit dan te betekenen?' Ze zocht in haar tas en haalde er een geprinte e-mail uit. 'Kijk naar de laatste paar regels.'
Ik las de hele e-mail. Een gewoon gesprek tussen broer en zus, over het landhuis van hun vader, die negen maanden geleden was overleden, zodat nu allebei hun ouders dood waren.
Maar in de laatste paar regels zei Jack: 'Ik ben hier op iets gestuit dat nogal vreemd is. Ik wil je niet bezorgd maken, maar als er rare dingen gebeuren, neem dan contact op met Kidd, oké? Je hoeft alleen maar BOBBY en 3RATSASS3 tegen hem te zeggen.'

3

Als je 's morgens in de scheerspiegel kijkt, je vraagt jezelf wat er van je is geworden en het antwoord is kunstenaar en beroepscrimineel, heeft je leven ergens onderweg een duistere wending genomen. Terwijl andere mensen bij de splitsing de weg met het bordje VERBODEN TOEGANG netjes zouden mijden, ben ik die weg toch ingeslagen en terechtgekomen in een goot vol kapotte wijnflessen, verloren zielen en mensen die me vertelden dat ik de pest kon krijgen. En ik kon er niet eens iemand de schuld van geven.

Nou, het leger misschien. Het leger heeft me opgezadeld met een hele lijst omgekomen vrienden, een reusachtige afkeer van bureaucratische instanties en een paar ongewone behendigheden. En, shit, het was best interessant. Ik ben in elk geval niet op een armoedig zolderkamertje terechtgekomen, heb geen ringbaardje en een snelle babbel voor vrouwen met slachtoffergedrag en hoef mijn schilderijen niet te slijten aan hufters in glimmende Italiaanse pakken. Zo ben ik gelukkig niet.

Wat ik wel ben, is een kunstenaar. Ik ben kunstschilder. En ik verdien er aardig mijn brood mee. Maar hoewel ik harder werkte dan ooit, was mijn productie – kunstenaars praten echt over zaken als productie – de afgelopen jaren wat teruggelopen. Ik heb altijd nogal moeilijk gedaan over wat ik wilde verkopen of niet, en naarmate ik ouder werd, werd ik steeds lastiger, dus zelfs toen mijn prijzen omhooggingen, was mijn inkomen licht gedaald. Het afgelopen jaar had ik zes schilderijen verkocht. Ik had er iets meer dan driehonderdduizend dollar aan overgehouden, maar ik zal u eens iets vertellen over de belastingdienst...

Of laat ik dat liever niet doen. Ik kan nogal republikeins klinken als ik dat doe.

In elk geval deed ik mijn nachtwerk er nog steeds bij. Ik stal dingen. Computercodes, schema's voor nieuwe chips of nieuwe computers en ontwerpen van nieuwe auto's. Ik denk dat ik ook in staat zou zijn om juwelen en geld te stelen, maar ik was niet geïnteresseerd in juwelen en geld, en bovendien leverde die sector aanzienlijk minder op dan mijn werkterrein.

Ik wist dat zeker, want mijn beste vriendin is een vrouw die LuEllen heet en die dat soort zaken steelt: contant geld en juwelen en muntenverzamelingen en zelfs postzegels, of eigenlijk alles wat draagbaar is en gemakkelijk en onopgemerkt in geld omgezet kan worden. LuEllen en ik hadden elkaar leren kennen toen ik haar betrapte tijdens een inbraak bij een van mijn buren in het gebouw waar ik woon. Dat was een paar jaar geleden. Sindsdien zijn we vrienden en soms meer dan dat.
Ondanks ons gezamenlijke verleden had ik geen idee wat LuEllens achternaam was of waar ze precies woonde. En zij wilde dat graag zo houden.
Ik schaam me niet echt voor mijn nachtelijke bezigheden, maar ik heb wel eens overwogen ermee op te houden als ik in plaats van zes schilderijen er negen per jaar kon verkopen. Alhoewel, misschien ook niet. Als ik Fransman was, en filosoof, zou ik misschien zelfs stellen dat een beroepsmisdadiger niet zoveel verschilde van een vrijheidsstrijder.
Maar er bleef altijd dat sceptische gezicht in de spiegel, het gezicht dat vroeg of vrijheidsstrijders zoveel geld moesten verdienen. Ik kon zeggen: 'Hé, vrijheidsstrijders moeten ook eten.' Maar wat moest je doen als het gezicht in de spiegel vroeg: 'Ja, maar hebben vrijheidsstrijders ook zomerverblijven in New Orleans, houden ze schildervakanties in Siena, gaan ze weekjes vissen in Ontario en hebben ze een seizoenkaart voor de Wolves?'
Aangezien ik noch Fransman, noch filosoof was – eerder een aanhanger van de grote god WJZIWJK, wat je ziet is wat je krijgt – had ik op die vraag nooit een pasklaar antwoord.
Behalve dat ik me sneller moest scheren.

Ik geloofde dat ik met Lane Ward nog niet meteen kreeg wat ik zag. 'Ik ga even een paar minuutjes het Net op,' zei ik.
'Je gaat navraag naar me doen?' vroeg Lane.
'Ik ga kijken of er post is,' antwoordde ik beleefd.
'3RATSASS3 lijkt me een wachtwoord,' zei ze. 'En wie is Bobby?'
Ze had grote, donkere ogen. Ik had eerst gedacht dat ze van Mexicaanse afkomst was, met een Angelsaksische gelaatstint, maar nu dacht ik meer aan het Verre Oosten, aan een van die ongenaakbare maar tegelijkertijd delicate Japanse vrouwen van de houtsneden van Hiroshige. Het had iets met haar wenkbrauwen te maken. Ik zou haar graag willen tekenen, met haar gezicht in een hoek van vijfenveertig graden zodat ik haar neusbrug, haar jukbeen en haar oor erop kreeg. Ik zei het niet.
'Bobby runt een antwoorddienst,' zei ik. Een antwoorddienst voor mensen zoals ik, had ik erbij kunnen zeggen, maar ik deed het niet. '3RATS-

ASS3 is waarschijnlijk het wachtwoord voor een van Bobby's e-mailadressen.'
'Laten we dan kijken wat er te vinden is.' Ze keek om zich heen. 'Waar staat je computer?'
'Achter.'

Ik woonde al een tijdje in het appartement. Het is van mij, en ik heb het gekocht toen het stadsbestuur van St. Paul jaren geleden een project startte om de mensen weer naar de binnenstad te krijgen. Het bestaat uit een kleine keuken met een ontbijthoek aan de ene kant, een middelgrote woonkamer met uitzicht op de rivier, een werkkamer met ongeveer drieduizend boeken, tweehonderd diskettes en cd's met allerlei software en meestal drie of vier lopende computers, een atelier met een wand van ramen aan de noordoostkant, en een slaapkamer. Op weg naar de werkkamer bleef Lane staan bij de open deur van het atelier, keek ze naar de wand van ramen, de oude schildersezel en alle andere rommel die je bij het schilderen gebruikt en vroeg: 'Wat moet dit voorstellen?'
'Ik ben kunstschilder,' zei ik. 'Dat is mijn echte beroep. Dat computergedoe doe ik erbij.'
'Je bent echt beeldend kunstenaar?'
'Ja.'
'Dat heeft Jack me nooit verteld,' zei ze, waarna ze me even bleef aanstaren alsof ze haar mening over mij wilde herzien.
'Zo goed kende Jack me niet,' zei ik. 'Jack en ik kenden elkaar vooral van het Net. Ik heb hem maar twee keer echt ontmoet.'
'Is hij hier geweest?'
'Nee, nee, ik heb hem een keer op het vliegveld ontmoet, toen hij moest overstappen, en een keer toen ik een klus had in Redmond.'
'Redmond,' zei ze. 'Zo.' Ze liep naar een schilderij dat ik tegen de muur had gezet. Een paar weken voordat ik ging vissen had ik het afgemaakt, een rij gebouwen aflopend over een heuvelrug onder het vlakke, gele licht van Minnesota in september. Het licht is dan vaal maar heeft een warme, gele gloed die doet denken aan warme zomeravonden in Midden-Italië, hoewel die periode in St. Paul maar drie weken duurt.
Lane bleef even naar het schilderij staren, hield haar hoofd toen schuin en deed een stapje achteruit. 'Maar twee dimensies en al dat licht,' zei ze. 'Maar het ziet eruit alsof het echt zo zou kunnen zijn.' Ik haalde mijn schouders op en ze zei: 'Ja, ik vind het echt mooi.'
Ik wist nooit wat ik daarop moest antwoorden, dus zei ik: 'De werkkamer is deze kant op.'

Op de tafel in de hoek stond een oude Pentium en op de grond stond een schouderhoog Dell-chassis met een stapel kartonnen dozen ernaast. Ze keek ernaar en vroeg: 'Waar ben je mee bezig?'
'Een paar mensen in Chicago willen een Amerikaanse radarboot nabouwen,' zei ik. 'Ze hebben een supercomputer nodig om de romp te ontwerpen, maar die kunnen ze zich niet veroorloven, dus bouw ik er een, met een vriendin.'
'O, ja? Leuk.' Ze was niet echt onder de indruk, alsof ze dat zelf al een paar keer gedaan had. 'Wat wordt de set-up?'
'We gaan vierenzestig Dell Pentium III's in serie zetten' – ik gaf met vlakke hand een klap op de bovenste kartonnen doos – 'en met een Ethernet-kaart naar een enkel besturingssysteem sturen. Dat hebben we van een *freeware*-site gehaald...'
'Ik ben gek op freeware,' zei ze.
'... en mijn vriendin – zij doet het feitelijke programmeerwerk – komt dan hiernaartoe om de programma's te schrijven voor de verbindingen die ze denkt nodig te hebben, en het ding aan de praat te krijgen.'
'Gaaf.' Ze draaide zich om en keek naar de boeken. 'Waar is je Net-computer?'
Ik nam haar mee naar de oude Pentium. De vorige eigenaar, of – wat waarschijnlijker was – de vrouw of vriendin van de vorige eigenaar, had op de beige onderrand van de monitor met een roze onuitwisbare viltstift VAL DOOD, VETZAK geschreven. 'Het nieuwste van het nieuwste, hè?' zei ze.
'Wat zal ik zeggen?' Je had geen supercomputer nodig om een e-mail te versturen. 'Waarom ga jij niet... eh... even bij de Dells kijken?'
'Waarom?'
'Omdat ik een nummer ga draaien waarvan ik niet wil dat je het ziet en een procedure ga volgen waarvan ik evenmin wil dat je die ziet.'
'Echt?' vroeg ze. 'Geheimzinnigheid troef, hè? Sorry, ik was het vergeten.'
'Wat?'
Ze glimlachte, voor het eerst, en het was een beeldschone glimlach. 'Dat je een boef bent.'

Ze liep naar de andere kant van de kamer en ik draaide Bobby's 800-nummer, een nummer waarvan ik zeker wist dat AT&T het niet kende, aangezien er op de 800 tien cijfers volgden. Ik wachtte tien seconden en op de elfde seconde kreunde de modem en verscheen er een '?' op het scherm. Ik typte acht cijfers, kreeg weer een '?', typte een 'k' en kreeg er nog een.

Ik typte MALE, wat een grap was of een bewuste fout uit veiligheidsoverwegingen, en toen er weer een '?' verscheen, typte ik 3RATSASS3.
Er verscheen een e-mail op het scherm.

O jezus, tenzij ik dit zelf terugslees, zit ik diep in de problemen.
Kidd, kom naar Dallas en zoek me op; het kan zijn dat ik in de bak zit.
Wat er aan de hand is, is dit: ik ben door AmMath ingehuurd om hun software te herzien, een klus die heb gekregen omdat ik een DOD-vrijwaring heb van toen ik voor JPL werkte. Het hoort allemaal geheim te zijn, maar iedereen weet dat ze aan de software voor Clipper II werken; het heeft in de kranten gestaan. Dus dacht ik dat het allemaal niet zoveel voorstelde, want Clipper II is zo dood als een pier, bij de overheid, in de senaat, en afgezien van die inlichtingensufkoppen in Washington weet iedereen dat het er te laat voor is. Maar hier doen ze alsof ze een nieuwe atoombom hebben uitgevonden, en deze mensen zijn geen sufkoppen. Het is zelfs zo dat ze me nogal bang maken.
Ik was kortgeleden wat aan het rotzooien in een bestand dat OMS heet, gewoon om te checken of het systeem goed werkte. Ik las er een stukje van en ik mag hartstikke doodvallen als het niets met Clipper te maken had. Ik was het aan het lezen toen een beveiligingsman me kwam vragen waar ik mee bezig was. Ik zei dat ik wat toegangstesten aan het doen was en het niet echt gelezen had, waarop hij zei dat ik uit dat bestand moest blijven tenzij ik daar vooraf toestemming voor had gekregen. Mij best, zei ik. Ze moeten er een tripwire in hebben gezet.
Hoe dan ook, ik ga vanavond terug met een stel Jaz-disks, haal de tripwire eraf en ga het OMS-bestand kopiëren. OMS – heb ik ontdekt – staat trouwens voor *Old Man of the Sea*, maar wat ik heb gezien had niets met Hemingway te maken. Hoe dan ook, voor de zekerheid stop ik de kopieën weg op de veiligst mogelijke plek.
Als je dit leest, zit ik waarschijnlijk in de problemen. De beveiligingsman die kwam kijken is een eikel die William Hart heet. Er gaan geruchten dat hij een soortgelijke functie

bij het leger had en eruit is geschopt. Een van de secretaresses vertelde me dat hij een tijdje in de bak heeft gezeten voordat hij naar AmMath kwam, dus pas op.
Nou, dat is het. Ik hoop bij god dat ik dit lees en niet jij. Maar als jij het bent, kom me dan halen. Doe LuEllen de groeten van me... en pas op voor vreemde poezen.

Jack

Dat klonk niet goed. Ik zat nog een paar minuten naar het scherm te staren en riep Bobby toen op. Bobby is er altijd. Ik kreeg de '?' weer, antwoordde met 'k' en hij kwam onmiddellijk on line.

Kidd, waar was je?
Vissen.
Ik heb je gezocht, maar na het vliegveld in Kenora raakte ik je kwijt.
Buiten bereik. Nog nieuws?
Heb je het gelezen over Firewall?
Ik weet van niks. Ben net terug.
Ga het Net op en lees de kranten: New York Times, Wall Street Journal, Washington Post. *We moeten Firewall vinden en aan de politie overdragen. Maar de namen van Firewall kloppen niet. Jij bent Firewall niet. Stanford ook niet.* ONE20XFORD *niet. carlg niet.*
Ik weet niet waar je het over hebt.
Lees de kranten en meld je weer. Je naam staat op de lijst.
Weet je dat Stanford dood is?

Er gebeurde even niets, en dat maakte je met Bobby niet vaak mee.

Dood? Weet je het zeker? Wanneer en waar?
Afgelopen vrijdag in Dallas. Zogenaamd doodgeschoten tijdens een inbraak bij een softwarebedrijf dat AmMath heet.
Wist ik niet. Ik ga het onmiddellijk na. Stanford staat op Firewall-lijst.

Ken je Lane Ward?
Nee, alleen van naam. Doet computers op Berkeley.
Ik wil broers en zussen van Lane Ward en een foto van Ward. Spoed.
Over een uur in je mailbox. Ga het Net op! Lees over Firewall. Ik ga Stanford na.
Oké. Ik meld me.

Kiestoon en uit.
Ik las de tekst op het scherm nog een keer, veegde alles uit behalve de e-mail, printte hem uit en zei: 'Hé.'
Lane kwam naar me toe. 'Wat?'
'Een e-mail van je broer.'
'Ah, shit.'
Ik haalde hem uit het bakje en gaf hem aan haar. Het kostte haar een minuut om het bericht te lezen, waarbij een verticaal plooitje boven haar neus verscheen. Ze las hem nog een keer en er rolde een traan over haar wang. Ten slotte keek ze op.
'Waarom heeft hij dat gedaan?'
'Uit nieuwsgierigheid. Jack was een computerman. Als je tegen een computerman zegt dat hij een bestand niet moet lezen, leest hij het juist.'
'Vooral als hij zichzelf als een soort James Bond ziet,' zei ze alsof het allemaal mijn schuld was.
'Weet je iets van een groep die zichzelf Firewall noemt?' vroeg ik.
Ze bleef me even aanstaren en vroeg toen: 'Werk je voor de regering?'
Dat vroeg om enige uitleg. Ik vertelde haar over Bobby's verhaal, waarna zij zei dat ik moest doen wat Bobby had gevraagd en Firewall moest opzoeken in de kranten op het Net. Ik ging het Net weer op en Lane keek mee over mijn schouder.

Acht dagen daarvoor, toen ik in de woonkamer op de grond zat en mijn snoeklijnen nakeek, was een topfunctionaris van de National Security Agency, ene Terrence Lighter, vlak bij zijn huis in Maryland vermoord. Jack werd de avond daarna vermoord, twaalf uur voordat ik in Kenora op het vliegtuig stapte.
Volgens de Netkranten werd Lighters dood oorspronkelijk toegeschreven aan een doodgewone roofoverval, hoewel de rechercheurs die het onderzoek deden waren gestuit op een paar zaken die niet klopten. Niets wees erop dat Lighter had geprobeerd zich te verzetten tegen zijn

overvallers, of had geprobeerd ervandoor te gaan. Hij was gewoon doodgeschoten. Lighters vrouw had de politie verteld dat hij een keer eerder beroofd was, toen ze in Washington woonden, en dat hij toen rustig zijn portefeuille had ingeleverd terwijl hij had geprobeerd de overvallers ervan te overtuigen dat hij geen bedreiging voor hen vormde. Met andere woorden: het was niet nodig hem dood te schieten om zijn geld te krijgen. Daar kwam bij dat hij was overvallen in een rustige straat in een buitenwijk, waar roofovervallen bijna niet voorkwamen, en moord nog minder.

Een paar dagen later waren op het Net geruchten verschenen dat hij vermoord zou zijn door een radicale groep hackers die zichzelf Firewall noemden. Firewall beweerde dat het uit wraak was voor Clipper II, hoewel Clipper II al door iedereen als mislukt werd gezien. En er waren een paar namen naar boven gekomen... CarlG, Dave, FirstOctober, RasputinIV, K, LotusElan, One2Oxford, Stanford en Whitey.

'O shit,' zei ik.

'Wat?'

Om mezelf in te dekken vroeg ik: 'Weet je de naam waaronder je broer werkte?'

'Yellowjacket, bedoel je? Dat was zijn *gamers*-naam.'

'Nooit van gehoord. Voor mij is hij altijd Stanford geweest.' Ik tikte op de lijst op het monitorscherm. 'Ze hebben hem op de lijst staan als lid van Firewall.'

Ze keek. 'Stanford is Jack?' Ze draaide langzaam haar hoofd weg en dacht na.

'Wat is er?' vroeg ik.

'Je praat niet met de overheid,' zei ze, als een statement met een vraag erin.

'Nee, natuurlijk niet.'

'Ik heb wel met ze gepraat,' zei ze na een korte stilte. 'Ze hebben me gevraagd het aan niemand door te vertellen. Donderdag heb ik ze gesproken. Ik ben twee uur lang uitgehoord door de FBI. Over Firewall. Waar Jack naartoe ging voor zijn klussen en wie zijn vrienden waren. Ik wist dat niet, afgezien van een paar gemeenschappelijke vrienden die we hadden. Jack ging eens per jaar naar Europa, wist ik, maar dat was alles. De laatste keer dat hij het land uit was, was een halfjaar geleden.'

'Heb je het over mij gehad?'

'Nee, natuurlijk niet,' zei ze. 'Ik weet wel beter.'

'Wat weet jij over Firewall?'

'Niets. Ik had er nog nooit van gehoord. Als Jack erbij betrokken was

geweest, zou hij het me verteld hebben. Maar ja, al die groeperinkjes op het Net, je weet hoe ze zijn. Sociaal onvolwaardige sufkoppen die denken dat ze in een soort stripverhaal leven. Jack zou zich daar nooit bij aansluiten. Ik evenmin.'
'Iemand executeren omdat hij aan Clipper II heeft gewerkt... dat klinkt mij niet in de oren als sociaal onvolwaardige sufkoppen,' zei ik.
'O, nee?' vroeg ze. 'Wie kan het dan gedaan hebben? Iemand vermoorden voor een chip die niet eens een echte chip was. Wie zou zich daar druk om maken, behalve gestoorde computerfreaks?'
'De maffia?'
'Ach, onzin.' Ze rolde met haar ogen.
'Het is te... lichamelijk.'
Lane zette haar handen op haar heupen. 'Jezus, Kidd, kijk naar jezelf. Je bent een of andere middelbare computerexpert annex visser annex kunstenaar met een gebroken neus. Wat als het iemand is zoals jij, maar dan iemand die bloed ruikt?'
Daar had ik geen antwoord op. Maar daar hadden we wel behoefte aan als de FBI en de overheidsspionnen en god weet wie nog meer het hele land overhoophaalden, want Bobby stond op de lijst. En ik ook. Ik was 'k'.
Lane viel weer terug op Jacks e-mail.
'Waar is de veiligst mogelijke plek?' vroeg ze.
'Ergens waar ik ze kan vinden, neem ik aan.' Ik had al een idee, maar dat hield ik voorlopig voor mezelf. Ik wilde haar eerst beter leren kennen. 'Misschien heeft hij ze ergens naartoe gestuurd. Ik heb diverse e-mailadressen, overal verspreid. Ik heb er zelfs één bij AOL.'
'Kijk ze na.'
Ik ging weer on line, checkte al mijn postbakjes, maar kwam met lege handen terug. Lane las Jacks e-mail weer. Ze tikte erop met haar vinger en zei: 'Er is nog iets anders wat me dwarszit; die regel over oppassen voor vreemde poezen.'
'Vreemde wat?' Ik had er nauwelijks aandacht aan geschonken.
'Poezen. Wat mij dwarszit, is dat ik niet geloof dat Jack zo praatte. Weet je zeker dat die e-mail van Jack komt?'
Ik moest lachen, want dat was precies zoals Jack praatte, alleen niet in het bijzijn van zijn zus, of andere vrouwen. 'Ja, soms praatte hij zo,' zei ik, en na een korte stilte: 'Is het mogelijk dat je Jack minder goed kende dan je dacht? Dat hij een leven leidde waar jij niets van wist? Een leven waarin misschien wapens voorkwamen?'
'Nee,' zei ze vol overtuiging. 'Ik bedoel, het is heel goed mogelijk dat hij dingen deed waar ik niets van wist, dat hij die voor me verborgen

hield. Hij kon het nogal goed vinden met een bepaald type vrouwen, dus hij kan best “poes” hebben gezegd, maar hij zei het alleen nooit waar ik bij was. Maar met wapens hebben we het over primaire zaken, over zijn persoonlijkheid. Hij zou gewoon nooit op iemand schieten.’

‘Akkoord.’ Toen viel me ineens iets op. ‘Je zei dat hij op een vrijdag was vermoord?’

‘Ja, vrijdagavond.’ Ze zag mijn verbaasde blik toen ik de e-mail nalas. ‘Hoezo?’

‘Omdat de e-mail is verzonden op zondag, de zondag voordat hij werd vermoord. Hij zei dat hij toen naar binnen zou gaan...’

‘Nou, wat zei ik je? Er klopt geen barst van deze hele zaak.’

We praatten over de mogelijkheden, maar in mijn achterhoofd bleef die ‘k’ rondspoken, want de FBI was op zoek naar ‘k’.

‘Ga je met me mee naar Dallas?’ vroeg ze ten slotte.

‘Ga je terug?’

‘Ik moet wel. Ik moet papieren tekenen en dat soort dingen, als ze met hem klaar zijn.’ Er rolde weer een traantje over haar wang en ik wendde snel mijn blik af. Ik kan niet goed tegen huilende vrouwen; dan ga ik onzin uitkramen. ‘Nou, ga je mee? Ik had al voor je gereserveerd. Ik kan wel een beetje steun gebruiken.’

‘Ja, oké, oké,’ zei ik. ‘Maar niet meer huilen, hè? Alsjeblieft?’

Ze had geboekt voor diezelfde avond, op de laatste vlucht van die dag. Ik nam even tijd om naar beneden te gaan en Alice te vragen om voor de kat te zorgen, en toen ik weer boven kwam, ging ik nog even het Net op om alles te lezen wat ik over Firewall kon vinden. Dat was een heleboel, hoewel het merendeel onzin was. Daarna ging ik naar mijn mailbox bij Bobby, waar ik een foto en een boodschap vond. De foto was van Lane Ward, die er leuk uitzag in haar strenge mantelpakje en met een wand boeken op de achtergrond. De boodschap luidde: HAAR ENIGE BROER WAS JM.

Ten slotte belde ik de Wee Blue Inn in Duluth en kreeg ik Weenie, de eigenaar en barkeeper, aan de lijn. Weenie is een dikke man met staalgrijs haar, die voortdurend op tandenstokers kauwt, een schort om heeft dat hij elke maand wast, of het nodig is of niet, en altijd naar vette hamburgers en gebakken uien ruikt. ‘Dit is de man uit St. Paul,’ zei ik. ‘Ik wil LuEllen spreken.’

‘Ze is er nu niet,’ zei hij. ‘Ik kan een boodschap aannemen.’

LuEllen was er nooit. Weenie betaalde haar officieel 28.000 dollar als serveerster, en zij betaalde belasting over die 28.000 plus 6.000 dollar fooi. In werkelijkheid hield hij de 28.000 belastingvrij in zijn zak en gaf hij LuEllen er het W-2-formulier voor in de plaats. Weenie was haar antwoorddienst, en het W-2-formulier legde aan de overheid uit hoe ze kon betalen voor het huis waar ze woonde, waar dat ook was.

'Zeg tegen haar dat Stanford is vermoord,' zei ik. 'De begrafenis is aanstaande woensdag in Santa Cruz. Ik ga nu naar Dallas, maar ik ben woensdag in Santa Cruz.'

'Ik geef het door,' zei Weenie. 'Is dat Stanford zoals de universiteit?'

Op weg naar buiten – Lane stond al in de hal – liep ik snel terug naar mijn werkkamer voor een houten doosje dat in Polen was gemaakt. Ik stak het in mijn jaszak, voor het geval dat.

Op het vliegveld kocht ik alle belangrijke kranten en zodra we in de lucht zaten, begon ik naar artikelen over Firewall te zoeken. In elke krant stond er minstens één, maar niet langer op de voorpagina. Firewall scheen de mediadood al gestorven te zijn.

Terwijl ik de kranten las, leunde Lane achterover en viel ze al snel in slaap. Ze was niet zo groot en kon zich in haar stoel oprollen als een poes op een kussen. Ik zat enige tijd naar de stoelleuning voor me te staren en toen ik er zeker van was dat ze sliep, haalde ik het houten doosje uit mijn jaszak. In het doosje, gewikkeld in een zijden doek, zat een spel Ryder-Waite-tarotkaarten.

Ik ben niet bijgelovig. Sterker nog, ik weiger aan bijgeloof toe te geven. Geesten en elfjes en astrologie en numerologie en frenologie en al die New Age-onzin over godinnenmoeders en heksen... de wereld zou een prettiger plek zijn wanneer ze allemaal als een nachtkaars uitgingen. Tarot is anders. Tarot is een soort spel – tenminste, het kan het zijn – dat je tot een andere manier van denken aanzet. Laten we zeggen dat je... nou, vooruit... dat je ergens probeert in te breken. Je geest zegt dat X een gevaar vertegenwoordigt en dat Y dat eveneens doet, maar tarot zegt: denk na over Z. Zodat je in feite buiten je eigen geest om begint te denken, en als je uiteindelijk het huis binnengaat, oog in oog staat met een spectrum van mogelijkheden dat anders onbelicht zou blijven.

Daar is niets magisch aan, maar het kan je wel de huid redden.

Dus legde ik de kaarten uit, op mijn eigen manier, en werkte ik toe naar een sleutelkaart. Ik draaide de kaart om.

De duivel. Interessant...

Ik staarde een paar seconden naar de engerd, zuchtte, stond op, haalde mijn reistas uit het rek en borg het doosje met kaarten erin op. Ik dacht weer een ogenblik na en haalde toen de kleine, achtdelige Windsor & Newton-waterverfset en mijn schetsboek uit de tas. Ik vroeg de stewardess om een glas water en begon vlug schetsend een paar aquarellen te maken van Lane, de vliegtuigcabine en de twee zakenjongens aan de overkant van het gangpad te maken.

De ene, die het dichtst bij zat, leek me een zakenman: kalend, pafferig, twee onderkinnen, opgebrand. Hij zat met zijn hoofd naar beneden te dutten en zijn rood met geel en zwarte das lag als een waterval over zijn borst en buik gedrapeerd. De man achter hem zag er net zo uitgeblust uit, maar hij was zo mager, dat je zijn schedel bijna door zijn hoofd kon zien. Ik maakte drie goed gelijkende aquarellen van de twee, waarbij de magere als een schaduw des doods achter de dikke zat. Ik moest mijn best doen om de rode das van de magere goed te krijgen, want die was gedraaid en zat halverwege in zijn hemd weggestopt.

Een stewardess bleef even naast me staan kijken en liep toen naar de voorkant van het vliegtuig. Na een paar minuten kwam ze terug met de copiloot, die ook even kwam kijken, zei dat hij zelf ook aquarellen maakte en vroeg of ik ooit de cockpit van een D9S bij nacht had gezien. Dat had ik niet, en hij ging me voor.

Ik maakte een zestal aquarellen van de bemanning aan het werk en liet ze daar achter. Ze waren er blij mee, en ik was zelf ook tevreden. In de twintig jaar nadat ik van de academie ben gekomen, heb ik, denk ik, geen dag voorbij laten gaan zonder iets te tekenen of te schilderen, behalve de paar keer dat ik in het ziekenhuis lag, en zelfs toen was een potlood het eerste waar ik om vroeg zodra ik me weer kon bewegen. In de beginjaren deed ik het zo krampachtig, dat ik op het laatst geen potlood, pen of penseel meer durfde vast te houden. Als ik een uurtje aan het schilderen was, was ik doodmoe. Toen kwam de ommekeer. Mijn penseelstreek werd lichter en mijn werk werd vloeiender. De echte doorbraak vond plaats na een veelbewogen bezoek aan Washington D.C., dat me de nodige nachtmerries opleverde. Maar uiteindelijk schudde ik die van me af – ik heb er al een paar jaar geen een meer gehad – en hield ik de vloeiende stijl over...

Ik liep terug naar mijn plaats, stopte het schetsboek en de Windsor & Newton-set terug in mijn tas en maakte mijn riem vast voor de landing. Toen de wielen de grond raakten, schrok Lane wakker. Ze geeuwde, schoof het gordijntje opzij en keek naar de lichtjes van Dallas en, toen we gedraaid waren, Fort Worth.

'Ik heb een smaak in mijn mond alsof er een dode rat in zit,' zei ze, en

haar stem klonk een beetje schor. Een prima stem om mee wakker te worden. Ze keek me aan. 'Wat heb jij gedaan? Al die tijd naar die stoelleuning zitten staren?'
'Nou nee,' zei ik.
Bij de uitgang kneep de stewardess even in mijn arm en zei ze: 'Hartelijk bedankt. U kunt er wat van.' Lane barstte onmiddellijk van de nieuwsgierigheid en toen we naar de aankomsthal liepen, vroeg ze: 'Waar ging dat over?'
'Ach,' zei ik, 'je weet wel...'
'Hang de hufter maar uit,' zei ze, maar ze glimlachte erbij.

We overnachtten in een Marriott-motel. De volgende ochtend kwam ze me al vroeg wekken en om negen uur reden we naar het hoofdbureau van politie in Dallas. Lane wilde dat ik met haar mee naar binnen ging, maar ik praat niet met de politie zolang ik dat kan vermijden. Dus ging ze alleen, met een beetje de pest in. Twintig minuten later kwam ze weer naar buiten en ze deed haar verslag terwijl we terugreden naar het motel.
De smerissen hadden er geen doekjes om gewonden, zei ze. 'Ik heb geprotesteerd en ben boos geworden, maar ze trokken zich er niets van aan. De man die me te woord stond, zei dat Jack met iets duisters bezig was. Dat waren de woorden die hij gebruikte. Iets duisters.'
'En dat is het? Dat is alles wat ze hebben? Dat hij met iets duisters bezig was?'
'Nee.' Ze had geen zin om te praten en ik moest het uit haar trekken. 'Ze zeiden dat ze het wapen waren nagegaan dat hij gebruikt zou hebben. Het is zes jaar geleden gestolen in San Jose.'
'O-o,' zei ik.
'Juist. Ik bleef volhouden dat Jack nooit met een wapen zou schieten, waarop zij weer zeiden: "Hoe kan het dan dat het wapen uit San Jose afkomstig is?"' Ze keek naar me met haar donkere ogen alsof ze me smeekte te begrijpen dat het allemaal onzin was wat ze zei. 'Ze zeiden: "Had AmMath hem er dan ingeluisd met een wapen dat zes jaar geleden in San Jose is gestolen? Hoe hebben ze dat dan gedaan?"'
'Goeie vraag,' zei ik.
'Jack zou nooit op iemand schieten,' hield Lane vol.
'Je kunt niet altijd zeggen wat iemand zou doen als hij met de rug tegen de muur staat en denkt dat zijn leven geruïneerd zal worden,' zei ik. 'Als hij op het punt staat de bak in te draaien. Of misschien dacht hij dat de bewaker op hém zou schieten en was het zelfverdediging.'
Ze wilde er niets van weten en nadat we elkaar een tijdje mokkend had-

den aangekeken, liet ik het onderwerp voor wat het was. 'Oké, ze hebben dus een wapen.'
'Er waren nog een paar dingen,' zei ze met tegenzin. En toen opeens: 'Kijk uit!'
Ik ging boven op de rem staan en een blauwe Toyota pick-up schoot voor ons langs toen we de oprit naar de snelweg opreden. Hij had niet eens gezien dat ik daar reed. 'Klootzak,' zei ik hoofdschuddend. 'Hoor eens, Lane, je moet me alles vertellen wat ze hebben gezegd. Ik heb geen zin om het woord voor woord uit je te trekken. Ik sta aan jouw kant, weet je nog?'
'Het was allemaal gelul. Je had mee naar binnen moeten gaan, dan had je het zelf kunnen horen.'
'Wat zeiden ze nog meer?'
De politieman had haar uitgelegd dat er drie deuren waren die naar de beveiligde afdeling leidden, waarvan twee met alarm. De derde deur kwam uit op een korte gang die via een administratiekantoor naar de beveiligde afdeling liep. Als je nu wist op welke deuren alarm stond en het administratiekantoor binnendrong, vond je daar een tweede deur die rechtstreeks naar de beveiligde afdeling leidde. Die deur werd vanuit het kantoor op slot gedraaid, dus er zat geen alarm op en hij hoefde ook niet geforceerd te worden. Een buitenstaander die de beveiligde afdeling wilde binnendringen, zou dat niet weten en zich afvragen welke van de deuren hij moest hebben om het alarm te omzeilen...'
'Wat nog meer?'
'Het schijnt dat de bewaker niet op een alarm of geluid reageerde. Hij maakte gewoon zijn ronde. De tweede man, van de beveiliging, was op weg naar zijn kantoor. Ze hadden samen de lift naar boven genomen en daar zag de bewaker dat de deur van het administratiekantoor rondom de deurknop braaksporen vertoonde. Dus zijn ze samen naar binnen gegaan.' Ze viel stil en schudde haar hoofd.
'Dus wat ze beweren is dat er geen sprake was van een plotselinge schietpartij die werd gevolgd door een reeks verklaringen. Dat het gewoon een bewaker was die zijn ronde maakte.'
'Toch kan het geënsceneerd zijn,' zei ze koppig.
'Ja, maar jezus...' Dat klonk niet goed.
Ik concentreerde me op de weg en probeerde in te voegen in de stroom Texanen op de snelweg, alsof ik de chaostheorie wilde beproeven; je wist dat er onderling sprake was van een bepaalde orde, maar niet precies welke. Ik zag de Toyota pick-up vooraan rijden, als de dolfijn die de rest de weg wees.

Na de schietpartij, vertelde Lane, was de politie naar Jacks tijdelijke huis gegaan in gezelschap van een tweede beveiligingsman van AmMath, en hebben ze daar een stel computerdiskettes gevonden – 'twee diskettes die verstopt waren in een paar schoenen dat in de kast stond, wat Jack nooit zou doen' – plus allerlei ander verboden spul van AmMath, waaronder handleidingen en vertrouwelijke informatie over Clipper II. AmMath wilde alles meenemen, maar dat had de politie niet toegestaan. In plaats daarvan hadden ze de FBI erbij geroepen.
'Ze hebben het nog steeds?'
'Ja, de FBI heeft het.'
'En dat is alles?'
'Nou, nee. Ze zeiden dat de achteringang en de beveiligde afdeling van AmMath worden bewaakt met camera's. Er is met die camera's gerotzooid, via de bewakingscomputer van TrendDirect; dat is de eigenaar van het gebouw. Het bereik van de camera aan de achterkant was zo veranderd dat de deur niet in beeld kwam, en de camera op de beveiligde afdeling was uitgezet.'
'Dat heeft de bewaking niet gemerkt? Werden de monitors dan niet bekeken?'
'Dat heb ik ook gevraagd,' zei ze. 'De camera aan de achterkant beschrijft een vaste route, heen en weer over de hele achterkant van het gebouw, en de enige verandering was dat die route is ingekort. De andere camera maakt deel uit van een serie van tien, die verspreid zijn door het gebouw en waarvan de beelden in een vaste cyclus op de monitor verschijnen, drie seconden per punt, en er was gewoon één punt uit gehaald. Ze hebben er niets van gemerkt.'
We dachten er een ogenblik in stilte over na, waarna Lane een zucht slaakte en zei: 'Ze zeiden dat we Jacks computers waarschijnlijk terug mochten hebben. Niet de harde schijven, maar de rest. En de monitors en zijn persoonlijke bezittingen.'
'En Jack? Ik bedoel, het lichaam?'
'Ik moet naar het mortuarium en ervoor tekenen. Ze hebben het... hem vrijgegeven.'
'Juist. Misschien moeten we even langs zijn huis rijden om daar een kijkje te nemen,' zei ik. Ik was de blauwe Toyota inmiddels tot een paar meter genaderd. Hij ging opzij voor een afrit, maar ik sneed hem de weg af zodat hij bijna tegen een geluidswal aan reed. Onder aan de afrit sloeg ik rechtsaf en hij linksaf, maar ik kon zien dat hij zijn middelvinger naar me opstak.
'Waarvoor?' Lane had niets gemerkt van het conflict op de weg.

'Voor die Jaz-disks. Hij zei dat hij ze op de veiligst mogelijke plek had verstopt.'
'Weet je wat dat betekent?' vroeg ze. 'Ik dacht dat het gewoon een uitdrukking van hem was.'
'Misschien, maar we zouden kunnen gaan kijken.'
'Het huis is verzegeld.'
'Ja,' zei ik. 'Met een stuk tape.'

4

De rest van de middag werd in beslag genomen door de trieste naweeën van een gewelddadige dood: formulieren invullen voor het lichaam en tekenen voor een zak persoonlijke bezittingen waar de politie geen belangstelling voor had. Naast het gebruikelijke spul had Jack honderdveertig dollar in zijn portefeuille, tenzij iemand de rest eruit had gehaald, en een foto van Lane toen ze afstudeerde, die haar weer aan het huilen maakte. Ze tekende ook een overeenkomst met een plaatselijke begrafenisonderneming, die het transport per vliegtuig zou afhandelen. De kist kostte 1.799 dollar en had een kwaliteitsgarantie waarin we geen van beiden geïnteresseerd waren.

Toen Lane de eerste keer in Dallas was, om Jacks lichaam te identificeren, was ze gaan kijken naar het huis dat Jack had gehuurd, hoewel ze er niet naar binnen had gemogen. Aan het eind van de middag reden we erlangs. Het was een armzalig betonnen huis in een L-vorm, dat in een afschuwelijke roze tint was geschilderd. Precies de kleur, dacht ik, die flamingo's hadden. Een korte, boogvormige oprit nam het grootste deel van de voortuin in beslag. Er was geen garage of carport. Aan de voorkant was maar één deur, precies in het midden, met een aluminium overkapping erboven. We reden om het blok heen en aan de andere kant waren een achtertuin en een kleine dichte veranda zichtbaar.
En er stond een schoorsteen op het dak. Het stelde niet veel voor, maar het was wel degelijk een schoorsteen.
'Hij huurde tijdens zijn klussen altijd de goedkoopst mogelijke huizen,' zei Lane. 'In de weekends vloog hij heen en weer naar Californië.'
'Hij hield niet van Texas?'
'Het leek hem niet genoeg op Californië,' zei ze.
'Er zijn mensen die dat als een zegen beschouwen. De meeste Texanen bijvoorbeeld.'
Ze liet de opmerking voor wat die was en we reden opnieuw voor het huis langs.
'Hoe komen we binnen?'

'Dat weet ik nog niet. We moeten eerst zien of er licht brandt bij de buren. Als we bij de achterveranda kunnen komen, hebben we een beetje dekking.'

'Oké,' zei ze. Dat was nog eens ongecompliceerd vertrouwen.

We reden weer om het blok heen en ik lette op tuinschommels, kinderfietsjes, basketbalringen en honden. LuEllen had me erin getraind. Als er kinderen waren, hadden de ouders de neiging om 's avonds thuis, wakker en alert te zijn. Basketbalringen betekenden meestal tieners, en tieners kwamen en gingen op de vreemdste, meest ongelegen momenten. Honden waren het ergste. Honden blaften, zo verdienden ze hun brood, en in een buurt als deze zou er waarschijnlijk nog naar ze geluisterd worden ook.

Het huis rechts van dat van Jack had een houten schutting om de achtertuin, wat op kinderen of honden kon duiden. Het huis aan de linkerkant, een lelijk groen geval, was sober en kaal als dat van Jack, en er was geen teken van leven te bespeuren. En het huis recht achter dat van Jack had een opbouwzwembad in de achtertuin, wat waarschijnlijk betekende dat er kinderen waren.

Als er kinderen door de tuin renden of in het zwembad speelden, konden we het vergeten. Zo niet, dan werd het grootste probleem waarschijnlijk gevormd door een straatlantaarn die schuin tegenover het huis stond.

'Wat denk jij?' vroeg Lane.

'Volgens mij kunnen we het beste met parachutes op het dak landen en met een kettingzaag een gat erin zagen...'

'Kidd...'

'We kunnen tussen het groene huis en Jacks huis naar de achterkant sluipen, onder voorwaarde dat er geen licht brandt in het groene huis, kijken of we op de veranda kunnen komen en zien hoe de situatie daar is. Meestal is er wel een weg naar binnen.'

'Als we inbreken, zullen ze weten dat wij het waren.'

Ik schudde mijn hoofd. 'Nee, dat zullen ze niet. Want wij vliegen vanavond om elf uur naar San Francisco. Als ze de eerstkomende dagen niet in de buurt van het huis komen, nou, wie zal dan weten wat er gebeurd is? En wat kan het ze schelen? Ze hebben het al doorzocht.'

We vonden een WalMart en kochten er wat inbrekersgereedschap – goed gereedschap is het halve werk – aten wat in een Tex-Mex, brachten de huurauto terug naar de Avis bij het vliegveld en kochten er meteen onze tickets. Daarna huurden we bij Hertz een andere auto met behulp van een perfect rijbewijs en een Amex Goldcard die toebehoorden aan mijn kameraad en visvriend Harry Olson uit Hayward, Wisconsin. Harry bestond niet, maar hij had geld op de bank, was volkomen kredietwaardig en had nog nooit een verkeersovertreding begaan. De valse legitimaties doordrongen Lane ervan dat we echt gingen inbreken in het huis van haar broer. Ze was de hele middag heel kalm geweest, maar nu begon ze toch wat gespannen te raken. 'De vraag die we onszelf moeten stellen,' zei ze, 'is of dit de problemen waarin we verzeild kunnen raken, waard is.'

'Dat weten we pas als we de Jaz-disks hebben gevonden. Zoals je al zei, zijn er een paar rare dingen aan de hand. En als Jack is gedood om iets waar mijn naam op staat, wil ik weten wat dat is voordat de politie het te weten komt.'

'Hmm.'

'Je hoeft niet mee naar binnen,' zei ik. 'Je hoeft alleen maar klaar te staan met de auto als ik weer naar buiten kom.'

'Als jij naar binnen gaat, ga ik mee.'

Dat zou helpen, want het zou de zoektijd halveren. Dus zei ik geen nee, hoewel ik het gevoel had dat áls ik dat had gedaan en had volgehouden, ze zich er misschien bij had neergelegd.

'We gaan niet naar binnen als de situatie slecht is. Als het licht bij de buren aangaat of als we mensen op straat zien.'

'Oké, dat klinkt redelijk.'

Toen we weer bij het huis aankwamen, zagen we nergens licht branden en er waren geen mensen op straat. Ook in het groene huis naast dat van Jack was alles pikdonker. Er stond geen auto op de oprit of langs de stoeprand voor het huis.

We reden er nog een keer langs en parkeerden een blok verderop.

'Heb je alles begrepen?' vroeg ik. 'We zijn joggers...'

'Ik weet het, ik weet het,' zei ze. 'Als we het willen doen...'

'Kom op, we gaan.'

We jogden de straat in, gekleed in ruimvallende joggingbroeken en T-shirts. Ik had een kleine, olijfgroene handdoek bij me waarin ik mijn gereedschap van de WalMart had gewikkeld. Als we de politie tegenkwamen, hoopte ik de handdoek in een bosje te kunnen gooien voordat we bij hen waren.

Dat was het plan. Of, zoals Lane het stelde: 'Is dat het plan? Echt?'

Het was een warme avond en je kon de hitte van de afgelopen dag nog voelen opstijgen van het asfalt. Twee huizen voor dat van Jack bleven

we staan, zogenaamd om op adem te komen. We liepen de stoep op. De straatlantaarn brandde op halve kracht en wierp schaduwen die donkerder waren dan de onverlichte plekken.
'Zie je iets?' vroeg ik.
'Nee.' Ze giechelde nerveus. 'Mijn god, ik word gek.'
'Rustig aan.' We wandelden door over de stoep en gaven onze ogen goed de kost. Bij het groene huis liepen we de oprit op, tot halverwege, staken snel het grasveld over en vijf seconden later bevonden we ons in de schaduw tussen de twee huizen. Als we werden betrapt, kon ik altijd nog zeggen dat Lane een bosje zocht om een plasje achter te doen. We wachtten een minuut, twee minuten, drie – bij elkaar leek het honderdvijftig jaar – maar er gebeurde niets. Er ging nergens licht aan en we zagen niets bewegen. Geen honden.
Bij het huis achter dat van Jack, dat met het zwembad, waren de achterramen verlicht en viel er licht in de achtertuin, maar bij de schutting was een dichte heg die ons in de schaduw hield.
Het was nu afgelopen met het achteloze, onopvallende gedoe. We maakten ons klein en slopen snel naar de achterveranda. De deur was op slot en de kier aan de kant van het slot was dichtgeplakt met brede gele tape en een mededeling dat het huis niet betreden mocht worden. Ik trok beide voorzichtig los. De deur rammelde toen ik hem aanraakte en hij was zo gammel dat hij nog geen strontvlieg kon buiten houden. Ik rolde de handdoek open, haalde er een kort breekijzer uit, stak het in de kier bij het slot en gaf er een rukje aan, net hard genoeg om de schoot uit de muurplaat te wippen.
Voorzichtig trok ik de deur open en we slopen naar binnen. We luisterden weer. Niets, helemaal niets. Een paar auto's in de hoofdstraat drie blokken verderop, een vogel die een avondgezang hield, krekels. Een airconditioning waarvan een lager aanliep. 'Ik hoop dat de rest net zo gemakkelijk gaat,' fluisterde Lane.
'Stil.' We trokken dunne gummischoonmaakhandschoenen aan en ik richtte me op om de situatie te bekijken. De buitenwand van de veranda bestond uit staanders en dwarsbalken van vijf bij tien centimeter, dichtgetimmerd met panelen, maar langs de bovenrand was een richel van bijna drie centimeter. Als ik zo naïef was geweest om ergens een reservesleutel neer te leggen, zou het daar zijn.
Ik hoopte oprecht dat al die verhalen over zwarte weduwes en andere giftige spinnen overdreven waren, liet mijn vingers over de richel glijden en bij het voorlaatste paneel vond ik de sleutel. Die viel rinkelend op de betonnen vloer en we hielden even onze adem in. Toen zakte ik

door mijn knieën, liet mijn handen tastend over het beton gaan en vond de sleutel. Die was een beetje verroest, maar ik wreef hem over de stof van mijn joggingbroek, stak hem in het slot, draaide hem een paar keer heen en weer, en we waren binnen.

Het was bijna helemaal donker in het huis, afgezien van een zwak schijnsel dat van de lantaarnpaal door de gordijnen aan de voorkant naar binnen viel. Het rook er naar tapijtreiniger. We slopen de gang in en knipten onze zaklantaarns aan; ik had de voorkanten dichtgeplakt met tape totdat er een naalddun lichtstraaltje was overgebleven.
'Denk erom,' zei ik. 'Richt de lichtstraal nooit omhoog. Schijn altijd naar beneden. Zolang je geen licht op de ramen richt, ziet niemand ons.'
'Ja, ja, ja,' zei Lane. Ze liep naar de slaapkamer die Jack als werkkamer had gebruikt en ik liep door naar de woonkamer. Ik wist precies waar ik naartoe ging. LuEllen en ik hadden Jack een keer in Redmond ontmoet en we hadden een paar biertjes gedronken in de bar van het motel. Het gesprek was over inbreken gegaan, wat niet zo vreemd was aangezien het de reden van onze aanwezigheid in Redmond was geweest.
LuEllen had Jack verteld over een man die in Grosse Point Farms in Michigan woonde en een safe had die verzonken was in de vloer onder zijn open haard. Dat was zo'n gasding, op afstand bedienbaar, waarvan alle warmte recht omhoogging, en de brandvrije safe was niet alleen onzichtbaar, maar hij zat tevens op een plek waar niemand hem zou zoeken, want wie stopte er nu waardevolle zaken op een plek waar boven vuur was?
'Hij vond dat de veiligst mogelijke plek,' had LuEllen verteld, 'en dat zou hij ook geweest zijn, want ik zou hem in geen miljoen jaar hebben gevonden als zijn vrouw me er niet over had verteld.'
Jack had erom gelachen. De veiligst mogelijke plek. Had Jack er iets van geleerd, of was de regel in de e-mail gewoon een cliché geweest?
Een paar minuten later stond ik op het punt het op te geven. Dit was een open haard van beton en smeedijzer, een doodgewoon ding dat in miljoenen huizen te vinden was. Er was een rooster dat opgetild kon worden, maar eronder zag noch vond ik iets. Ik kroop op mijn handen en knieën over de grond, liet de lichtstraal van mijn zaklantaarn centimeter voor centimeter over de vloer gaan, maar ik vond nergens een kier of een los paneel.
Ik was net opgestaan toen Lane de kamer in kwam. 'Wat ben je aan het doen?' fluisterde ze.

'Ik dacht dat hij het misschien onder de open haard had verstopt,' zei ik.
'Waarom dacht je dat?'
Ik legde het snel uit en Lane zei: 'Het had gekund.' Maar het was niet zo. 'Er zit een kruipruimte onder de dakbalken,' zei ze. 'En een los paneel in de badkamer.'
'Daar heeft de FBI waarschijnlijk al gekeken,' zei ik.
'Laten we het toch maar checken.'

Het losse paneel zat recht boven de wc. Ik ging op de pot staan, duwde het paneel omhoog en tastte met mijn hand langs de randen, maar ik voelde alleen isolatiemateriaal.
'En?' vroeg Lane.
'Ik kom niet ver genoeg naar binnen,' kreunde ik terwijl ik me zover mogelijk uitrekte.
'Maak een opstapje voor me en duw me omhoog,' zei ze.
Ik stapte van de wc-pot en haakte mijn handen in elkaar. Ze zette haar voet erin en ik tilde haar tot aan haar middel in het gat. Ze wrong zich over de rand en fluisterde: 'Geef me een paar minuten. Verderop kan ik staan, maar verder ligt overal isolatiemateriaal.'
Ik deed een stap achteruit en probeerde na te denken. Had de open haard misschien ook een rookafvoer aan de achterkant? Ik had dat wel eens eerder gezien...
Ik boog me weer naar binnen. 'Ik ben zo terug,' zei ik met gedempte stem tegen Lane. 'Ik ga in de bijkeuken kijken.'
'Oké.'
Ik liep terug, vond de deur van de bijkeuken en liep langs de afwasmachine, droger en verwarmingsketel naar het fornuis. Het was zo'n minifornuis dat je vaak in het zuiden tegenkomt, niet veel groter dan een vat van honderd liter, met een deur aan de voorkant en een rookafvoer aan de achterkant. De afvoerpijp zat muurvast en ernaast zaten de knoppen en kleppen, zonder ruimte voor iets anders, dus trok ik de deur open. Niets. Boven het rooster was een donkere ruimte vol dunne, bochtige pijpen voor functies die me niet duidelijk waren. Ik kon niets zien, dus stak ik mijn hand ertussen... en voelde iets wat vierkant was en loszat. Ik haalde het eruit en had de met plakband omwikkelde doosjes met Jaz-disks in mijn hand.
Ik deed de deur van het fornuis dicht en ging op weg naar de badkamer, wat inhield dat ik voorzichtig langs de muur van de woonkamer moest sluipen. Nu mijn ogen aan het duister gewend waren, kon ik alles beter zien, zeker dankzij de halfopen gordijnen aan de voorkant. Ik schoof

langs de muur in de woonkamer toen mijn ogen een beweging in de tuin opvingen. Ik bleef onmiddellijk doodstil staan en vroeg me af of ik het wel goed had gezien. Toen zag ik het weer, de contouren van een man die zo te zien naar het huis toe kwam lopen.
Ik liep snel door naar de badkamer, struikelde bijna over de handdoek met gereedschap en fluisterde naar boven: 'Lane!'
Er verscheen een lichte vlek in de opening. 'Wat?'
'Er komt iemand,' zei ik. 'Hier, pak de handdoek aan.'
Terwijl ik het zei, hoorde ik iets krassen aan de voordeur. Iemand was de politietape eraf aan het pulken en probeerde dat zo zacht mogelijk te doen. Ik ging op de wc-pot staan en stak de handdoek met het gereedschap in het gat. 'En pak de disks aan,' zei ik.
'Je hebt ze gevonden!'
'Ga achteruit; ik kom naar boven.'
Ik ging op mijn tenen staan en pakte de rand van de opening beet. Ik hoorde de sleutel in het slot, trok mezelf omhoog en wrong me over de rand van het gat.
'En nu?' fluisterde Lane.
'Stil. Richt je licht op het luik.'
Ze knipte haar zaklantaarn aan en scheen op het luik. Ik pakte het op en legde het voorzichtig terug in de opening. Zolang ze niet te grondig zouden gaan zoeken...

Wie er ook beneden was, hij was net zo stil als wij waren geweest. Na een paar minuten vroeg Lane: 'Weet je zeker dat er iemand is?'
Ik knikte. 'Ik hoorde een sleutel in het slot.'
Een minuut later zei ze: 'Ik hoor niets.'
'Stil.'
Ik stond op een dwarsbalk. Een lange plank liep door tot aan de voorkant van het huis, waar een klein, rond raampje uitkeek op de tuin. Ver voorovergebogen voor het lage plafond sloop ik over de plank naar het raampje en keek erdoorheen. Een soort terreinwagen – een 4Runner of Pathfinder; ik kon alleen de neus zien – stond voor het groene huis geparkeerd, op een plek die leeg was geweest toen we hier aankwamen. Verder bewoog er niets op straat, hoewel ik in het huis aan de overkant een tv aan zag staan. Onder me hoorde ik de voordeur opengaan, heel zachtjes, en er verscheen een man op de oprit. Hij keek achterom en zei: 'Schiet verdomme op.'
Heel even kon ik zijn gezicht zien, in een flits. Er kwam een tweede man naar buiten, die de deur achter zich dichtdeed en waarna ze zich

terughaastten naar de terreinwagen. De tweede man had iets in zijn hand wat eruitzag als...
'Een jerrycan,' zei ik hardop. 'O, shit!' Ik draaide me om naar Lane.
'Eruit, eruit,' riep ik. 'Schiet op! Doe dat luik omhoog en...'
'Wat? Wat?'
Ze keek me aan, fluisterde nog steeds en had ook het luik nog niet opgetild.
'Haal verdomme dat luik eruit!' Ik lag al bijna boven op haar toen ze het aarzelend optilde.
'Laat je vallen,' zei ik. 'Schiet op, ze gaan het huis in brand steken.'
Geen vragen meer; ze begreep het. Ze zwaaide haar benen over de rand, bleef even aan haar handen hangen en liet zich op de grond vallen.
'De disks,' zei ik. Ik liet de doosjes vallen en kwam er zelf achteraan. In de gang was de lucht vergeven van de benzinedamp en nog iets anders.
'Naar de achterdeur.'
'Wat?' Ze was in de richting van de voorkamer gelopen om te zien wat er aan de hand was. Ik rende haar achterna en pakte haar arm vast. Vlak voor haar hing een brandende lap die aan een touwtje en met een stuk tape of een punaise aan het plafond was bevestigd. Het 'iets anders' was een brandende katoenen lap. Op het moment dat ik haar arm vastpakte, was het touwtje, dat al vlam had gevat, doorgebrand en viel de lap op de grond.
De benzine vatte vlam met een doffe plof toen ik haar naar achteren trok. Haar sweatshirt stond al in brand en ik probeerde de vlammen met mijn ene hand uit te slaan terwijl ik haar met de andere naar de achterdeur sleepte. Lane schreeuwde het uit en sloeg ook naar de vlammen. Ik draaide haar om en kreeg de zoom van het sweatshirt te pakken, trok het met een ruk over haar hoofd en gooide het weg. Ze kreunde en zei: 'Ik ben verbrand,' toen we de achtertuin in renden en ons langs het groene huis de straat in haastten.
Een minuut later zaten we in de auto en na drie minuten waren we een paar kilometer van het huis verwijderd.
'Hoe erg is het?' vroeg ik.
'Mijn armen, mijn handen en mijn gezicht,' zei ze. 'Maar het is niet zo erg, denk ik.'
'We hebben beter licht nodig,' zei ik.
Dat vonden we in een goedkoop motel op een paar kilometer afstand van het vliegveld. Ik schreef me in met de legitimatie van Harry Olson. De receptionist zat achter een ruit van kogelvrij glas en ik zei: 'We willen vroeg vertrekken; we hebben een van de eerste vluchten.' De man grom-

de en zei: 'Doe de sleutel maar in het kastje,' wijzend op een kastje met een gleuf en een hangslot, dat naast de ingang hing, waarna hij zijn aandacht weer op zijn wapentijdschrift richtte. De kop van het artikel dat hij aan het lezen was luidde: 'Handwapenwet binnen vijf jaar van kracht. Overheid wil Verenigde Staten ontwapenen. Lees het en huil!'
In onze kamer hadden we goed licht. Lane had brandwonden opgelopen op haar onderarmen, handruggen en onder haar kin. Haar wenkbrauwen waren verschroeid en in het donkere haar op haar voorhoofd zaten een paar nieuwe krulletjes. De brandwonden waren niet zwart of wit, maar roze. De ergste waren die op haar armen, en de grootste, onder haar kin, was zo groot als haar handpalm.
'Wat denk je?' vroeg ze terwijl ze haar handen met de palmen omhoog los van haar lichaam hield. Ze had duidelijk pijn.
'Ik denk dat je er een dokter naar moet laten kijken,' zei ik.
'Dan komt de politie het te weten.'
'Maar als je het kunt volhouden, vliegen we eerst naar de Westkust en ga je daar naar een dokter of ziekenhuis. We kunnen zeggen dat je je hebt verbrand toen de spiritus van de barbecue vlam vatte, maar dat je dacht dat het wel meeviel, totdat het vannacht flink pijn begon te doen.'
'Het doet nu al pijn,' zei ze.
'Dat is goed,' zei ik. 'Ernstige brandwonden doen niet meteen pijn, want dan zijn de zenuwuiteinden dichtgeschroeid.'
Ze slaagde erin te glimlachen, waardoor ik haar ineens heel graag mocht, en ze zei: 'Als het niet echt ernstig is...'
'Dat geloof ik echt, maar ze zullen wel pijn doen,' zei ik.
'Dan red ik het wel,' zei ze. 'Liever pijn dan de gevangenis in.'
'En ik ben geen arts.'
'Denk je dat de mensen van de luchtvaartmaatschappij het zullen merken?' vroeg ze.
Ik schudde mijn hoofd. 'Nee, je ziet er helemaal niet slecht uit. Hou je jasje over je armen en laat mij de tickets afhandelen.'
'Oké, laten we dan gaan.'
Ik keek op mijn horloge. 'We hebben nog tijd. Ik ga een apotheek zoeken en kijken of ik pijnstillers voor zonnebrand en dat soort dingen kan vinden. Alles wat kan helpen.'
'Goed, ik blijf op de disks passen.' Ze keek op om naar me te glimlachen maar kromp ineen van de pijn.
'Ik ga nu meteen.'
'En blijf niet te lang weg,' zei ze, de vrouw met de grote, donkere ogen.

5

St. John Corbeil

St. John Corbeil zat in zijn lederen fauteuil te lezen en het licht van de staande schemerlamp weerkaatste op het stalen montuur van zijn legerbrilletje. Terwijl hij las – *Saluut aan Catalonië* van George Orwell – liet hij een diamanten collier als een rozenkrans door zijn dikke, stompe vingers gaan.

Hij hield van de koele sensualiteit van het collier, en van de waarde die het vertegenwoordigde. Het was op zijn aanwijzingen gemaakt bij Harry Winston in New York. Honderd diamantjes, vakkundig geslepen en volmaakt van kleur en helderheid, en allemaal precies één karaat. De mensen van Winston waren nieuwsgierig geweest – ze hadden niets gezegd, maar hij had het in hun ogen gezien – want honderd kleine diamantjes maakten lang niet zoveel indruk als één of twee grote, omringd door een aantal kleinere.

Corbeil had daar zijn redenen voor: diamanten van één karaat waren gemakkelijker te verplaatsen en anoniem te verkopen. Het collier was zijn bankrekening. Als je de diamantjes uit hun zetting wipte, kon je ervandoor gaan met driehonderdduizend dollar in de neuzen van je schoenen.

Een andere goede reden was de sensualiteit die de diamantjes uitstraalden. Corbeils gezicht mocht dan gesneden lijken uit een boomstronk, hij was een sensueel mens. Hij hield van de nabijheid van vrouwen, het geluid van een ritssluiting van een avondjurk die omlaag werd getrokken, de geur van Chanel. Hij hield ook van snelle, dure auto's, van de Franse keuken en Californische wijn, van Italiaanse pakken en Engelse schoenen, en van diamanten. Hij had zich de beste vrouwen, de wijn en het vertier niet kunnen veroorloven totdat AmMath in zijn leven was gekomen. En nu hij alles had, verdomde hij het om het weer op te geven...

Er werd gebeld, wat hij had verwacht. Hij legde het boek neer, liet het collier in de borstzak van zijn overhemd glijden, liep naar de intercom en drukte op de knop. 'Ja?'
'Hart en Benson.' De stem van William Hart.
'Kom binnen.' Hij drukte op de knop van de deuropener.

'Het is gebeurd,' zei Hart.
Corbeil knikte. 'Dus we kunnen ervan uitgaan dat er hier in Texas niets meer is.'
'Voorzover we weten niet.'
Corbeil draaide zich om, haalde het diamanten collier uit zijn borstzak en liet het onbewust van zijn ene hand in de andere glijden. 'Er blijft een mogelijkheid dat hij iets aan zijn zus heeft gestuurd.'
'Hij kan iets aan wie dan ook hebben gestuurd,' zei Hart, 'maar we hebben geen echt goede vrienden kunnen vinden. Hij had op het moment geen vriendinnetjes. De zus blijft de meest voor de hand liggende optie. Ik bedoel, we zijn zijn achtergrond nog aan het nagaan, maar als er iemand anders is, hebben we die nog niet kunnen vinden.'
'Ik wilde dat we de kans hadden gehad om hem te ondervragen,' zei Corbeil. 'Maar de tijdsdruk... nou ja, we konden hem niet én ondervragen én op een geloofwaardige manier laten verdwijnen, is het wel?'
Hart haalde zijn schouders op. De andere man, Benson, zei niets en luisterde. Hij was meer een volgeling. 'En nu?' vroeg Hart. 'Sluiten we de tent voor een tijdje?'
'Dat is niet nodig,' zei Corbeil. 'We kunnen dat doen met één druk op de knop. Het heeft geen zin het eerder te doen dan strikt noodzakelijk is. Er is een hoop geld in omloop.'
'Ik moet u wel zeggen, meneer Corbeil, dat het gebeuren ervoor heeft gezorgd dat ik zeven kleuren bagger schijt. Ik ben nog steeds bloednerveus en met Les hier is het niet veel beter gesteld.' Hart keek naar de zwijgende man alsof hij om bevestiging vroeg, die hij kreeg in de vorm van een hoofdknikje.
'Daarom hebben we het zo zorgvuldig opgezet,' zei Corbeil. 'Ze hebben bewijs nodig om ons in de cel te krijgen, en er is geen concreet bewijs, nergens van. Als ik tegen Tom Woods zeg dat hij op de destructieknop drukt, is alles verdwenen. Dan kunnen zelfs wij het niet meer terughalen.'
'Alles goed en wel, maar we zitten nog steeds met Lane Ward,' zei Hart. 'Als zij iets heeft, of als Morrison zich op de een of andere manier heeft ingedekt...'
'We kunnen een kijkje in haar huis nemen.'

‘Dat is te gevaarlijk,’ protesteerde Hart.
‘Je had er geen moeite mee om in Morrisons huis te gaan kijken. Of in het huis dat hij hier had gehuurd.’
‘Dat was anders. In het eerste geval was hij de stad uit en in het tweede wisten we dat hij dood was, dus niemand kon ons komen verrassen. De buurt waar Ward woont, kennen we niet en we weten niet eens waar we naar zoeken. Het kan op een diskette staan, op een harde schijf, of het kan zelfs ergens op het Net opgeslagen zijn. Of het bestaat niet.’
‘Maar als het wel bestaat en het wordt naar de FBI gestuurd, zitten we in grote problemen,’ zei Corbeil. ‘Het is het risico waard. In het ergste geval, als jullie gepakt worden, kunnen we het uitleggen als een beveiligingskwestie. Dat we vreselijk bezorgd waren en op eigen houtje hebben gehandeld om te voorkomen dat de geheimen van de natie in verkeerde handen zouden vallen. En als jullie voor een tijdje de cel in zouden gaan – je kunt hooguit zes maanden krijgen voor een mislukte inbraak – áls het zou gebeuren, zou daar achteraf een reusachtige bonus tegenover staan.’
‘Hoeveel?’ vroeg Hart brutaal.
‘Laten we zeggen twee miljoen per jaar, of een deel daarvan als het korter duurt,’ zei Corbeil.
Hart keek Benson aan en draaide zich terug naar Corbeil. ‘Goed, dan gaan we in haar huis kijken. Er doet zich zelfs een goede gelegenheid voor.’
Corbeils wenkbrauwen gingen omhoog en toen Hart het uitlegde, begon Corbeil vergenoegd te glimlachen. ‘Het is me een genoegen met je samen te werken, William,’ zei hij.

Voor het eerst nam Benson het woord. ‘Weet u wat mij niet bevalt, meneer Corbeil? Ik denk persoonlijk dat we met die Morrison en zijn zus wel goed zitten. Ik denk niet dat hij haar iets heeft gestuurd. We hebben te snel ingegrepen, en hij vertrouwde erop dat Lighter het probleem zou oplossen. Maar...’
De lange inleiding had Corbeil ongeduldig gemaakt. ‘Ja?’
‘Ik maak me zorgen over Woods. Sinds Morrison dood is, loopt hij rond met een gezicht dat op onweer staat. Ik denk dat hij iets vermoedt. Ze zijn een tijdje bevriend geweest.’
Corbeil knikte. ‘Oké, Les, je bezorgdheid is gerechtvaardigd. Je weet dat Tom Woods een vriend van me is, een oude vertrouweling die samen met mij van de fabriek is overgekomen. En een wiskundig genie bovendien.’
‘Dat weet ik, meneer, maar...’

Corbeil stak zijn hand op. 'Als hij een probleem wordt, zal ik dat afhandelen. Dat beloof ik je. Maar we zitten al met twee doden die met elkaar in verband staan. Als er een derde bij komt, als het noodzakelijk wordt om Lane Ward te laten verdwijnen, zullen we vrijwel zeker aandacht trekken. En als Tom Woods in de tussentijd eveneens overlijdt... nou, ja.'
'Tenzij Tom het brein achter de hele zaak is,' zei Hart.
'Je haalt me de woorden uit de mond, William,' zei Corbeil. 'Dus misschien moeten we alvast een paar belastende documenten voorbereiden. Nou, jullie gaan dus naar San Francisco.'
Hart knikte. 'Morgen. We bellen wel om verslag te doen. Daarna kunnen we kijken wat we met die Ward-griet doen. Of we haar opruimen of met rust laten.'
'Mmm,' zei Corbeil, en hij glimlachte.

6

Even na drie uur in de ochtend zette het vliegtuig zijn landing in. Toen het een bocht richting zee maakte, vlogen we dwars over de lichtjes van de snelweg tussen de oceaan en de baai en landden we in San Francisco. Zodra we de grond raakten, ontspanden mijn rugspieren zich. Als er hier iets gebeurde, konden we ons er wel uit kletsen. In Dallas hadden we de belangstelling van de politie en als ze daar de brandwonden zouden zien, zaten we in de problemen.

Mijn gespannenheid had te maken met het feit dat Lane pijn had. Ik had een tube Solarcaine bij een apotheek gekocht, wat ze op de brandwonden had gesmeerd, en ze had een stuk of zes ibuprofens ingenomen, hoewel het onduidelijk was of die echt hielpen. Maar meer konden we niet doen voordat we naar het vliegveld vertrokken.

Bij de balie had Lane zich op de achtergrond gehouden als het 'verlegen vrouwtje', in een blouse met lange mouwen en kijkend naar de grond terwijl ik de tickets afhandelde. In het vliegtuig was ze bij het gangpad gaan zitten en twee keer naar de wc geweest om een nieuw laagje Solarcaine aan te brengen.

'Gaat het?' vroeg ik na de tweede keer.

'Ik haal het wel,' zei ze, haar pijn verbijtend.

'De pijnstillers...'

'Ze helpen niet echt,' zei ze. 'Ik hoop dat ik er geen littekens aan overhoud.'

'Zo erg ziet het er niet uit,' zei ik. 'Ik denk...'

Ze trok de mouw van haar blouse op en liet me een zestal blaren ter grootte van kwartdollars zien.

'Ik durf ze niet door te prikken,' zei ze. 'Ik ben bang voor infectie.'

'O, jezus...'

Halverwege de vlucht richtte ik me op en keek ik om me heen. De vrouw die in de stoel voor Lane zat, sliep met haar mond halfopen. Achter ons zat niemand en de man aan de overkant van het gangpad lag dwars over twee stoelen en met zijn hoofd in een ongemakkelijke hoek tegen het gordijn voor het raampje.

'Weet je,' zei ik zacht, 'de politie weet dat we vanavond uit Dallas zijn vertrokken en dat het huis kort daarvoor is afgebrand. Ze zullen zeker met je willen praten.'
'O, jeetje, je hebt gelijk.'
'Je zult een beetje moeten liegen,' zei ik.
'Ik zal een heleboel moeten liegen,' zei ze.
'Als je het goed bedenkt, moet je je eruit kunnen kletsen,' zei ik. 'Je moet verbaasd en pisnijdig zijn. Het is hún schuld – van de politie – dat het huis is afgebrand. Je hebt ze verteld dat er iets gaande was en dat je broer is vermoord. Je moet ze uitkafferen.'
'Niet uitkafferen, maar wel boos zijn,' zei ze. 'Ik ben ook boos. Want iemand hééft hem vermoord.'
'Je moet erop staan dat je terugkomt naar Dallas en van ze eisen dat je de harde schijven van de computers mag zien. Zo voorkom je dat ze contact opnemen met de politie hier en een plaatselijke smeris naar je toe sturen om met je te praten. Ze hebben geen reden om te vermoeden dat je brandwonden hebt opgelopen tijdens de brand, en ze hebben evenmin een reden om je onmiddellijk te willen spreken. Bovendien moet je hier blijven voor de begrafenis.'
'Dus het hangt ervan af hoe lang het duurt voordat de brandwonden genezen zijn,' zei ze.
'Ja, maar dat hoeven zij niet te weten. Je hebt het hier druk, maar je moet de indruk wekken dat je heel boos bent en terugkomt naar Dallas om ze de huid vol te schelden zodra je er tijd voor hebt.'
Ze dacht er even over na en zei toen: 'Dat kan ik wel.'
'Politiemensen zijn niet dom. Tenminste, de meeste niet.'
'Misschien is het een ander dan de politieman met wie ik de vorige keer heb gesproken. Dat zou het makkelijker maken.'
'Wie het ook is, je moet op je tellen passen en je moet écht overkomen. Smerissen hebben voelsprieten voor onzin,' zei ik.
In San Francisco haalden we haar auto uit de parkeergarage en we reden naar Palo Alto, ten zuiden van de stad, rechtstreeks naar haar huis, waar we onze bagage dumpten. 'Eerste hulp,' zei ik.
'Kan ik niet beter naar een arts gaan?'
'Op de eerste hulp kun je onmiddellijk terecht, het is anoniem en misschien kunnen ze de pijn stoppen,' zei ik.
Ze sprak me niet tegen.

We kregen die nacht zelfs een beetje slaap.
Om tien uur in de ochtend, na vijf uur in bed, hoorde ik iemand in huis

bezig. Ik liet me uit bed rollen – ik had in de logeerkamer geslapen – en trok mijn spijkerbroek en T-shirt aan. Ze was in de keuken, koffie aan het zetten.
'Hoe gaat het?'
'Nog steeds pijn,' zei ze. Ze had zich opgefrist, voorzover dat ging, maar ze zei dat het water van de douche pijn deed op de brandwonden. Ze had een ruimvallende kakibroek en een wijd, katoenen hemd met lange mouwen aan, en weer rook ik dat vleugje Franse parfum. Ze rook heerlijk en zag er geweldig uit in dat katoenen hemd, als je niet wist dat ze het aanhad om haar brandwonden te camoufleren.
Haar gezicht viel mee en zag eruit alsof ze te lang in de zon had gezeten. Het zou niet lang duren voordat het genezen was. Haar onderarmen waren er het ergst aan toe. De arts had de blaren doorgeprikt om de druk te verminderen, maar ze waren zich opnieuw met vocht aan het vullen.
'Heeft de verdoving niet geholpen?' vroeg ik. De arts had haar armen bespoten met ontsmettende verdovingsspray, wat volgens hem een stuk sterker was dan Solarcaine.
'Een tijdje,' zei ze. 'Daarna begon het weer pijn te doen.'
'Het spijt me.'
'Het is jouw schuld niet,' zei ze. 'Maar ik denk niet dat ik zou kunnen wat jij doet... voor je brood, bedoel ik.'
'Daar maakt dít meestal geen deel van uit,' zei ik.
'Soms toch wel?' Ze keek me recht aan en ik kon niet ontkennen dat ik in het verleden wel eens problemen had gehad.
'Maar geen brand,' zei ik. 'Ik ben als de dood voor vuur.'
'Ik nu ook.' Ze bracht haar hand naar haar hals alsof ze zich wilde krabben, bedacht zich en zei glimlachend: 'Ik zal een heel lastige patiënt zijn.'
Ik ging boodschappen doen en kwam terug met een zak bagels en een stuk roomkaas, en terwijl we aten en koffie dronken, praatten we over Jack en de Jaz-disks. Toen we klaar waren, zei ze dat ze ging proberen om nog even te slapen. 'De pijn is het ergste niet, maar ik krijg er hoofdpijn van en zou het wel uit willen schreeuwen.'
'Oké, wijs me eerst waar je computer staat. Heb je een zip-drive?'
'Nee, maar we zitten twee minuten van een CompUSA.'

Ze liet me haar werkkamer zien, met een beige, standaard Dell-desktop, en trok zich terug in haar slaapkamer. Ik wandelde naar de computerwinkel, kocht een externe zip-drive en drie pakjes Jaz-disks, wandelde

terug, installeerde de drive en wikkelde het plakband van de doosjes die we uit Jacks huis hadden gehaald.
Ik begon met het bovenste en het eerste wat ik vond was een bestand dat simpelweg AANTEKENINGEN heette. Ik opende het en vond een stel willekeurige e-mails die blijkbaar van de harde schijf waren gekopieerd. Jack moest ze uitgekozen hebben omdat ze iets te betekenen hadden.
De eerste luidde: VOEG CARLG EN RASPUTINIV AAN LIJST TOE. STERKE AANWIJZINGEN JEGENS BEIDEN.
CarlG en RasputinIV stonden op de ledenlijst van Firewall die in de geruchten op het Net werd genoemd, en ze werden nu nagegaan door de FBI.
Het tweede bericht luidde: NAGAAN: ENDODAYS, EXDEUS, FILLYJONK, LAGUNA8, OMEOMI, PIXYSTICKS.
Meer namen van hackers? Zo klonken ze wel. Had dit iets met beveiliging te maken? Maakte AmMath zich zorgen om Firewall, of werkten ze samen met Firewall? Of wás AmMath misschien Firewall?
Ik bekeek de rest van de bestanden, die onder de gemeenschappelijke noemer OMS vielen, en vond twee keer de naam *Old Man of the Sea*. Ze hadden Hemingways titel verkeerd overgenomen, als ze die tenminste hadden bedoeld. Hoe dan ook, het enige begrijpelijke deel van de bestanden bestond uit een reusachtige hoeveelheid e-mails en memo's die Jack ongesorteerd had gekopieerd. Ik bekeek er driehonderd van de ongeveer vijftienduizend, maar dat was allemaal gewoon werkspul: vrije dagen, opslag, klachten en werkplanning.
Van de 20 gigabyte aan informatie op de vier disks kreeg ik de meest intrigerende bestanden niet geopend. Ze waren 500 MB per stuk en Lanes computer had maar een werkgeheugen van 382 MB. Ik bekeek de eigenschappen van de bestanden en zag dat het vermoedelijk grafieken, foto's of afbeeldingen waren.
Gefrustreerd en verveeld maakte ik van elk van de vier Jaz-disks twee kopieën. Toen ik daarmee klaar was, was Lane weer opgestaan en in de keuken bezig haar wonden met een pijnstillende oplossing te betten. Ik sloot de computer af en ging haar vertellen wat ik had gevonden.
'Die bestanden van zijn werk... stond daar een tijdsaanduiding en datum bij?' vroeg ze.
'Daar heb ik niet op gelet,' zei ik, en we liepen terug naar haar werkkamer om de computer weer op te starten. Lanes gezicht was vlak bij het mijne – er zat nog geen tien centimeter tussen – toen we naar het scherm tuurden en wachtten op die stomme Windows-intro. Ze was een aantrekkelijke vrouw en zag eruit alsof ze lekker zou aanvoelen. Ik had

opeens het idee dat als ik haar zou aanraken, er misschien iets bijzonders zou gebeuren.
Maar ik deed het niet. Ik bleef naar het scherm turen en het moment ging voorbij. Ze veranderde van houding en bewoog zich een paar centimeter verder van me vandaan. En toen we Jacks werkbestand openden, had het een datum en tijdsaanduiding. Het was op zondag voor het laatst afgesloten, vijf dagen voordat hij was vermoord.
'Dus hij ís daar op zondag naar binnen gegaan,' zei Lane.
'Je zei dat de politie zei dat hij vanuit zijn huis heeft gebeld om het bewakingssysteem te ontregelen, de camera en bewegingsdetectors,' herinnerde ik haar.
'Ja.'
'Dat is iets wat we kunnen nagaan,' zei ik.
'Hoe?' Haar hand ging naar haar onderarm; ze wilde zichzelf krabben, onbewust, maar ze betrapte zichzelf en deed het niet.
'De telefoonmaatschappij hanteert nog steeds zoiets als MUD's of MUG's,' zei ik. 'Gegevens over uitgaande gesprekken. Wij noemden ze vroeger Mothers.'
'Hoe komen we daaraan?'
'Die jongen die ik in St. Paul heb gemaild – Bobby, van wie jij niet mocht weten wie het was – kan ze binnen een paar minuten krijgen,' zei ik.
'Laten we dat dan doen,' zei ze.
'Dan moeten we naar een telefooncel,' zei ik. 'Je kunt dat nummer beter niet vanuit je eigen huis bellen.'
'En als we dat doen, kom ik dat nummer niet te weten,' zei ze. 'Omdat het niet op mijn telefoonrekening vermeld zal staan.'
'Ook dat,' zei ik.
We liepen naar een telefooncel in het winkelcentrum, waar ik mijn laptop met behulp van een ouderwetse plakmicrofoon op het telefoonnet aansloot. Na de gebruikelijke beveiligde inlogprocedure kreeg ik Bobby on line en vroeg ik hem de nummers die op zondagavond met Jacks telefoons waren gebeld, en de nummers die waren gebeld op de vrijdagavond daarna, toen hij was vermoord. Bobby zei dat het even zou duren, maar hij kon ze hebben tegen de tijd dat we weer thuis waren. Prima, zei ik, en ik voegde eraan toe dat ik een mailadres nodig had om hem iets op te sturen.

Wat?
Vier 2GB Jaz-disks. Heb extra ogen nodig om ze te bekijken.
Komen van Stanford.
Stuur naar John. Hij stuurt ze door naar mij.

Lane keek mee over mijn schouder en zei: 'Dus hij vindt het niet erg om zelf te bellen, zolang we hem maar niet bellen.'
'Als je erin zou slagen het inkomende gesprek te traceren, zou je waarschijnlijk terechtkomen bij een plaatselijke banketbakkerij of Pontiacdealer,' zei ik. 'Hij is erg voorzichtig als het om telefoons gaat.'
'Wat doet die jongen voor de kost? Bobby?'
'Databases. Duizenden. Hij doet nog wel wat ander werk, maar alleen om zijn inbraken in databases te camoufleren. De enige waar hij niet in kan komen zijn die zonder buitenlijn, en dat zijn er tegenwoordig verdomde weinig. Misschien een paar computers van het leger en de Dienst Nationale Veiligheid, niveaus die echt zwaarbewaakt zijn, hoewel ik weet dat hij in enkele daarvan is geweest. Bobby is er al een eeuwigheid. Hij is een soort anonieme, illegale systeembeheerder.'

Toen we thuiskwamen, rinkelde de telefoon. Het was niet Bobby, maar een luchtvaartmaatschappij; Jacks lichaam zou de volgende dag aankomen en naar een plaatselijke begrafenisonderneming worden gebracht. Lane hing op en wilde iets tegen me zeggen toen de telefoon meteen weer begon te rinkelen. Opnieuw was het niet Bobby.
'Ja, met Lane. Ja? Wat? Wat bedoelt u? Afgebrand? O, wat is er nog van over? Hebben jullie zijn persoonlijke bezittingen kunnen redden? Hoe erg is het dan? O, jezus! Ik heb het jullie toch gezegd? Ik hou jullie verantwoordelijk. Nou, ik ga morgen met een advocaat praten. Jullie wilden me daar niet binnenlaten, ik heb jullie verteld dat iemand mijn broer heeft vermoord, en nu hebben ze zijn huis platgebrand en jullie hebben nooit de moeite genomen om... onzin. Gelul! Ik kom naar jullie toe. Ja, ik kom terug zodra de begrafenis achter de rug is en dan wil ik de persoon spreken die hiervoor verantwoordelijk is...'
'En?' vroeg ze toen ze had opgehangen. 'Was ik goed?'
'Je was héél goed,' zei ik.

Tien minuten daarna belde Bobby. We kregen de toon, ik klemde snel de microfoon op de hoorn en er verschenen twee rijtjes nummers op het beeldscherm van mijn laptop. Zondagavond tussen zes uur en middernacht had Jack drie gesprekken gevoerd. En op vrijdagavond, om zeven uur, had hij interlokaal naar Californië gebeld, een gesprek dat twintig minuten duurde. 'Dat is onze provider,' zei Lane. 'Ik heb dezelfde als hij.' Om kwart voor tien had hij nog een gesprek gevoerd en daarna niets meer.

'Dus dat telefoontje van kwart voor tien moet naar de bewakingscomputer zijn geweest,' zei ik. 'Dat kunnen we nagaan.'

'Maar op zondagavond heeft hij dat nummer niet gebeld,' zei Lane.

'Wat inhoudt dat hij op zondagavond de camera's niet heeft uitgezet,' zei ik.

'Wat inhoudt dat hij het bewakingssysteem misschien nog niet had opgemerkt. Ik vraag me af of die camera's zichtbaar zijn.'

Ik krabde op mijn hoofd, dacht enige tijd na en zei: 'Weet je, ik begin te geloven dat ze hem hebben vermoord.'

'Dat heb ik de hele tijd gezégd!'

'Ja, maar ik geloofde je niet,' zei ik. 'De weegschaal sloeg te ver door naar de andere kant. Als Jack op zondagavond op de hoogte was van het bewakingssysteem, zou hij het gesaboteerd hebben voordat hij naar binnen ging. En als hij er tussen zondagavond en vrijdagavond achter gekomen was, zou hij geweten hebben dat hij in de problemen zat, dat de camera's hem hadden opgenomen. Als hij dat had geweten, waarom heeft hij er dan niets over gezegd in de e-mail die hij naar mij heeft gestuurd? Als ze hem bang maakten en hij wist dat hij in de problemen zat...'

'Ik bedenk net nog iets anders,' zei Lane. 'Ze zeggen dat hij op vrijdagavond heeft ingebroken op de beveiligde afdeling. Maar als hij daar op zondagavond is geweest, waarom hoefde hij er die keer dan niet in te breken? Waarom hebben ze het pas op vrijdagavond over een inbraak, terwijl wij weten dat hij er op zondagavond al was?'

'Een van de eerste dingen die wij altijd doen, is proberen een manier te bedenken om ergens binnen te komen zonder dat iemand er iets van merkt,' zei ik. 'LuEllen en ik hebben daar wel eens met Jack over gepraat, over dat je geen sporen moest achterlaten. Daarom heb ik bij Jacks huis naar die sleutel gezocht. Neem zo mogelijk de gemakkelijkste weg naar binnen, zonder iets te forceren, en Jack wist dat.' Ik liep een rondje in de keuken terwijl ik erover nadacht, en ten slotte schudde ik mijn hoofd. 'Ik heb een idee hoe ze het opgezet hebben. Er zouden twee man voor nodig zijn, maar dat zouden harde jongens moeten zijn, meedogenloos genoeg om die oude man, die bewaker, ook neer te schieten.'

‘De mannen die het huis hebben platgebrand waren met z’n tweeën,’ zei Lane. Ze zei het op zachte, kalme toon, als een docent die een belangrijk punt aankaart.

‘Verdomme,’ zei ik na een tijdje. ‘Ik geloof echt dat ze hem hebben vermoord.’

7

We stuurden de tweede set kopieën van de Jaz-disks naar Bobby's vriend John Smith, een kunstenaar die ook een vriend van mij is. De daaropvolgende twee dagen probeerde ik te weten te komen wat er nog meer op de Jaz-disks stond en maakte ik een paar aquarellen aan de oever van de baai. Zout water heeft een andere tint dan zoet water, en een zwaarder, grilliger uiterlijk. Dat werd veroorzaakt door het licht, dat hard en felgroen was. Ik kreeg het niet goed op papier.
Lane was thuisgebleven, bereidde zich voor op de begrafenis, handelde wat e-mails af en probeerde een boek te lezen, maar daar was ze te onrustig voor. Ook zij probeerde de inhoud van de Jaz-disks te doorgronden, maar ze had net zo weinig succes als ik.
Drie dagen na de brand waren de blaren op haar onderarmen veranderd in lelijke, jeukende plekken van dode huid, en de rode vlek onder haar kin begon bruin te worden. Ik zorgde overdag voor de maaltijden en 's avonds, als het koel was, wandelden we naar een slechtverlicht Italiaans restaurantje waar niemand haar brandwonden zag.

De begrafenis vond plaats op een mooie Californische ochtend in aanwezigheid van vijftig mensen in een kapel in Oudspaanse stijl, waar een anglicaanse priester de juiste woorden sprak op de juiste, waardige toon. De vrouwen huilden, de mannen schudden elkaar de hand en Harry Connick Jr's *Sunny Side of the Street* klonk uit de speakers toen Jacks jeugdvrienden zijn kist door een zijdeur naar buiten droegen.
LuEllen kwam de kapel binnen toen de dienst net was begonnen. Ik herkende haar bijna niet in de zwarte jurk van een New Yorks modehuis, de hoed en de halfronde zonnebril. Ze stak even haar hand naar me op en ging in een van de achterste rijen zitten. Lane merkte het niet, had geen oog voor haar omgeving, want ze worstelde zich door de ergste week van haar leven, waarin haar oudere broer zo meteen onder de grond zou verdwijnen.
Na de dienst, toen Lane de condoleances in ontvangst nam, kwam LuEllen naar me toe en zei ze: 'Klote.'

‘Ja,’ zei ik, en toen: ‘Je ziet er goed uit in die zwarte jurk.’
‘Ik was aan het werk in New York,’ zei ze. LuEllen is een soort kameleon. In het zwart en zonder lipstick zou ze met haar korte lichtblonde haar kunnen doorgaan voor een Londens fotomodel, ware het niet dat ze daar te klein voor was en een tikje te brede schouders had. Als ze een westernshirt en cowboylaarzen aantrok, zou je zweren dat ze net uit een paardenstal in Wyoming kwam en een kerngezonde boerendochter was met rode appelwangen. In Miami zou ze zich kunnen voordoen als vriendinnetje van een drugsdealer en in San Diego als onervaren meisje dat op jacht was naar een knappe marineofficier...
Maar LuEllen was nog veel meer dan dat.
‘Een goeie klus?’ vroeg ik.
‘Een muntenhandelaar. Ik heb het laten lopen. Veel te zwaar beveiligd.’ Ze keek om zich heen met de nonchalante afstandelijkheid die ze altijd scheen te ontwikkelen nadat ze een paar weken in Manhattan had rondgelopen.
‘Zolang je het geld niet echt nodig hebt...’ zei ik.
‘Nog niet in elk geval.’ Ze knikte naar Lane. ‘Wie is die griet? Jack was toch niet getrouwd?’
‘Zijn zus. Lane Ward.’
‘O, ja, als je goed kijkt, kun je het zien.’ Ze keek van Lane naar mij. ‘Een beetje te veel make-up naar mijn smaak,’ zei ze.
‘Daar zit een verhaal achter.’ Ik vertelde haar over het huis en de brand. ‘Nu zijn haar hals en onderarmen verbrand en wil de politie met haar praten. We hebben ons eruit kunnen bluffen tot aan de begrafenis, maar we moeten haar uit het zicht zien te houden totdat de wonden genezen zijn.’
‘Het zal wel pijn doen,’ zei ze. LuEllen was nooit erg onder de indruk van pijn, of die nu van anderen of van haarzelf was.
‘Ja. De arts zei dat ze acht tot tien dagen nodig heeft om te genezen, dus we hebben nog even te gaan.’
‘Kunnen we praten met haar in de buurt?’
‘Ik denk het wel, maar ik heb haar niets over jou verteld, behalve je voornaam, en dat wil ik graag zo houden.’
‘Oké,’ zei ze. En toen: ‘Doe je het nog wel eens?’
‘Niet met Lane, als je dat bedoelt.’
‘Met wie dan wel?’
‘Een software-dame in de Cities. We zijn samen een computer aan het bouwen.’ Ik kon haar ogen niet zien, maar ik wist dat ze ermee rolde.
‘Computerliefde,’ zei ze.
‘Ja,’ beaamde ik. ‘En jij?’

'Op het ogenblik niet. Ik heb vrij hard gewerkt. Ik heb een paar maanden geleden in Miami honderdzeventigduizend gescoord, maar ik ben me wel het heen en weer geschrokken.'
'Bijna gepakt?'
'Dat was het niet, maar die mensen... een stel plattelanders met een speedfabriekje. Als ze me hadden gepakt, hadden ze me met een kettingzaag in mootjes gezaagd, en dan overdrijf ik niet.'
Soms gingen LuEllen en ik met elkaar naar bed, maar heel af en toe. Ze had een voorkeur voor slanke, donkerharige Latino's met grote witte tanden. Daar leek ik in de verste verte niet op. We hadden het al een tijdje niet gedaan, maar ik vermoedde dat ze wel weer een keer voor de deur van de slaapkamer zou staan. Of ik voor de hare. Misschien zouden we ooit naast elkaar begraven worden; de begrafenis stemde ons somber.
Op weg naar buiten stelde ik haar voor aan Lane, die glimlachte en knikte. Ik had Lane met haar auto naar de kerk gereden, maar ze zou met vrienden naar de begraafplaats rijden. Ik besloot met LuEllen mee te rijden en op de terugweg Lanes auto op te pikken.
'Weet je wat geen slechte manier zou zijn om dood te gaan?' zei LuEllen onderweg naar de begraafplaats. 'Je weet dat je tijd gekomen is, dat het allemaal afgelopen is, en je gaat in de winter naar de bossen in het noorden, daar waar de wolven zitten. Je gaat op de grond zitten, trekt je jas uit en laat jezelf bevriezen. Dat doet geen pijn. Je gaat gewoon slapen, en in plaats van weg te rotten, dien je als voedsel voor de wolven. Iets nuttigs, en daarna keer je zelf terug als wolf, zoiets.'
'Tenzij de wolven arriveren voordat je bevroren bent,' zei ik.
'Dat zou pas echt romantisch zijn,' zei ze.
'Of dat je wordt opgegeten door veldmuizen of andere knaagdieren.'
'Hou je mond, Kidd.'
De helft van de mensen in de kerk reed mee naar de begraafplaats. Jack werd begraven op een heuveltje dat werd omringd door een twaalftal kleine sequoia's: een mooie plek. Het was zo'n begrafenis waar, nadat de kist in de grond was neergelaten, de mensen langs het graf liepen om er een handje aarde op te gooien. Ik stond in de rij, met LuEllen voor me, en toen ik boven aan het heuveltje langs het graf was gelopen, zag ik honderd meter verderop, half verborgen achter een granieten grafsteen, een man in een pak, met een dikke nek en een zonnebril.
Ik had hem eerder gezien, dacht ik: bij het huis in Dallas, waar zijn gezicht even was beschenen door het licht van een straatlantaarn.
'We hebben een probleem,' mompelde ik naar LuEllen. 'Heb je je camera's bij je?'

'In de auto,' zei LuEllen. Ze keek me recht aan, was te ervaren om die kant op te kijken.
'Ik ga me een stukje omdraaien en als je langs mijn schouder kijkt, zie je honderd meter verderop een man met een grijs pak en een zonnebril. Wat zijn de kansen dat je hem op de foto krijgt?'
Ik draaide me om, LuEllen draaide mee, glimlachte en deed of ze iets tegen me zei. Ten slotte zei ze: 'Oké, ik heb hem. Het is geen smeris, tenzij het zo'n undercover FBI-engerd is.'
'Nee, geen smeris,' zei ik. 'Misschien een particuliere bewakingsdienst, of gewoon een misdadig stuk tuig.'
De mensen op de plechtigheid begonnen om zich heen te kijken en waren klaar om te vertrekken zodra het laatste handje aarde op de kist was gegooid. 'Ik ga je een zoen geven,' zei LuEllen, 'om afscheid te nemen.' Ze boog zich naar me toe, gaf me een zoen op mijn wang, liep weg en draaide zich na een paar meter om om nog even naar me te zwaaien.
Zij was de eerste die vertrok en haar auto stond maar vijftig meter verderop op de laan langs de begraafplaats geparkeerd. Ze opende de kofferbak met de afstandsbediening, haalde er een schoudertas uit, gooide die op de voorstoel, startte en reed weg. Ik draaide me achteloos om en zag dat de man in het grijze pak nog op dezelfde plek stond, hoewel hij nu in een rechte hoek van ons wegkeek. Het laatste handje aarde werd in het graf gegooid, Lane schudde een paar mensen de hand en kreeg een arm aangeboden van de man die haar samen met zijn vrouw naar de begraafplaats had gereden: hun beste vrienden, van Jack en van haar, en zo te zien heel aardige mensen.
Toen Lane terug begon te lopen naar de auto, kwam ook de man in het grijze pak in beweging en liep hij weg bij de grafsteen waar hij had gestaan. Ik zag geen auto; die stond waarschijnlijk uit het zicht achter de altijd groene bomen rondom de begraafplaats. LuEllen had maar een paar minuten gehad om zich voor te bereiden en ik vroeg me af of het genoeg was geweest. Ik kon er verder niets aan doen, en aangezien ik hier met haar was, moest ik wachten tot ze terug was. Was de man in het grijze pak alleen maar naar ons komen kijken? Zo simpel kon het volgens mij niet zijn.
Iedereen was klaar om te vertrekken en Lane, die op het punt stond om achter in de auto van haar vrienden te stappen, zag me staan en riep: 'Kidd, waar is je vriendin?'
Ik liep naar haar toe en zei: 'Ik wil je even omhelzen.'
Met een verbaasd gezicht stapte ze uit, waarna ik haar in mijn armen

nam en fluisterde: 'Een van de mannen die Jacks huis in brand heeft gestoken, is hier.'
'O, nee!' Ze haakte haar arm in de mijne en we liepen een paar meter weg van de auto, waar ze bedroefd naar me opkeek alsof ze naar mijn woorden van troost luisterde. 'Wat is hij aan het doen?' vroeg ze zacht. 'Kun je hem zien?'
'Hij is weggegaan zodra je naar de auto liep. Ik moet terug naar je huis. Ik ben bang dat hij hier was om jou in de gaten te houden terwijl zijn maat inbreekt in je huis. Zijn Jacks disks...'
'Ze liggen op mijn werktafel. De kopieën ook.'
'Shit.'
'Maar we hebben een set naar Bobby gestuurd...'
'Ja, maar als ze de andere in handen krijgen, weten ze dat we ze hebben bekeken,' zei ik. 'Of dat jij dat hebt gedaan.'
'Maar we zijn niet echt iets te weten gekomen,' zei ze.
'Dat weten zij niet.'
LuEllens huurauto kwam om het heuveltje rijden, nogal hard voor op een begraafplaats. Ze stopte, gooide het portier open en zei: 'Ik heb hem. Zijn nummerplaat ook.'
'Mooi. We moeten terug naar Lanes huis. Onmiddellijk.'
'Bel de politie,' zei Lane. LuEllen en ik keken elkaar aan. Lane begreep het en zei: 'Oké, ík bel de politie. We komen wel ergens een telefooncel tegen. De man die hier was, weet dat we minstens een halfuur nodig hebben om terug te rijden. Als er een tweede man is, kan de politie hem misschien pakken.'
'Het is het proberen waard,' zei ik.
'Wacht op me.'
Lane liep terug naar de auto van haar vrienden, boog zich naar binnen, zei iets, pakte haar tas en haastte zich naar ons terug. 'Ik rij met jullie mee,' zei ze.
We stopten bij een benzinestation met een telefooncel. LuEllen draaide 911 en gaf de hoorn aan Lane. 'Luister,' zei Lane, 'ik wil er niet bij betrokken raken, maar ik denk dat ik een man heb zien inbreken in een huis. Nee, ik wil er niets mee te maken hebben...' Ze gaf het adres, hing op en weg waren we.
LuEllen wilde liever niet in de buurt van de politie komen. 'Ik zet jullie af bij de kerk, bij Lanes auto, en bel je later vanuit een motel.'
'Oké,' zei ik.
LuEllen keek Lane aan. 'Als de politie er is als je thuiskomt...'
'Dan ben ik verbaasd.'

'Zeg ze dat je op de begrafenis van je broer was. Zeg dat meteen, als eerste.'
'Waarom?'
'Dan kunnen ze het plaatsen, de smerissen. Junkies breken vaak in tijdens begrafenissen. De buren zijn gewend geraakt aan mensen die komen en gaan en tijdens de begrafenis zelf is het huis meestal verlaten, dus dat is het beste moment om naar binnen te gaan. Het is zoiets als...'
'Een modus operandi,' zei Lane.
'Juist, dat is het precies,' zei LuEllen. 'Net als op tv.'

De politie wás er: twee patrouillewagens, vier agenten. Een van hen kwam ons tegemoet toen we voor de deur stopten. Lane stapte uit en vroeg: 'Wat is er aan de hand?'
'Woont u hier, mevrouw?'
'Ja, dit is mijn huis.'
'We denken dat er is ingebroken. We kregen een anonieme melding op 911 en toen we gingen kijken, ontdekten we dat de voordeur opengebroken was.'
Lanes hand ging naar haar hals en ze zei: 'Is hij...'
'We geloven niet dat hij nog binnen is. We hebben uw buurman gesproken en hij zei dat hij een man door de achterdeur naar buiten heeft zien komen en zien teruglopen naar de straat, ongeveer op het moment dat wij het telefoontje binnenkregen. Tegen de tijd dat we uw buurman spraken, had hij een kwartier voorsprong, dus hij is al mijlenver weg. Hij had zijn auto waarschijnlijk om de hoek geparkeerd.'
'O, mijn god,' zei Lane, en ze begon naar het huis te lopen.
'We komen net van de begrafenis van haar broer,' zei ik tegen de agent.
'Bent u haar echtgenoot?' vroeg de andere agent toen de eerste Lane achternaliep.
'Nee, ik ben een vriend van haar broer. Ik heb haar alleen begeleid.'
'We kunnen beter even binnen gaan kijken, voor de zekerheid,' zei hij.
In het huis, terwijl de agenten van de ene kamer naar de andere liepen, keek Lane me aan. Ze schudde haar hoofd en zei zachtjes: 'Ze zijn weg.' Wat ook weg was, waren haar laptop, een juwelenkistje met een paar honderd dollar aan sieraden, en een heleboel herinneringen, zei Lane: een Minolta-kleinbeeldcamera en drie lenzen, een checqueboekje, een paar honderd Engelse ponden die ze in een bureaula bewaarde en een kapotte Rolex die ze ooit van haar ex-man had gekregen.
'Het moet erop lijken dat ze naar spullen van waarde hebben gezocht: laptops, camera's, alsof het junkies waren,' mompelde ik.

'Verdomde honden zijn het.'
De agenten waren heel beleefd, maar ze zeiden dat ze er niet veel aan konden doen aangezien er geen enkele aanwijzing was voor wie er had ingebroken. Ze verontschuldigden zich, alsof het hun fout was. Nadat ze haar hadden geadviseerd betere sloten te laten installeren gingen ze weg.
Lane en ik praatten de daaropvolgende tien minuten over de mogelijke consequenties van de inbraak. Er waren er een paar. Als de mensen die de disks hadden meegenomen zich zorgen maakten over wat Jack wist en bereid waren hem te vermoorden om te voorkomen dat hij zijn mond open zou doen, zou hetzelfde waarschijnlijk voor Lane gelden. Aan de andere kant zouden ze de disks misschien bekijken en tot de conclusie komen dat er niets op stond wat een moord waard was, dat een tweede moord alleen maar ongewenste aandacht zou trekken. Het kon twee kanten op.
LuEllen belde en ik vertelde haar over de inbraak. 'De politie is weg en we moeten krijgsberaad houden.'
'Ik heb een kamer genomen in het Holiday Inn,' zei ze. 'Ik kleed me om en kom naar jullie toe. Hoor eens, jij hebt niets bij je, hè?'
'Nee.'
'Ik dacht...'
'Ik weet het.'

LuEllen had haar gebruikelijke outfit aan toen ze bij Lanes huis aankwam: een spijkerbroek, een spijkerjack met een oranje zijden blouse eronder, en cowboylaarzen. Ze had het figuur van een atlete en zag er spectaculair uit, als je van cowgirls hield. Ze had een rol Polaroid 35mm diafilm, een compact Polaroid-ontwikkelapparaat, een diaprojector en een doos lege diaraampjes meegebracht. Ze spoelde de film in het apparaat en we zaten met z'n drieën om de keukentafel terwijl zij hem ontwikkelde, in stukken knipte en die in de diaraampjes klemde.
'Als ze hier blijft, heeft ze iemand nodig om op haar te passen,' zei LuEllen tegen mij alsof Lane er niet bij was.
Ik knikte. 'Weet je aan wie ik zit te denken? Aan John Smith. Hij is hier al bij betrokken en hij woont in Oakland. Ik durf te wedden dat hij wel iemand weet.'
'Wie is John Smith?' vroeg Lane.
'Gewoon, een man, een kunstenaar,' vertelde ik haar. 'Hij was een jonge jongen toen in het begin van de jaren zeventig in Oakland de Black Panther-beweging actief was. Hij is altijd links gebleven en kent nog steeds een paar harde jongens.'

‘Hoe heb je hem ontmoet?’
‘We hebben hem geholpen met de organisatie van de communistische revolutie in de Mississippi-delta,’ zei ik.
‘Zonder succes, neem ik aan.’
‘Nee hoor, het verliep allemaal prima,’ zei LuEllen. Zo zou ik het niet geformuleerd hebben. Bobby had ons ervan overtuigd dat er geld te verdienen was als we een eind maakten aan de macht van een kleine dictator die het hele gebied vanuit een stadje aan de Mississippi met harde hand regeerde. Toen we klaar waren, hadden we inderdaad wat geld verdiend en hadden onze vrienden de macht overgenomen, maar er was bloed gevloeid en sommige van de slachtoffers waren goede mensen geweest. LuEllen schijnt dat deel vergeten te zijn, of als ze het zich nog herinnert, wil ze er niet langer over zeuren. Ze keek me aan. ‘Ja, we bellen hem.’ Ze was klaar met de dia’s, zette de projector op de keukentafel, stopte de stekker in het stopcontact en projecteerde de eerste dia op de witte deur van Lanes koelkast.
‘Dat is hem,’ zei ik. ‘Ik weet het zeker.’
Lane huiverde. ‘Hij ziet er gemeen uit.’
Ze had gelijk. Hij had de dikke nek en de wrede mond van een lijnverdediger, het stekeltjeshaar maakte het beeld helemaal compleet. ‘Ja, dat is zeker zo,’ zei ik.
Op de tweede dia stapte dezelfde man in een rode Toyota Camry met nummerplaten van de staat Californië. Ik schreef het nummer op. ‘Wie heeft er Camry’s?’ vroeg ik LuEllen.
‘Hertz,’ zei ze.
‘Het is weer tijd om een paar telefoontjes te plegen,’ zei ik.

LuEllen en ik reden naar een telefooncel, waar ik mijn laptop aansloot, Bobby opriep en hem het nummer van de Camry gaf.

> Huurauto, vermoedelijk Hertz. Wil graag naam van bestuurder en alles wat je nog meer over hem kunt vinden. Woont waarschijnlijk in de omgeving van Dallas en is gisteren of eergisteren naar San Francisco komen vliegen. Dump maar in mijn postbakje; ik pik het later op. Ben van plan John Smith te bellen en om hulp te vragen. Waarschuw hem.

Daarna belde ik John.

'Verdomme, Kidd, dat is lang geleden...' Hij hield de hoorn van zich af en riep: 'Houden jullie je even gedeisd, oké? Papa zit aan de telefoon. Hé, Marvel, het is Kidd.' Toen was hij weer terug. 'Wat is er loos?'
Op dat moment nam Marvel op en zei ik: 'Hoe gaat het met de rooie staatssecretaris?' Ze lachte en we praatten even wat onzin. Toen wilde LuEllen met ze praten en hadden we een soort interlokale reünie. Uiteindelijk kreeg ik de hoorn terug en zei ik: 'Hoor eens, John, we zijn in Californië, in Palo Alto, en we zitten met een probleem. Ik had gehoopt dat je me met iemand in contact kon brengen.'
'Wat voor probleem?'
Ik gaf hem een kort en nogal vaag antwoord en noemde Bobby's naam. Hij drong niet aan op details, want hij wist wat we voor werk deden, en ten slotte zei hij: 'Ik ken niet zelf iemand, maar ik ken wel iemand die iemand kent.'
'Mooi. Het maakt niet uit wat het kost.'
'Minstens tweehonderd dollar per dag, denk ik, zonder vragen. Contant, zwart.'
'Best. Ik zal je het telefoonnummer geven...' Ik gaf hem Lanes nummer en John zei dat er die middag iemand zou bellen. 'Hoor eens, John,' zei ik, 'als jíj me nodig hebt, stuur dan een mail naar Bobby. Bel dat nummer niet zelf; het kan link worden.'

'Naar huis?'
LuEllen schudde haar hoofd. 'We rijden door naar San Francisco, naar Jimmy Cricket Golf Shop en Lanny Rose's Beauty Boutique. Ik weet waar het is.'
'Golf Shop?'
'Ja, ik ga golfen. En ik wil er goed uitzien als ik dat doe.'

Jimmy Cricket – zijn echte naam, beweerde hij – was een vriendelijke, wat oudere heer in een golfshirt met een zwarte polo erover, een spijkerbroek en instappers met kwastjes. Hij stond met een Ping-driver te zwaaien toen we binnenkwamen. Hij glimlachte en zei: 'Wat kan ik voor jullie doen?'
'Weenie heeft je eerder vandaag gebeld,' zei LuEllen.
'Ah, het echtpaar Gray,' zei hij, alsof we een partijtje golf kwamen spelen. 'Ik had gedacht dat je alleen zou zijn.'
'Nee,' zei LuEllen. 'Meneer en mevrouw Gray. En ik moest van Weenie zeggen dat in het donker alle katten grijs zijn.'

'Oké, Weenies woord is voor mij altijd goed genoeg. Als jullie me willen volgen...'
Hij klapte de toonbank omhoog en we volgden hem naar een achterkamer. Cricket trok een canvas reistas achter een stapel lege dozen vandaan, zette hem op de werkbank en haalde er vijf in doeken gewikkelde handwapens uit: vier .357 Magnum revolvers en een 9mm halfautomaat. 'Ik heb die halfautomaat voor de zekerheid meegebracht,' zei hij tegen LuEllen.
'Niet nodig,' zei ze. Ze pakte een van de revolvers, klapte de cilinder open, richtte de loop op haar oog en stak haar duimnagel in de open kamer om het licht te weerkaatsen. Ze pakte een andere revolver op en deed hetzelfde. 'Moeilijk te zeggen op deze manier, maar ze zien er goed uit.'
'Mechanisch zijn ze allemaal perfect,' zei Cricket. 'En ze zijn brandschoon.'
LuEllen keek nog een keer naar de vijf wapens, schoof er één naar Cricket toe en vroeg: 'Hoeveel?'
'Zes.' Aan de prijs viel niet te tornen, maar hij deed er twee dozen patronen bij, een .38 Special en een .357 Magnum. Op weg naar buiten zag LuEllen een paar oorbeschermers liggen en ze gaf Cricket nog eens tien dollar.
'Nu kunnen we cowboytje gaan spelen,' zei ze.

Lanny Rose's Beauty Boutique zag eruit alsof hij al jaren dicht was, met vijftien jaar oude, zachtgroene, nauwelijks leesbare bordjes met de tekst BEHANDELING ZONDER AFSPRAAK achter de vuile ruiten. Desondanks bleef LuEllen op de deur bonken totdat Lanny's hoofd naast het bordje met GESLOTEN verscheen. Hij zag ons, deed open en zei: 'Jezus christus, je slaat bijna mijn voorruit aan diggelen.'
'Weenie zegt dat de wereld er mooier uitziet door een roze bril,' zei LuEllen.
'Ja, nou, Weenie kan mijn rug op,' zei Lanny, maar hij deed de deur verder open en LuEllen en ik volgden hem door de schemerige schoonheidssalon naar een achterkamer. Toen we daar waren, hing Larry met punaises een vaalblauw laken op aan de muur.
'Daar gaan staan. Glimlachen, maar niet te veel,' zei hij.
Ik ging staan en hij nam twee foto's van me met een Polaroid-pasfotocamera. Daarna maakte hij er twee van LuEllen en zei hij: 'Ik ben zo terug.'
'Ik denk dat ik even meega,' zei LuEllen. Ze had haar hand in haar zak en Lanny zei: 'Weenie had gezegd dat je geen problemen zou maken.'

'Dat ben ik ook niet van plan; ik kom alleen even kijken,' zei LuEllen. 'Mijn vriend blijft hier en gaat een tijdschrift lezen.'
Ze bleven twintig minuten weg. Ik zat in een stoffige kappersstoel en las in een vier jaar oude *Cosmopolitan* een verhaal over hoe vrouwen hun mannen geïnteresseerd konden houden door de nieuwste pijptechnieken, die stap voor stap – als je dat zo kon zeggen – werden besproken door een panel van bekende vrouwen uit de New Yorkse reclame- en mediawereld. Het klonk erg overtuigend.
Toen LuEllen en Lanny terugkwamen, had Lanny de pest in. 'Ik maak nooit extra afdrukken van gezichten, van niemand. Weenie weet dat.'
'Ik vertrouw Weenie niet,' zei LuEllen.
Terug in de auto gaf ze me vier identiteitsbewijzen: twee rijbewijzen van de staat Texas en twee bijpassende creditcards.
'Zijn ze goed genoeg, denk je?' vroeg ik.
'Tenzij je wordt gearresteerd en ze je vingerafdrukken nemen,' zei ze. 'Ze zijn allebei van bestaande mensen en echte rekeningen, hoewel we niet het kredietmaximum en de datum van afrekening weten. We kunnen ze in een noodgeval gebruiken, maar dan alleen totdat ze hun eerstvolgende afrekening binnenkrijgen.'
'Bobby kan dat voor ons uitzoeken, het kredietmaximum en de datum van afrekening,' zei ik.
'Dat zou de moeite waard kunnen zijn...'
Op weg naar Lanes huis raakten we verzeild in een soort filosofische discussie.
'Weet je, Kidd,' zei LuEllen, 'jij hebt me een keer verteld dat wraak nergens op slaat, omdat een dode man niet weet dat je wraak voor hem neemt en het hem ook niet kan schelen omdat hij dood is. Dus vraag ik me af wat we aan het doen zijn. Ik bedoel, Jack weet het niet en het kan hem niets schelen.'
'We doen dit niet alleen voor Jack,' zei ik. 'Zo is het nooit geweest. We doen dit voor onszelf. Omdat ze ons pisnijdig hebben gemaakt door Jack te vermoorden.'
'Nou, bij mij valt dat wel mee. Ik heb Jack maar één keer ontmoet. Een aardige man, maar...'
'Maar ik ben wel pisnijdig door de moord op Jack, en jij doet mee vanwege mij. Ik heb trouwens niet veel keus. Ik ben hier op de een of andere manier bij betrokken en ik moet weten wat er aan de hand is. Ik wil niet dat die klootzak met zijn stekeltjeskop en zijn maat op een dag bij mij voor de deur staan omdat ze iets hebben uitgedokterd waar ik niets van weet.'

'Dus ik ben erbij betrokken omdat jij erbij betrokken bent, en omdat jij het zegt.'
'Ja, dat klopt,' zei ik.
'Dat vind ik nogal arrogant. Wat als ik eruit stap?'
'Dat doe je niet. Jij kunt er niet tegen als je niet weet wat er aan de hand is,' zei ik.
'Dat kun jij me vertellen.'
'Maar dat doe ik niet. Ik zeg er geen woord over. Ik ontken dat ik er iets van weet.'
'Gelul,' zei ze snuivend.
'Dus je doet mee?'
Ze rolde met haar ogen en zei: 'Een tijdje.'

Bij Lane aten we Lean Cuisine – ik at er drie, een smakelijke combinatie van Teriyaki roerbakvlees, Zweedse gehaktballetjes en Mexicaans rundvlees – en na het eten gingen LuEllen en Lane met de revolver naar de kelder.
'Ik haat die klotedingen,' had Lane gezegd toen LuEllen haar de revolver liet zien.
'Het zijn de onmisbare werktuigen van het moderne bestaan,' zei LuEllen. 'Zelfs als je er een hekel aan hebt, kan het geen kwaad om te weten hoe je ze moet gebruiken.'
'O, jezus...'
Een kwartier nadat ze naar de kelder waren gegaan, klonk er een enkel schot door het huis. Ik sprong op en liep langs alle ramen om naar buiten te kijken. Er bewoog niets. Ik stak mijn hoofd om de hoek van de kelderdeur en zei: 'Jezus, LuEllen...'
Bang! Een tweede schot, en ik sprong bijna uit mijn schoenen van schrik.
'Klaar,' riep LuEllen naar boven. De geur van kruitdamp kwam me tegemoet en even later verscheen LuEllen onder aan de trap. 'Ze moest een paar keer schieten om de terugslag te voelen.'
'Ja, nou, hou er in godsnaam mee op,' zei ik. 'Het klinkt hier oorverdovend hard.'
'Ach, die paar knalletjes,' zei ze.
Ze waren nog in de kelder toen de telefoon begon te rinkelen. Ik nam op en een zachte mannenstem zei: 'Ik zou graag meneer Kidd willen spreken.'
'Dat ben ik.'
'Mijn naam is Lethridge Green. Ik ben een vriend van een vriend van

iemand die John heet. Er was me verteld dat u iemand wilt laten bewaken?'
'Ja, in Palo Alto, hoewel we ons misschien zullen moeten verplaatsen.'
'Ik reken tweehonderdvijftig dollar per dag plus onkosten,' zei Green.
'Prima.'
'Hoe lang moet de persoon bewaakt worden?'
'Dat weet ik niet, maar niet een paar dagen. Het zal eerder een paar weken of maanden worden.'
'Uitstekend. Contante betaling, geen vragen?'
'Precies,' zei ik.
'Ik kan er over twee uur zijn, als u wilt dat ik vandaag begin.'
'Dat zou een hele opluchting zijn,' zei ik. 'We durven de persoon nauwelijks alleen te laten.'
'Dan kom ik onmiddellijk.'

Dan kom ik onmiddellijk.
Niet de woordkeus die ik had verwacht van een ingehuurde spierbonk, maar met John wist je nooit wat je zou krijgen...

8

Nadat ik met Green had gebeld ging ik mijn postbakje bij Bobby checken en kijken of hij iets had gevonden over de knaap op de begraafplaats. Dat had hij. Via het kentekennummer was hij bij Hertz terechtgekomen en nadat hij in hun computer was gekomen, had hij de rijbewijsgegevens en het creditcardnummer gevonden van de huurder, ene Lester Benson. De creditcard, een American Express, was hem verstrekt door AmMath. De auto was nog niet teruggebracht.
Lester Benson; ik was die naam nog niet eerder tegengekomen.
Er was in de informatie van Hertz geen sprake van een tweede man, maar Bobby was nog bezig met de reserveringsgegevens van de luchtvaartmaatschappijen om te zien of hij Bensons naam op een vlucht van Dallas naar San Francisco tegenkwam en dan te kijken wie er naast hem had gezeten.
Ik liet een boodschap achter met het verzoek om zo veel mogelijk informatie over AmMath te verzamelen en alles in mijn postbakje te dumpen.

Lethridge Green stond op Lanes veranda en klopte op de voordeur toen ik uit de auto stapte. Green zag eruit als een grote Malcolm X; lang, te slank, met een gouden brilletje met ronde glazen, kort haar en een kalme, onderzoekende blik in zijn ogen.
'Meneer Green?' Ik ging hem voor. 'Komt u verder.'
'U moet meneer Kidd zijn,' zei hij toen hij binnenkwam. Hij liet zijn blik door de woonkamer gaan, zag LuEllen en Lane op de bank zitten en de .357 op het tafeltje naast LuEllens hand liggen. 'Ik zie een wapen. Hoe is de situatie?'
'Iemand heeft mijn broer vermoord en vanmiddag is er in mijn huis ingebroken...' begon Lane.
'Hebt u de politie gebeld?'
'Ja, maar ze denken dat onze afwezigheid, toen we naar de begrafenis waren, de aandacht van inbrekers heeft getrokken.'
'U denkt dat niet?'

'Ik weet het zeker. We weten zelfs wie het was, alleen niet precies waarom.'
Green stak zijn wijsvinger op. 'Voordat u me meer vertelt, zou ik graag een eerste voorzorgsmaatregel treffen.'
'En die is?' vroeg Lane. We keken hem vol verwachting aan.
'De gordijnen dichtdoen,' zei hij.

Toen we alle gordijnen hadden dichtgetrokken, vertelde Lane hem het verhaal; niet het hele verhaal, maar een groot deel ervan: dat haar broer onder verdachte omstandigheden was doodgeschoten in Dallas, de begrafenis en de inbraak in haar huis. Ze vertelde hem over de brand, maar niet dat wij toen in het huis waren. Ze vertelde hem over de informatie van Hertz en de twee namen die we tot nu toe hadden: William Hart, door Jack genoemd, en Lester Benson, uit de computer van Hertz.
'We zijn bang dat ze terugkomen, dat ze denken dat Jack informatie of computerbestanden heeft doorgegeven aan mij.'
'Heeft hij dat gedaan?'
Lane keek me aan en ik knikte. 'Ja, hij heeft me een paar Jaz-disks gestuurd. Een Jaz-disk is een opslagfaciliteit...'
'Ik weet wat een Jaz-disk is,' zei Green. 'Wat staat erop?'
'Van alles. Van aantekeningen tot computerspelletjes tot en met een hele hoop rommel waar we nog geen tijd voor hebben gehad om die te bekijken. En waar we misschien niet in kunnen komen,' zei ik. 'Wat het ook is, we vermoeden dat Jack is vermoord om die informatie stil te houden. Dat de schietpartij waarin hij is omgekomen, geënsceneerd is.'
'Een bewaker is door een kogel getroffen als een onderdeel van die enscenering?' vroeg hij sceptisch.
'De bewaker heeft niets gezien,' zei ik. 'Voorzover hij weet kan hij neergeschoten zijn door de paashaas. Hij deed de deur open en *bang!*, hij lag op de grond. De andere bewaker zou vier keer geschoten hebben waarbij Jack dodelijk is getroffen. De eerste bewaker heeft niets gezien.'
'Waarom geven jullie ze niet terug? De Jaz-disks?'
'Dat zou niet helpen, want ze weten dat we ervan weten en dat kunnen we niet meer ongedaan maken. Bovendien is er een groep die Firewall heet...' Ik legde hem uit wat Firewall was, voorzover ik dat kon.
'Jullie beginnen me bang te maken,' zei Green. 'Als dit een of andere overheidszaak is, van de FBI, de CIA of een andere overheidsdienst met drie letters... ik bedoel, ik voel er weinig voor een stel terroristen of spionnen te beschermen.'

'Zien we eruit als terroristen?' zei Lane. 'Ik ben verdomme docent op een universiteit.'
'Zo zijn meer terroristen begonnen,' zei Green.
'Nou, ik behoor niet tot die groep,' zei Lane fel. 'Ik ben gewoon bang.'
'We verlangen niet van je dat je met een bom in je mond door het riool kruipt,' zei ik. 'Alleen dat je haar in goede gezondheid houdt.'
'Dat is alles? Dat ik ze haar van het lijf hou?'
'Ja, en als het te link wordt, bellen we de politie. Dat hebben we al een keer gedaan en toen zijn ze op de loop gegaan. Wat aangeeft tot welke groep zíj behoren.'
'Voor hoe lang?' vroeg hij.
'Voor een poosje. In elk geval twee tot drie weken. Ze moet een keer naar Dallas. Over een paar weken moeten deze gasten op de een of andere manier hebben uitgedokterd of ze iets weet en wat ze weet.'
Hij bleef me een paar seconden recht aankijken en knikte toen. 'U vertelt niet de hele waarheid. Maar als dit het basisidee van de opdracht is, neem ik hem aan.'
Green haalde een harde kunststof koffer uit zijn auto terwijl ik de logeerkamer leegruimde. 'Ik neem vanavond een kamer in het motel waar LuEllen zit,' zei ik. 'Dan heb ik een schone telefoonlijn. Ik duik met Bobby in AmMath en daarna nemen we Firewall onder de loep.'
'Oké,' zei Lane. Ze stak haar hand uit en raakte de .357 op het tafeltje aan.
'U weet hoe u daarmee moet omgaan?' vroeg Green.
'Ik heb net in de kelder in een stapel telefoonboeken geschoten,' zei ze. 'LuEllen heeft me verteld dat als het nodig is, ik gewoon moet richten en de trekker moet blijven overhalen totdat de kogels op zijn.'
Green zuchtte en zei: 'Waanzin.'

Het beviel me helemaal niet dat ze in Lanes huis achterbleven. Als ze een doelwit waren, waren ze daar te vinden. Het is in de Verenigde Staten niet zo moeilijk om je te verstoppen, zeker niet voor een paar dagen of een week, en als je echt je best doet, vindt niemand je. Maar onbeweeglijke doelwitten...
Er was even een ongemakkelijk moment toen ik een kamer in het motel nam. LuEllen en ik hadden samen aardig wat tijd doorgebracht en zouden dat in de toekomst waarschijnlijk weer doen, en zij had niemand en ik eigenlijk ook niet, maar we lieten het moment passeren en ik nam een aparte kamer. Tien minuten later kwam ze binnen met twee flesjes bier terwijl ik aan de telefoon zat met een knaap uit Atlanta die Rufus Carr heette.
'Hoe doet Monger het?' vroeg ik aan Rufus.

'Je praat met een pentamiljonair,' zei hij.
'Ik weet niet wat dat is.'
'Ik heb vijf miljoen op de bank, beste jongen,' zei hij. Rufus was een dikke man met rood haar en een nagemaakt W.C. Fields-accent. 'Tenminste, totdat de belasting voor de deur staat.'
'Dus het werkt?'
'Natuurlijk werkt het; ik heb je gezegd dat het zou werken.'
'Ik wist het,' zei ik.
'O ja, onzin. Jij was een van de tegenstanders, een van de mensen die zei dat Rufus de rest van zijn leven kale diepvriespizza's zou eten. Nou, ik kan je dít vertellen, vriend, van nu af aan laat ik ze thuisbezorgen, met peperoni en champignons. En ik heb een eigen tafel bij de Taco Bell.'
'Ik wil je om een gunst vragen. Kun je wat voor me "mongen"?'
'Wat?'
'Heb je van Firewall gehoord?'
'Ja.'
'Er gaan vreemde geruchten. Kun je er een paar van de grotere sites halen en ze voor me mongen?'
'Zit er geld aan vast?' vroeg hij.
'Shit, nee. Maar ik zal niet je huis platbranden.'
'Nou, je wordt bedankt, generaal Sherman. Kan ik erdoor in de problemen raken?'
'Dat betwijfel ik,' zei ik. 'Maar dat Firewall-gedoe begint compleet uit de hand te lopen.'
'Je hebt gelijk; het is mijn vaderlandse plicht. Bovendien heb ik niks beters te doen.'
'Kan ik je morgen bellen?'
'Ja, ik ga meteen aan de slag,' zei hij. 'Dan moeten we morgenochtend de eerste resultaten hebben.'

'Wat is mongen?' vroeg LuEllen toen ik had opgehangen. Ze zat op het bed met een fles bier in haar hand.
'Monger is een programma dat geruchten opspoort,' vertelde ik. 'Rufus heeft het ontworpen en aan een paar beveiligingsfirma's verkocht. Ze gebruiken het voor de opsporing van daghandelaren die geruchten verspreiden om de aandelenmarkt te manipuleren.'
'En het werkt?'
'Shit, hij is pentamiljonair,' zei ik.

Vervolgens nam ik contact op met Bobby. Hij had wat bedrijfsinformatie over AmMath gevonden, voornamelijk algemeen spul dat hij uit openbare databases had gehaald. Interessanter was wat hij over Firewall te melden had.

Heb nieuwe lijst van veronderstelde leden van Firewall. Namen zijn: Exdeus, Fillyjonk, Fleece, Ladyfingers, Neoxellos, Omeomi, Pixystyx. Vrienden hebben me twee namen in jouw buurt gegeven. Fleece is Jason B. Currier, 12548 Baja Viejo, Santa Cruz. Omeomi is Clarence Mason, 3432 LaCoste Road, Petaluma.

We hadden een kaart bij de auto gekregen en ik ging naar buiten om de adressen op te zoeken. Mason woonde op één à anderhalf uur rijden, in Marin County ten noorden van San Francisco, en Currier woonde praktisch aan de overkant van de straat. Het maakte allemaal deel uit van de Silicon Valley-cultuur die rondom San Francisco was opgebloeid.
'Dus we gaan die twee opzoeken?' vroeg LuEllen.
'Ja, morgenochtend vroeg.'

Ik ben geen rustige slaper en lag de hele nacht te woelen, dan eens op mijn ene zij, dan weer op de andere en daartussenin was ik een kwartier lang klaarwakker. Ik hou niet van grote, zelfingenomen organisaties die met mensen rotzooien, ze manipuleren of zelfs ombrengen, hoewel ik het niet als mijn plicht beschouw daar iets aan te doen. Ik ga altijd mijn eigen weg. Ik ga vissen, schilderen of urenlang als een hagedis in de zon liggen. Misschien steel ik af en toe iets van een van die organisaties – software, schema's of bedrijfsplannen – maar ik ben daar heel kieskeurig in.
Dat hele AmMath-gedoe was mijn stijl niet. Ik mocht Jack Morrison. Hij was een goede kerel, voorzover ik hem kende, maar in feite wist ik heel weinig over hem. Misschien sloeg dat hele gedoe over 'k' nergens op en had hij het verzonnen om me te betrekken bij wat hij bij AmMath aan het doen was. Misschien had híj die geruchten wel verspreid. En Lane was zelf een computerfreak, dus misschien was zíj wel betrokken bij Firewall.
Maar als dat allemaal niet zo was, kon het noemen van 'k' een reden tot bezorgdheid zijn. Als *nickname* stelde het weinig voor; het was maar een voorletter en er konden duizenden mensen op het Net zijn die zich 'k' noemden. En ik kon me ook voorstellen dat er talloze mensen waren

die zichzelf 'Fleece' noemden, hoewel 'Omeomi' volgens mij minder vaak voorkwam. Het zorgwekkende was de groep waartoe ze behoorden. De meeste namen had ik wel eens gehoord. Van een paar wist ik zelfs wat ze deden, hoewel ik niet wist wie ze waren.
De meeste computermensen hebben dezelfde houding als ik tegenover grote bedrijven, bureaucratie en manipulatie. Daar houden ze niet van. Misschien bestond er een Firewall en maakten sommigen van deze mensen er deel van uit, en omdat ze dat deden, was ik nu ook een verdachte...
Paranoia kan nuttig zijn, zeker als je inbreker bent, maar het maakt het leven niet eenvoudiger.

9

St. John Corbeil

Corbeil was getergd. Niet boos, niet verbijsterd of verward, maar geconcentreerd.

'Ik weet niet waar ze ze vandaan heeft, maar ze vond ze blijkbaar belangrijk genoeg om er kopieën van te maken,' zei Hart. Zijn stem klonk ijl en ver weg, en op de achtergrond was verkeer te horen. Hij stond in een telefooncel in San Jose.

Tegenover Corbeils bureau was hoog aan de muur een tv bevestigd. Een 'pratend hoofd' van CNBC had het over de laatste ramp op de NASDAQ en de New Yorkse aandelenmarkt terwijl het woord *mute* in groene letters over haar gezicht stond geprojecteerd.

'Als ze erin is geweest...' begon Corbeil tegen Hart.

'We weten dat ze erin kon, verdomme, maar verder is er niets duidelijk,' zei Hart.

'Máák het dan duidelijk,' zei Corbeil op scherpe toon. 'Wat is het probleem?'

'Ze had vier Jaz-disks die waarschijnlijk uit onze voorraad afkomstig waren,' zei Hart. 'Ze zaten in doosjes met een transparant blauwe tint en we gaan ervan uit dat haar broer ze heeft gestolen om er kopieën van te maken. Maar deze vier disks zitten in doosjes van helder plastic... die zijn niet van ons. We hebben in de prullenmand een bonnetje van CompUSA gevonden, waarop staat dat ze drie pakjes Jaz-disks van drie stuks heeft gekocht. Negen diskettes in totaal. We hebben één serie van vier kopieën in transparante doosjes gevonden, plus één lege diskette in een transparant doosje...'

'Wat inhoudt dat er vier ontbreken, wat precies genoeg is voor een tweede serie kopieën,' zei Corbeil, die het onmiddellijk begreep. 'Verdomme, waar zijn die gebleven?'

'Dat is het probleem. Dat weten we niet. Maar ik kan maar één reden bedenken waarom ze een tweede serie zou maken.'
'Om veiligheidsredenen. Ze heeft ze ergens gedumpt.'
'Ja, dat denken wij ook,' zei Hart. 'We weten niet precies waarom ze het heeft gedaan. Ik bedoel, ze kan de OMS-
bestanden niet laden tenzij ze 500 MB werkgeheugen heeft, anders slaat haar computer op hol. Haar computer heeft maar 384 MB en haar laptop maar 128. Op geen van beide harde schijven stonden bestanden van de Jaz-disks, ook de kleinere niet.'
'Wat wil je daarmee zeggen? Dat ze ze niet heeft bekeken?'
'Thuis in elk geval niet,' zei Hart. 'Ze kan ze meegenomen hebben om ze op de universiteit te bekijken, maar we hebben haar huis vrijwel voortdurend in de gaten gehouden sinds ze is thuisgekomen, en voorzover we weten is ze nog niet naar de universiteit geweest. Dus is de vraag: als ze niet weet wat erop staat, waarom heeft ze dan al die kopieën gemaakt, áls ze dat heeft gedaan?'
'Kun je in haar werkkamer op de universiteit gaan kijken?'
'Moeilijk. Die is recht tegenover het computerlab en er zijn altijd mensen, dag en nacht. Niet in haar werkkamer, maar in het lab en de gangen.'
'We moeten die disks terug zien te krijgen voordat ze er iets mee doet.'
'Maar hoe? Veel meer dan haar schaduwen kunnen we niet doen. We kunnen haar ontvoeren en door de wringer halen totdat ze zegt waar die disks zijn, maar jezus... als ze verdwijnt, zal de politie van Dallas dat wat al te toevallig vinden. O ja, en er hangt een kerel in haar huis rond, misschien een vriendje of zoiets. Het lijkt er in elk geval op dat ze niet alleen wil zijn.'
Corbeil dacht daar langere tijd over na en Hart wachtte rustig af. Terwijl Corbeil nadacht en het CNBC-hoofd tegenover hem rustig doorpraatte zonder geluid te maken, bedacht hij zich ineens dat hij met al die verslaggeefsters wel een keer naar bed zou willen, stuk voor stuk, maar dat hij hun adviezen met betrekking tot de aandelenbeurs voor geen meter vertrouwde. En dat was geen toeval, besloot hij. Dat was marketing. Hij dwong zichzelf terug naar het probleem. 'Doe dat dan. Blijf haar in de gaten houden.'
Hart was teleurgesteld en Corbeil kon het horen aan zijn stem. Hart zei niet: 'Dat is alles?' maar hij zou het wel graag gewild hebben. In plaats daarvan zei hij: 'We kunnen niet veel langer in de buurt blijven rondhangen, maar als u een paar duizend extra kunt ophoesten, in contant geld, kan ik een zendertje in haar auto zetten. Dan weten we ten minste waar ze naartoe gaat.'

'Doe dat. Ik stuur het geld per American Express. Ik zal uitzoeken waar ze daar hun kantoor hebben en over een paar uur heb je het geld. Hoe lang heb je nodig om aan een zendertje te komen?'
'Waarschijnlijk tot morgen. Ik zal een paar mensen moeten bellen.'
'Oké,' zei Corbeil. 'En nog iets. Ik wil dat je me e-mails stuurt over je vorderingen. Ik heb een nieuwe account geopend die Arclight heet – A-R-C-L-I-G-H-T – op het oude nummer. Je mailt me dat je haar in de gaten houdt, dat je haar schaduwt, en je vraagt om advies. Ik antwoord dan dat je haar nog een week moet schaduwen, om te zien of ze contacten legt die wijzen op een verband met Firewall. We kunnen het hebben over de mogelijkheid om naar de FBI te stappen. Maak het niet te dramatisch, maar je kunt refereren aan zaken als nationale veiligheid. We moeten ethisch verontwaardigd overkomen, alsof we ons zorgen maken over het welzijn van het vaderland.'
'We gaan een dwaalspoor leggen?'
'Precies. Stuur me elke twee dagen een e-mail en doe verslag van je surveillancewerk. Misschien kun je zelfs voorstellen dat we een voormalig FBI-man inhuren om een huiszoeking te doen, maar dat voorstel wijs ik dan af.'
'Oké, ik zal Benson de verslagen laten schrijven.'
'Lees ze na voordat je ze mailt. Hij is niet het grootste licht op aarde.'

Toen Hart had opgehangen, leunde Corbeil achterover in zijn stoel, zette zijn vingertoppen tegen elkaar en dacht na over wat ze hadden besproken. Harts e-mails konden op verschillende manieren nuttig zijn. Als alles gladjes verliep en ze vonden de disks terug of ontdekten dat er geen tweede kopie bestond, konden de e-mails blijven waar ze waren.
Als de situatie echter uit de hand liep, konden ze gebruikt worden om aan te tonen dat er binnen AmMath een illegale operatie gaande was. De e-mails konden als bewijs worden gebruikt zonder de tijdsaanduiding te veranderen en afgecheckt worden tegen de inkomende en uitgaande gesprekken op de telefoonrekening.
En aangezien de Arclight-account was geopend met de computer op Tom Woods' kamer, zou het heel geloofwaardig zijn dat Corbeil er niets van wist, zeker als Woods er niet meer was om het tegendeel te beweren.
Daar had Corbeil behoefte aan: voldoende geloofwaardigheid en getuigen die hun mond hielden.
En een goede advocaat, natuurlijk.

10

Omdat ik toch niet kon slapen, trommelde ik om halfzeven LuEllen uit bed om op zoek te gaan naar Clarence Mason. We stopten onderweg voor een ontbijt van cafeïne en cholesterol en waagden ons in het drukke verkeer richting San Francisco. Om acht uur reden we Golden Gate Bridge over en LuEllen stopte bij een benzinestation om te vragen waar LaCoste Road was. Masons huis was een kleine, donkergroene bungalow met een ouderwetse oprit die uit twee uitgesleten sporen bestond. Er was niemand thuis.

'Waarom heb ik daar niet aan gedacht?' zei ik toen we weer in de auto zaten. 'De meeste mensen werken overdag.'

We zochten een telefooncel, ik sloot de laptop aan en ging on line met Bobby. Mason, zei Bobby, had zijn eigen fotobedrijf in Santa Rosa. We vonden hem op de eerste verdieping van een gebouw in de binnenstad, boven een bloemenwinkel: Mason Retouche.

De toegangsdeur zag eruit alsof hij zou leiden naar een kantoor van een privé-detective uit een film noir – geëtst glas met de naam in bladgoud – maar eenmaal binnen zagen we een en al ramen, blankhouten vloeren en geavanceerde technische apparatuur. Het bedrijf was verdeeld in twee vertrekken: een grote werkruimte achter de balie bij de ingang, en helemaal achterin een kantoortje met glazen wanden. De werkruimte bevatte een zestal Macs, een aantal foto- en filmscanners en diverse grote kleurenprinters. Achter de computers zaten drie vrouwen te werken waarvan er een opstond en naar de balie kwam toen ze ons zag binnenkomen.

'Kan ik u helpen?' vroeg ze.

'We komen voor meneer Mason.'

'Hebt u een afspraak?'

'Nee, maar het is nogal dringend.' Een blonde man van ongeveer vijfendertig keek op vanachter zijn computer in het glazen kantoortje. Ik durfde te wedden dat hij Mason was. 'Misschien kunt u hem zeggen dat we vrienden van Bobby zijn.'

'We moeten hem echt dringend spreken,' zei LuEllen glimlachend over mijn schouder.

‘Een ogenblikje, alstublieft.’
Ze liep naar het kantoortje, stak haar hoofd naar binnen en zei iets, en ik zag het blonde hoofd knikken. Ze wenkte ons en we liepen langs de balie de werkruimte in. De vrouw liep terug naar de andere twee, die naar een vergeelde foto van een oude vrouw zaten te kijken, zo te zien een gescande krantenfoto.
Mason stond op en zag er niet al te blij uit. ‘Ik weet niet of we dezelfde Bobby kennen...’
‘Als je on line gaat en hem oproept, zal hij je zeggen dat we oké zijn,’ zei ik.
Mason slikte en zei: ‘Ik ben niet vaak meer on line. Wie zijn jullie?’
‘Heb je de lijst van de mensen van Firewall gezien? Ik ben “k”.’
Hij liet zich op zijn stoel zakken, bleef even doodstil zitten – alleen zijn adamsappel bewoog – en zei toen: ‘Ik heb dingen over je gehoord, als je “k” echt bent. Heb je jaren geleden niet een klus gedaan voor een grote wijnboer, om zijn distributiesysteem op te zetten?’
‘Ja.’
‘Dan moet je mijn vriend Clark kennen,’ zei hij.
‘Clark Miller,’ zei ik. ‘Hij woont in St. Helena, in een roodhouten huis met een originele houten jacuzzi in de achtertuin, en zijn vrouw heet... Tom.’
‘Ex-vrouw,’ zei Mason. ‘En zij heeft het huis gekregen.’ Hij keek op naar LuEllen en zei: ‘Doe de deur dicht.’ LuEllen duwde de deur dicht met haar voet en we gingen op de twee rechte bezoekersstoelen zitten. Mason haalde zijn beide handen door zijn haar en zei: ‘Die Firewall... ik weet er niets van, maar mijn naam blijft steeds opduiken. Ik word er gek van. Wat is er aan de hand? Ik had min of meer de FBI verwacht.’
Ik keek LuEllen aan, die haar hoofd schudde, keek weer naar Mason en zei: ‘Verdomme, je weet helemaal niets?’
Hij hield me zijn geopende handen voor. ‘Echt, ik zweer het. Ik zat op een ochtend aan de keukentafel mijn cornflakes te eten en de krant te lezen, dat stuk over de moord op Lighter, en ineens zie ik die lijst met mijn eigen naam erin staan: Omeomi. Ik ben bijna in mijn cornflakes gestikt. Daarvoor had ik zelfs nog nooit van Firewall gehoord. En nu ga ik door voor een of andere terrorist.’
‘Ja, ik ook. En Bobby. We proberen erachter te komen wat er gaande is.’
Mason keek weer naar LuEllen. ‘Sta jij ook op de lijst?’
‘Nee, ik ben een vriendin van “k” en van Bobby.’
Mason schudde zijn hoofd. ‘Ik weet niet wat ik moet doen. Ik heb

overwogen de FBI te bellen en me bekend te maken, maar... ik weet het niet, dat lijkt me toch niet zo'n goed idee.'
'Ik ken je achtergrond niet,' zei ik. 'Maar ik zou even wachten voordat ik de *feds* erbij haalde.'
'Ja, mijn idee.' Hij zag er niet uit als een crimineel, maar de manier waarop hij het zei, wekte de indruk dat hij zijn redenen had om uit de buurt van de FBI te blijven. Om ethische redenen en uit respect voor zijn privacy vroeg ik hem niet wat hij had gedaan, maar LuEllen was minder beschroomd.
'Wat heb je dan gedaan als Omeomi? Banken overvallen?'
Ze kan zo vertederend zijn als ze wil, dat het een wonderbaarlijk effect heeft op mannen, vooral mannen die er oude fantasieën over cheerleaders op nahouden. Tenminste, dat is me verteld. Mason glimlachte even en zei: 'Nee, niet dat soort dingen. Ik doe aan... kunstfotografie.'
'Goh, als mensen dat zeggen, denk ik meestal meteen aan porno,' zei LuEllen.
'Het is geen porno,' zei hij.
'Jullie moeten eens om de tafel gaan zitten,' zei ik. 'Dan kunnen jullie ideeën uitwisselen.'
'Je doet ook aan fotografie?' Interesse was hoorbaar in zijn stem. 'Wat voor soort?'
'Ook kunst,' zei ze.
Mason grinnikte, leunde achterover en ontspande zich. 'Er gaat niets boven kunstfotografie, hè?'
We zaten even zwijgend tegenover elkaar en toen zei ik: 'Nou, we moeten maar eens gaan.'
'Wat gaan jullie nu doen?' vroeg Mason. 'Iedereen van die lijst nagaan, als je ze kunt vinden?'
'Dat is het plan. Bobby en ik kennen een paar mensen van de oorspronkelijke lijst van namen. Geen van ons heeft iets met Firewall te maken. Bobby heeft jou en een andere man kunnen traceren, met hulp van zijn vrienden, neem ik aan. We zijn nog niet naar die andere man geweest, maar jouw verhaal is hetzelfde als dat van ons.'
'Wat ga je doen als je ze vindt, die Firewall?'
'Ik weet het niet. Bobby denkt dat we ze moeten aangeven. Tenminste, als ze verantwoordelijk zijn voor de moord op Lighter.'
'Doe dat,' zei Mason. 'Zoek ze op en pak ze bij hun kloten.'

Currier woonde in een appartement in Santa Cruz. Weer was er niemand thuis en Bobby had van hem geen werkadres kunnen vinden. Ik

meldde me bij de conciërge en zei tegen haar dat ik een oude vriend van Currier was die toevallig in de buurt was.
'Hij is op vakantie,' zei ze. 'In Mexico.'
'Wanneer is hij weggegaan?'
'Vorige week. Hij zei dat hij drie weken zou wegblijven. Jammer dat u hem gemist hebt.'

'En nu?' vroeg LuEllen toen we weer buitenkwamen.
'We gaan Rufus bellen. Het is daar drie uur vroeger. Laten we kijken of Monger heeft gewerkt.'
'Wat denk je van Currier?'
'Misschien is hij op de loop. Hij staat op de lijst, dus misschien heeft hij er een reden voor.'
'Net als jij.'
'Net als wij allemaal.'

Monger hád gewerkt. 'Er heeft een hoop dataverkeer plaatsgevonden tussen pc's en een stuk of tien grote sites,' vertelde Rufus. 'Allemaal collega's, dus gemakkelijk in te komen. Het lijkt erop dat iemand op zoek is gegaan naar computers die on line waren en het gerucht erin hebben geplaatst in de vorm van een virus dat in AOLforums en dat soort sites is achtergelaten. In de dagen die daaraan voorafgingen, heeft het merendeel van die tien sites langdurig contact gehad met een server in Laurel, Maryland.'
'Hoe lang voordat de geruchten begonnen?'
'Ongeveer een week. Zover kan ik teruggaan; daarna wordt het universum te groot voor Monger.'
'Ongeveer een week...'
'Daar ziet het naar uit. Heb je er iets aan?'
'Daar moet ik eerst over nadenken,' zei ik.

Bobby meldde zich met nieuwe informatie over AmMath en de man die er de leiding had.
St. John Corbeil was een slimme jongen die het bij de marine tot majoor had geschopt en toen voor de National Security Agency was gaan werken. Hij was vijf jaar bij de NSA gebleven maar had niets gedaan waarover Bobby iets had kunnen ontdekken, behalve dat hij zich had gespecialiseerd in het ontwerpen van software. Na zijn vijf jaar bij de NSA had hij ontslag genomen en was hij naar Dallas getrokken om daar zijn eigen bedrijf in hightech coderingscomponenten te beginnen. Hij had een ze-

stal coderings- en softwarespecialisten van de NSA met zich meegenomen. Het bedrijf had het goed gedaan en was met zijn productenlijn net op tijd geweest voor de grote internet*boom*. Corbeil was aardig rijk met zijn tien procent AmMath-aandelen en functie van algemeen directeur.

'Ik snap niks van dat coderingsgelul,' zei LuEllen.
'Je moet het zo zien,' zei ik. 'Stel dat je mij een e-mail wilt sturen met de tekst: "Laten we inbreken in het huis van Bill Gates en zijn hond stelen." Als geavanceerde codering is toegestaan, kun je mij dat bericht gewoon sturen met je mailprogramma – je klikt gewoon op de zendknop – en niemand kan het decoderen. Niemand! Ongeacht hoe groot en slim zijn of haar computer is. Tenzij iemand de sleutel heeft.'
'Maar met de Clipper-chip...'
'Met de Clipper-chip is er sprake van twee sleutels. Ik zou de ene hebben en de overheid heeft de andere. Je kunt me het bericht sturen en ik zou het ontvangen, maar de overheid ook. Als ze op dat moment meekeken.'
'Dan komen we bij Bill Gates' huis en worden we opgewacht door een heel stel smerissen.'
'Ja, en dan staan we daar met onze lul in de hand.'
'Of een blik Alpo, in mijn geval,' zei ze.

Jack had gewoond in een klein huis in Santa Cruz, op nauwelijks twee kilometer afstand van het appartement van Currier. Toen hij was vermoord en de FBI een gerechtelijk bevel had om het huis te doorzoeken, had Lane hun verteld waar ze de sleutels konden vinden. De dag na de begrafenis had ze gebeld om te vragen of ze naar het huis mocht en de FBI had geen bezwaar gehad; ze hadden het al binnenstebuiten gekeerd en alles meegenomen wat iets met computers te maken had, tezamen met zijn oude telefoonrekeningen, privé-correspondentie enzovoort. Terwijl LuEllen en ik de twee namen van Firewall nagingen, waren Lane en Green naar het huis gegaan om er rond te kijken en aan de grote schoonmaak te beginnen. Zo noemde Lane het. De grote schoonmaak. Wat ze bedoelde was dat ze alles ging weggooien wat niet verkocht of weggegeven kon worden. Alle kleine stukjes van een mensenleven: brochures, notities, brieven, foto's met onbekenden erop; dat soort dingen. Jack had geen kinderen gehad dus was er, afgezien van zijn zus, niemand om het aan door te geven, niemand die zich in het jaar 2050 of 2100 over Jacks spullen zou buigen en zich zou afvragen wat voor man hij was geweest.

Toen we binnenkwamen, zei Green: 'Iemand is ons voor geweest. Het slot van de achterdeur is geforceerd.'
'Dat moeten de jongens van AmMath geweest zijn,' zei ik. 'Maar misschien zijn ze nu tevreden, nu ze de disks van Lane hebben...'

'Wat ben je over Firewall te weten gekomen?' vroeg Lane.
'Niets,' zei ik, en ik vertelde haar wat er gebeurd was.
'Die man die naar Mexico is gegaan,' zei Green. 'Hij kan daar meer dan één reden voor hebben gehad. Jij gaat ervan uit dat hij is gegaan uit angst omdat hij op de lijst van Firewall stond, net als Mason. Maar wat als hij is gegaan omdat hij bij Firewall hoort?'
'Dat heb ik ook geopperd,' zei LuEllen. 'Maar Kidd wil er niet aan. Hij heeft een theorie bedacht.'
'En die is?'
'Er bestaat geen Firewall,' zei ik. 'Firewall is gelul, niks, opgeklopt schuim.'

Daarna kwamen we terecht in een van die vreemde meningsverschillen waarin je steeds het idee hebt dat je weet wat er aan de hand is, maar elke keer ontdekt dat je één stukje tekortkomt om tot een logische verklaring te komen. Lane gaf de aanzet.
'Wat zou dat precies inhouden?' vroeg Lane. 'Als Firewall verzonnen was, en waarom zou iemand dat doen?'
'Om te camoufleren dat er misschien een andere reden was om Lighter te vermoorden?' probeerde ik.
'Ze hoefden niets te camoufleren. De politie dacht dat het een roofoverval was. Ze waren niet gelukkig met die verklaring, maar ik heb niet gehoord dat ze zich hebben vastgebeten in het onderzoek voordat de geruchten over Firewall de kop opstaken.'
'Clipper II was stervende en is dat nog steeds. Misschien dachten ze dat als een van de Clipper II-mensen werd vermoord door hackers, er zoveel deining zou ontstaan dat het bestaan ervan gerechtvaardigd werd...'
'Clipper II heeft geen bestaansrecht,' zei Lane. 'Misschien wil de FBI Clipper II, maar daar is het te laat voor. Iedereen weet dat het te laat is. Dat heeft niets met wetten of voorkeuren te maken. De poging om mensen de vrijheid tot coderen te ontnemen en die te vervangen door Clipper II is net zoiets als afstand doen van de relativiteitstheorie of die van de ronde aarde. Daar is het gewoon te laat voor!'
'Hoe komt het dan dat al die namen ineens opduiken?' vroeg ik. 'Die van mij en van Bobby en Jack en Omeomi en al die anderen. Er bestaat

een verband tussen ons. Als je ons uit een bepaalde hoek bekijkt, vormen we een soort samenzweerdersbende, want sommigen van ons hebben wel degelijk met elkaar samengewerkt.'
'Ik weet het niet. Ik weet niet waarom Firewall boven water is gekomen. Ik weet niet hoe Firewall in het gebeuren past. Maar op de een of andere manier doen ze dat. Er is daar iets aan de hand en dat is in elk geval niet helemáál uit de lucht gegrepen. Er is iets gaande. En Jack is dood en Lighter is dood.'
'Maar dat kan toeval zijn.'
'Hoe is dat mogelijk?' Ze telde het af op haar vingers. 'Jack had te maken met Clipper II, met AmMath en met Firewall. Firewall vermoordt Lighter, die te maken had met Clipper II en AmMath.'
'Maar we hebben nog niemand kunnen vinden die we echt aan Firewall hebben kunnen koppelen,' zei ik. 'Niemand.'
'Kende Jack Lighter?' vroeg Green.
Ik schudde mijn hoofd. 'Voorzover ik weet niet.'
'Misschien iets om na te gaan.'
Ik keek LuEllen aan, die gedurende de hele woordenwisseling nog niets had gezegd. 'Wat denk jij?'
'We kunnen drie dingen doen,' zei ze.
'Welke?'
'AmMath nagaan. Blijven graven naar Firewall. Maken dat we hier wegkomen.'

Lane wilde achter AmMath aan vanwege haar broer. Green vond alles best; het was zijn taak om Lane te beschermen en dat zou hij doen, wat er ook gebeurde. LuEllen bewoog zich in de richting van de deur. 'Je kunt het niet winnen van de bureaucratie,' zei ze. 'Dan word je een doelwit. Het is net zoiets als de strijd aanbinden met de belastingdienst.'
Maar ik wilde het niet opgeven, nog niet. De namen circuleerden en als de politie eenmaal een paar identiteiten had ontrafeld, zou ze dat met de rest waarschijnlijk ook doen en konden we schade oplopen zonder ooit te weten waarom en wat er aan de hand was.
'Ik moet meer te weten zien te komen over Firewall,' zei ik. 'Al is het alleen maar uit zelfbescherming. Als AmMath erbij betrokken is, neem dan AmMath ook onder de loep.'
'En je geeft Jack op?' vroeg Lane. 'Je klinkt alsof je het opgeeft.'
'Nee, maar we moeten voorzichtig zijn. Het begint erop te lijken dat AmMath meer is dan een strijdlustige particuliere onderneming. Het

kan zijn dat Jack iets groots overhoop heeft gehaald, grotere problemen heeft veroorzaakt dan wij willen weten.'
'Wat houdt dat in?'
'Dat houdt in dat we ze alleen via de politiek te pakken kunnen krijgen. We schrijven je senator een brief, zij laten een intern onderzoek doen en roepen hem op het matje. Maar als Jack is vermoord in een soort samenwerkingsverband, wordt dat heel moeilijk.'

Het beste wat we konden doen, dacht ik, was de Monger-informatie naar Maryland volgen. Met een beetje geluk zouden we daar een veertienjarig hackertje aantreffen dat achter het hele Firewall-gedoe zat. Dan konden we hem afleveren bij de plaatselijke sheriff, er eens hartelijk om lachen en allemaal weer naar huis gaan.
'Weinig kans,' zei LuEllen.
'Het ís mogelijk,' zei ik. 'Liever dat dan door een kelderraam bij AmMath naar binnen kruipen.'
'Wat doen we met Lane?' vroeg Green.
'Bel de politie in Dallas en zeg dat jullie terugkomen om Jacks computers en andere bezittingen op te halen als zij er klaar mee zijn. Maar dat jullie eerst het huis hier opruimen.'
'En jullie gaan naar Maryland,' zei Lane, 'om wat te doen?'
'Je weet wel,' zei ik. 'Een beetje rondkijken.'

We vertrokken dezelfde avond nog uit San Francisco. Daarvoor, toen we in het motel waren om onze spullen te pakken, ging ik on line met Bobby en vertelde ik hem dat we naar Washington moesten. Hij boekte twee business-class plaatsen voor ons op de avondvlucht naar National en een auto op naam van een van de valse identiteiten die LuEllen in New York had gebruikt. Die was beter dan de twee die we in San Francisco hadden gebruikt, en de creditcard die erbij hoorde was absoluut goed. Bobby had ook nieuwe informatie over Corbeil en AmMath voor me.
Corbeil was een slimme jongen, maar hij was ook een beetje gek. Hij wond zich veel te veel op over goddeloze socialisten, hersenloze bureaucraten, inhalige belastingambtenaren, zwarte relschoppers, het gele gevaar, het rode gevaar, de internationale joodse samenzwering en de nieuwe wereldorde. Er werd van hem gezegd dat hij in het openbaar had toegegeven dat Hitler ook een aantal goede dingen had gedaan. Ik ben nooit erg geïnteresseerd geweest in politiek, maar ik had ooit een doe-het-zelf-enquêteprogramma geschreven waarmee onbemiddelde politici hun eigen telefonische peilingen konden doen. Ik had het pro-

gramma uiteindelijk doorverkocht, maar voordat het zover was, had ik een aantal politici persoonlijk leren kennen. Ze vormden een kleurrijk stel en waren niet meer of minder corrupt dan docenten, krantenreporters, politiemensen of artsen.
Hoe dan ook, ik hoefde me niet echt in de politiek te verdiepen om tot de conclusie te komen dat er aan de linkerkant net zoveel mafkezen rondliepen als aan de rechter, en dat de linkse mafkezen op de lange termijn het gevaarlijkst waren. Op de korte termijn was het echter anders. Als er op een dag een knaap met een goedkoop halfautomatisch geweer van Chinese makelij in de klokkentoren van je geboortestadje zat, zou dat een van Corbeils kornuiten zijn, die droomde van zwarte helikopters en socialistische tanks die oprukten vanaf de Canadese grens om het Amerikaanse leven lam te leggen.
Slim en gek; dat was de beschrijving die opging voor Corbeil. Het klonk bijna vertederend, maar dat was het absoluut niet.

Bobby had uit de plaatselijke zakentijdschriften nog het een en ander over Corbeils levensstijl gehaald. Voor een algemeen directeur genoot hij een bescheiden salaris, ongeveer 150.000 per jaar, maar hij had daarnaast een mooie portie AmMath-aandelen. Hij hield van snelle auto's en blonde vrouwen en vertoonde zich graag in het openbaar met modellen die in Dallas 'het snoepje van de dag' werden genoemd. Een daarvan had ooit als *playmate* van de maand in de Playboy gestaan. Bobby had de uitklapbare foto erbij gedaan.
'Waarom scheren ze hun schaamhaar in die kleine streepjes?' vroeg LuEllen.
We dachten een ogenblik na over dit mysterie en ten slotte zei ik: 'Misschien dragen ze geen badpakken van het merk OshKosh B'Gosh.'
'Zou je denken?'

Nog veel meer spul. Ik stuur het door zodra ik het gesorteerd heb. Nog geen ingangen voor AmMath-computer gevonden; ga daar later op door.
Iets gevonden op de Jaz-disks?
Ja. Grote bestanden geopend. Foto's met zeer hoge resolutie. Allemaal van hetzelfde parkeerterrein. Begrijp er niets van.
Kun je een JPEG maken en in mijn postbakje dumpen?
Ja.

En kopieer Jaz-disks en stuur ze per expresse naar Washington.
Oké.

Tijdens de vlucht hadden we het over wat we nu moesten doen. We wisten niet waar AmMath mee bezig was en waarom Jack was vermoord, als hij niet was gedood zoals de mensen van AmMath hadden gezegd. Ik vermoedde nog steeds dat Firewall een verzinsel was.
'We moeten dieper in Jacks Jaz-disks duiken,' zei ik.
'Het zijn er maar vier...'
Ik keek haar aan. 'Ja, van elk twee gigabyte,' zei ik. 'Op één zo'n disk kun je tweeduizend vuistdikke boeken zetten. We hebben het hier over een hoeveelheid tekst die overeenkomt met – laten we zeggen – achtduizend boeken van Tom Clancy.'
'Wauw!'
'Juist, wauw.' Ik deed mijn ogen dicht en stak mijn vinger op om aan te geven dat ik nadacht. Na een minuut had ik het uitgerekend. 'Als je de hele inhoud opsplitst in hoeveelheden ter grootte van boeken van Tom Clancy, elk boek één minuut lang bekijkt en veertig uur per week doorwerkt, ben je al drie weken verder.'
'Voor één minuut per boek.'
'Eén minuut,' zei ik.
'Je bent een echt rekenwonder,' zei ze.
'Daarmee ben je er nog niet,' zei ik. 'Het grootste probleem waar we mee te maken hebben, is dat we niet weten wat onzin is en wat niet.'
Daar dachten we enige tijd over na en toen zei LuEllen: 'Ik zie een lichtje aan het eind van de tunnel.'
'O, ja?'
'Ja. Jack heeft ze minder dan een week in zijn bezit gehad, en blijkbaar heeft hij wél iets gevonden.'
'Tenzij ze hem alleen hebben vermoord omdat hij ze heeft meegenomen...'

Het duurde nog een uur voordat we in Washington zouden landen en we hadden verder niets te doen, dus haalde ik mijn tarotkaarten tevoorschijn en legde ze een paar keer uit. LuEllen keek toe met een mengeling van scepsis en nervositeit en zei ten slotte: 'En?'
'Niks,' zei ik. 'Verwarring.'
'Laat mij een keer.' Ik schudde de kaarten en liet haar er een trekken. Ze

trok de duivel. De duivel vertegenwoordigt de kracht van het kwaad; dat hoeft niet per se van buitenaf te komen in de vorm van een standaard slechterik. De duivel zit meestal vanbinnen. Hij zit in je en beheerst je zonder dat je het in de gaten hebt.
'Dat is niet goed,' zei ze. 'Ik zie het aan je gezicht.'

11

Alles bij elkaar heb ik ongeveer zes maanden van mijn leven in Washington doorgebracht. Hoewel het niet erg modieus is om het toe te geven, bevalt die stad me. Ondanks het beeld dat wordt geschetst van een grote bende geldwolven die als sardines in de olie van de Beltway liggen, heeft Washington delen waar je lekker kunt wandelen en goede kunst kunt bekijken. Mensen die van de *campagna* in Midden-Italië houden, zullen zich aangesproken voelen door de landelijke sfeer van de staat Virginia.

We landden laat op National, haalden de auto op en kochten een kaart van de omgeving. We moesten niet in Washington zelf zijn. Volgens Rufus zat de server in Laurel, wat meer richting Baltimore ligt, niet ver – zag ik op de kaart – van Fort Meade, het hoofdkwartier van de National Security Agency.

Ik had een paar keer met de NSA te maken gehad toen ik in het leger zat en was altijd onder de indruk geweest van twee dingen: de technische bekwaamheid en arrogantie van de mensen die er werkten. Daarna had ik een paar decennia niets met ze te maken gehad, maar omdat het instituut zich altijd had beziggehouden met computers, was er in de loop der jaren veel strijd geweest tussen de *nerds* van de NSA en de computerwereld daarbuiten.

Er ging een gerucht, en dat gerucht was dat de NSA aan het aftakelen was. Er was een tijd geweest dat de technici van de NSA elk telefoongesprek en radiocontact ter wereld konden afluisteren; dat ze Mao's woorden van een privé-telefoongesprek nog geen uur nadat de Grote Leider ze had uitgesproken uitgetypt op het bureau van de president konden leggen, en dat ze bijna live konden meeluisteren met bijzondere militaire operaties.

Maar die tijd was geweest. De wereld was ten prooi gevallen aan onbreekbare codes, en elk wiskundedepartement van een behoorlijke universiteit was wel in staat er in een paar dagen tijd een te verzinnen. Minstens even erg was dat de belangrijke diplomatieke en militaire contacten uit de lucht werden gehaald en ondergronds plaatsvonden, via

glasvezelkabel. En zelfs als een speciaal team erin slaagde een bericht via de kabel te onderscheppen, stuitten ze daarbij op dezelfde geavanceerde coderingen.
Kortom, de NSA was doof geworden. En er werd gezegd dat ze niet wisten wat ze daaraan moesten doen. Ze waren verworden tot een stelletje oudere bureaucraten die zich zorgen maakten om hun baan en steeds verder afdreven van het inlichtingencircuit in Washington.

LuEllen en ik namen een kamer in het Ramada Inn aan de I-95 bij Laurel, Maryland. Aparte kamers op verschillende namen, wat ons een aantal mogelijkheden bood als er problemen kwamen. In het inbrekersvak wist je nooit wanneer je een extra schuilplekje nodig kon hebben.
De volgende ochtend, na een ontbijt van koffie en pannenkoeken, de *New York Times* voor mij en de *Wall Street Journal* voor LuEllen, gingen we op zoek naar de server. De T-1-lijn die ze gebruikten bevond zich in gebouw 2233 van Carter-Byrd Center, een kantorencomplex aan de rand van de stad. Het lag een kwartier rijden van het motel: twee rijen van vier kantoren van twee verdiepingen in gele baksteen, tegenover elkaar, beide met een klein parkeerterrein, in een doodlopende straat.
Ze werden voornamelijk gebruikt door dienstverlenende bedrijven: accountants, financiële adviseurs, een juridische uitgeverij en een paar advocatenkantoren. De meeste daarvan namen een hele verdieping of vleugel in beslag. Het bedrijf waarnaar wij op zoek waren, Bloch Technology, was een van de kleinere, dat samen met een stel andere kleintjes in het laatste gebouw aan de rechterkant was gevestigd.
LuEllen, gekleed in een donkerblauw mantelpakje en schoenen met lage hakken, en met haar kleine Panasonic-videocamera stand-by in haar attachékoffertje, gaf me een vurig kusje op mijn lippen – ze raakte altijd opgewonden als ze aan een klus begon – stapte uit en liep naar gebouw 2233 voor de eerste verkenning. Ik bleef wachten in de auto.
Het plan was dat ze op zoek was naar een van de andere bedrijven van Carter-Byrd en het verkeerde gebouw was binnengegaan. Maar, zo dachten we, ze zou in elk geval twee tot drie minuten binnen zijn.
Vijftien minuten nadat ze door de dubbele glazen deuren naar binnen was gegaan, stond ik op het punt haar achterna te gaan. Op dat moment kwam ze weer naar buiten, in gezelschap van een man in een wit overhemd met korte mouwen, die naar het andere gebouw wees. LuEllen knikte, bleef nog even met hem praten, lachte, legde haar hand even op zijn arm en kwam teruglopen naar de auto. Ik zakte iets verder onderuit

op de passagiersstoel. De man keek haar na, maar zijn blik was niet op haar schouders gericht.
Toen ze de auto naderde, liet ik me nog vijftien centimeter verder onderuitzakken. Ze stapte in, startte de motor en reed achteruit het parkeerterrein af. 'Hij is weer naar binnen,' zei ze toen we wegreden.
Ik duwde mezelf weer overeind. 'Wat duurde dat lang.'
'Ik klopte op de deur – die heeft een Vermond-cijferdisplay zonder alarm – vroeg waar Clayton Accounting was en toen raakten we aan de praat,' zei ze. 'Die computermensen zijn echt verbazingwekkend. En ze hebben daar heel interessante apparaten staan.'
'Je meent het.'
'Ja, vijf stuks. Ze zien eruit als airconditioners en stonden naast elkaar in de achterste ruimte.'
'Twee ruimtes?'
'Drie. Eerst een gewoon kantoor, dan de ruimte met de computers en ten slotte een kamer met een matras op de grond en een klein koelkastje waarin hij zijn blikjes cola bewaart.'
'Is hij daar alleen?'
'Er staan twee bureaus, maar het ene zag er nogal ongebruikt uit... misschien van iemand die parttime in dienst is. Ik heb zijn telefoonnummer.'
Ik had een beetje de pest in omdat ze zo lang met de man had gepraat. 'We moeten een onzichtbare inbraak doen. Als we het verknallen, zal hij zich herinneren dat hij met je heeft gepraat en herinnert hij zich ook je gezicht.'
'Ik dacht dat het een poging waard was. En weet je wat? Er is geen beveiliging. De toiletten zijn op de eerste verdieping. Ik ben naar de dames geweest. Er is een los plafond, maar daarboven is het een puinhoop. Als we via die weg gaan en er komen schoonmakers, zien ze dat er iemand binnen is geweest.'
'Hoe gaan we het dan doen?'
'Daar moet ik over nadenken.'
'Oké.' Ik keek op mijn horloge. 'We moeten deodorant kopen en ons de rest van de dag zien te vermaken. Ondertussen kun jij nadenken.'
We vonden een drogisterij, waar ik een paar blikjes cola kocht en een klein busje deodorant van het soort dat adverteert met extra bescherming omdat het talkpoeder bevat. We dronken onze cola terwijl we terugreden naar Carter-Byrd. Deze keer zakte LuEllen onderuit en ging ik naar binnen, met haar koffertje, zodat het eruitzag dat ik een reden had om daar te zijn.

Het gebouw bestond uit twee rijen kantoren aan weerszijden van een gang die over de hele breedte van het gebouw liep. Er was niemand toen ik binnenkwam en ik sloeg linksaf terwijl ik het busje deodorant uit mijn zak haalde en goed schudde. Bloch Technology was de derde deur aan de linkerkant. Ik zag het cijferdisplay, keek naar links en naar rechts en spoot het snel in met deodorant. Ik wuifde een paar keer met mijn hand om de lucht te verdrijven en liep weer naar buiten. Totale tijd in het gebouw: nog geen minuut. Het totale aantal mensen dat ik was tegengekomen: nul.
'En nu gaan we ons vermaken,' zei ik toen ik weer was ingestapt.
En dat deden we, min of meer. Ik nam haar mee naar een golfbaan, waar ze een paar ballen sloeg, heel goed sloeg, met een nummer vijf ijzer dat ouder was dan zij en een nummer drie dat niet alleen van hout was, maar ook groter was dan haar vuist. Ik maakte een paar snelle schetsen van haar terwijl ze met de clubs zwaaide. Later in de middag gingen we naar de film, maar daarvoor ging ik nog een keer on line met Bobby, die iets bijzonders te melden had: een plotselinge geruchtenstroom op het Net over Firewall, dat een grootscheepse aanval aan het voorbereiden was. Bobby wist van Rufus en Monger en ik stelde voor dat hij contact opnam met Rufus en hem te vragen het laatste nieuws te traceren. Ik had zelf ook nog een verzoek, dat opeens in me opkwam net voordat we ons gesprek wilden beëindigen. Bobby zei:

Zal geruchten onmiddellijk laten traceren.
Oké.
Neem vanavond contact met je op.
Goed. Nieuw idee: ga luchtvaartmaatschappijen na. Kijk of Jack heeft gevlogen in de dagen voordat hij werd vermoord.
Oké. Ga benzinepas ook na. En JPEG is in postbakje.
Bedankt.

Ik downloadde de JPEG, wat een fotobestand is, en sloeg hem op om later te bekijken. Na de film, die ronduit slecht was, nam LuEllen me mee naar een sportartikelenwinkel, waar ze een rol zwarte vislijn kocht die Spider Wire werd genoemd. We reden terug naar het motel, waar we de video-opnamen bekeken die ze die ochtend had gemaakt – vijf Dell-servers op zware kunststof onderstellen, met een monitor en toetsenbord aan de zijkant – en genoten een langdurige maaltijd in een fast-

foodrestaurant. Mijn zenuwen begonnen de overhand te krijgen, zoals dat altijd gebeurde. Na het eten gingen we terug naar het motel om LuEllens tas op te halen, en om zeven uur, toen het vrijwel donker was, waren we terug bij het Carter-Byrd-kantorencomplex.
Er waren ongeveer veertig kantoren in 2233. In zeven of acht brandde nog licht – Amerikanen werken altijd; daar kom je niet omheen – maar Bloch Technology hoorde daar niet bij. Alleen de matras op de grond vormde een donker wolkje aan de horizon.
We gingen aan de uiterste rand van het parkeerterrein staan. LuEllen bond het uiteinde van de Spider Wire aan het stuur, leidde de lijn door het open raampje naar buiten en stak het grasveld naar de deur over. Ze wierp een snelle blik naar binnen om te zien of er niemand aankwam, bond de lijn aan de deurknop, sneed hem bij de klos af en wandelde terug naar de auto. Nadat ze was ingestapt en weer zat, trok ze de lijn strak totdat hij als een onzichtbare pianosnaar van de auto naar de deur liep.
'Als er iemand linksaf wil, zal hij eromheen moeten lopen,' zei ik, 'tenzij hij zichzelf wil onthoofden.'
'Als er iemand komt, snij ik de lijn door. Die springt een eind terug over het grasveld en niemand zal hem zien.'
'Heb je dit eerder gedaan?'
'Nee, maar ik heb erover gelezen.'
We moesten bijna twintig minuten wachten voordat de deur openging, maar voor het overige werkte het precies zoals LuEllen had gedacht. De man duwde de deur open en liep meteen door naar zijn auto op het parkeerterrein. LuEllen verhoogde de spanning op de lijn toen de deur begon dicht te vallen.
'We moeten opschieten,' kreunde ze. 'Ik weet niet of de lijn het zal houden. Die deur is zwaarder dan ik dacht.'
'Wacht even, hou vol...' Ik wilde niet dat de man me uit de auto zag stappen. Toen hij boven aan het heuveltje was, rende ik het grasveld over. LuEllen slaagde erin de deur te stoppen net voordat hij weer in het slot viel. Ik trok hem open en sneed de lijn door. We waren binnen.
LuEllen had het nummer van Bloch in haar mobiele telefoon gezet voordat we waren vertrokken en had de geheugentoets ingedrukt zodra ze uit de auto stapte. De gang naar de deur van Bloch Tech was verlaten. Ik liep naar de deur, met LuEllen vlak achter me, en deed of ik erop klopte. Binnen hoorden we de telefoon overgaan. Er werd niet opgenomen.
Ik deed nog een keer of ik klopte en LuEllen zette haar telefoon uit. Ze haalde een kleine *black light* op batterijen tevoorschijn, zo'n ding dat

tieners vroeger kochten om hun kamer sfeervol te verlichten, en richtte hem op de cijferdisplay. De poederdeeltjes van de deodorant lichtten paars op, behalve op de drie waarop geen poederdeeltjes meer zaten.
'Vier-zes-zeven,' zei ze. 'Maar dit model Vermond maakt gebruik van vier cijfers. Dus een ervan is twee keer ingedrukt.'
Er was niemand te zien in de gang. Ik haalde een kleine blocnote uit mijn zak, begon razendsnel de cijfercombinaties op te schrijven en noemde ze op terwijl ik het deed. Het probleem met cijfersloten is dat als ze gebruikmaken van tien cijfers, er tienduizend combinaties zijn. Ze forceren met bruut geweld is een hele klus. En sommige van die sloten slaan alarm of reageren niet meer als je een aantal verkeerde combinaties hebt ingetoetst, waarna ze alleen nog met een sleutel te openen zijn. Dit slot gelukkig niet.
Maar als je de vier cijfers weet waaruit de combinatie bestaat... tja, dan blijven er maar vierentwintig combinaties over. En als een van de cijfers twee keer is gebruikt, zoals hier het geval was, en je wist niet welk cijfer, dan liep het aantal op tot zesendertig. Maar de meeste mensen beginnen hun combinatie met het laagste cijfer, wat hier een vier was. Dus begonnen we met vier-vier-zes-zeven, vier-vier-zeven-zes, vier-zes-vier-zeven enzovoort. We hadden geluk; bij de achtste poging sprong het slot open en liepen we het donkere kantoor in.
'Handschoenen,' zei LuEllen.
We trokken onze dunne gummihandschoenen aan en volgden de naalddunne lichtstraaltjes van onze zaklantaarns naar de computerruimte. De Dell-computers zagen eruit als vijf dwergen die op hun ontbijt zaten te wachten. Het vertrek had geen ramen, en dat was goed. De matras lag dubbelgevouwen in de hoek van het derde vertrek, met een groezelige blauwe deken erop. LuEllen gebruikte haar zaklantaarn, vond een rol tape en kwam ermee naar de computerruimte. We plakten de deken aan de muur zodat hij over de deuropening hing, LuEllen kroop eronderdoor en deed de deur achter zich dicht. Ik hing de deken recht en deed het licht aan.
'Het licht is aan,' zei ik. Toen deed ik het uit en werkte LuEllen zich weer naar binnen.
'Bijna goed,' zei ze. 'Rechtsboven was nog een klein lichtplekje...'
Ze plakte het dicht met een paar extra stukken tape en ik ging aan het werk met de computers. Servers zijn niets anders dan computers die gespecialiseerd zijn in opslag en communicatie. Als je een redelijk moderne pc hebt, zou je die met de juiste software als een kleine server kunnen gebruiken. In dit geval waren we niet echt geïnteresseerd in de

inhoud van de servers. We wilden erin kunnen komen; dat was alles. Ik trok twintig minuten uit om Blochs software en de handleidingen van zijn onderhoudsprogramma's te bekijken en richtte mijn aandacht toen op de computers zelf. Ze liepen op een standaard UNIX-besturingsprogramma. Met behulp van een extern onderhoudsprogramma zat ik binnen vijf minuten in de *root*, waar ik een klein, zelfgeschreven toegangsprogrammaatje achterliet, wat ik eerder heb gedaan. Nadat ik het gecheckt had, sloot ik de boel af, deed het licht uit, trok de deken van de muur en ruimde de stukken tape op.

Terwijl ik met de computers aan het werk was, had LuEllen in het kantoor met behulp van haar zaklantaarn de papieren bekeken. 'Allemaal onzin,' zei ze. 'Belastingaangiften, bankafschriften en advertentieontwerpen.'

Op een van de formulieren stond dat Toby Bloch eigenaar was van honderd procent van de aandelen van Bloch Technology. 'Is hij de knaap met wie je hebt gesproken?' vroeg ik terwijl ik de deken slordig opvouwde en teruglegde op de matras, min of meer zoals ik hem had gevonden.

'Ja, Toby, dat is hem.'

'Oké. Leuk zaakje heeft hij hier...'

Toen alles weer op zijn plek lag, luisterden we aan de deur, hoorden niets en liepen naar buiten, naar de auto. Even later waren we weg. Niets aan.

Maar thuis, in het motel, wachtten ons problemen. Ik wilde wachten met inbreken in de server tot na middernacht, wanneer er minder kans was dat de oorspronkelijke systeembeheerder on line was. In plaats daarvan nam ik contact op met Bobby om te kijken of hij nog iets over Jack Morrison of Firewall had gevonden.

Dat had hij.

Kijk naar nieuwsprogramma's. Firewall valt belastingdienst aan met DoS. Grote problemen. Aanval lijkt afkomstig uit Zwitserland. Stijl doet Duits aan.

Zal kijken. Nog iets over JM?

JM vliegt naar Baltimore-Washington International op maandag voor de schietpartij. Keert zelfde avond terug. Huurt auto bij Hertz en rijdt 110 km. Verder geen gegevens. Vliegt opnieuw naar BWI op donderdagmiddag. Keert vrijdagochtend terug. Geen auto en geen hotel op creditcard.

Bedankt. Zal naar nieuws kijken.
Dit is heel gevaarlijk.
Spreek je later.

k zat erover na te denken toen LuEllen vroeg: 'Wat is er loos?'
Jack Morrison was in de stad op de avond dat Lighter is vermoord,' zei k.
Dat is slecht nieuws.'
Ja, maar Lanes pleidooi over Jack en wapens staat nog steeds overeind. k zie hem niemand doodschieten.'
Wat is dat over de belastingdienst?'
Ik weet het niet,' zei ik.
Bobby schijnt zich daar meer zorgen over te maken dan over Jack.'
Jack is dood,' zei ik.

k bekeek de *Times* en de *Washington Post* op het Net, maar die hadden iets te melden over de aanval op de belastingdienst. CNN had er een tem over, maar zoals veel materiaal van CNN leek ook dit bij elkaar gezocht door een overenthousiaste paranoïde geest, dus ging ik door aar de *Wall Street Journal*, die er een artikeltje aan wijdde.

Een aanval op het computersysteem van de belastingdienst heeft grote problemen veroorzaakt bij de afhandeling van de kwartaalaangiften van bedrijven. Een persvoorlichter van de belastingdienst heeft dit vanmiddag bevestigd.
De aanval, die vanochtend begonnen is, duurt nog steeds voort. De daders hebben zich bekendgemaakt als 'Firewall'. Externe, niet identificeerbare computers – DoS genaamd – bombarderen het systeem met enorme hoeveelheden legitiem ogende transacties die ertoe leiden dat de computers de data niet langer kunnen verwerken.
Hoewel officiële bronnen van het ministerie van Justitie beweren dat de omvang van de aanval beperkt is, heeft een topfunctionaris van de belastingdienst, die anoniem wenst te blijven, gezegd dat de afhandeling van de kwartaalaangiften ernstig verstoord is. Het gaat om de kwartaalteruggaven van tienduizenden bedrijven, en de aanval breidt zich nog steeds uit.

Een woordvoerder van de FBI heeft gezegd dat de DoS-signalen afkomstig lijken te zijn van de computerafdelingen van middelbare scholen.
'Blijkbaar heeft een persoon of groep kleine aanvalsprogramma's in deze openbaar toegankelijke computers geplaatst en deze zo geprogrammeerd dat ze allemaal op hetzelfde moment in actie komen,' aldus FBI-woordvoerder Larry Conners. 'We lichten de scholen in zodra we ze hebben opgespoord en vragen ze om off line te gaan totdat we de programma's van de computers hebben verwijderd. Het merendeel van de scholen heeft geen idee dat hun computers deelnemen aan de aanval.'
Conners zei ook dat het aanvalsprogramma vrij primitief van opzet is, maar de persvoorlichter van de belastingdienst zegt dat het gebruikmaakt van het feit dat de computers van de belastingdienst openbaar toegankelijk zijn om de kwartaalcijfers te kunnen ontvangen. De aanval bestaat uit het sturen en opnieuw sturen van ogenschijnlijk legitieme maar bewerkte aangiften die de computers van de belastingdienst proberen terug te sturen naar de afzender. Naarmate de hoeveelheid toeneemt, krijgen de computers steeds meer moeite om de datastroom te verwerken.
'Per stuk zouden de aangiften geen probleem zijn, maar wat wel een probleem is, is dat ze maar blijven komen, steeds weer opnieuw, uit talloze verschillende bronnen,' aldus de belastingdienst.
FBI-woordvoerder Conners deelde mee dat de aanval vermoedelijk vanuit Zwitserland is ingezet en dat de programma's al een maand geleden zijn geïnstalleerd...

'Als het een primitief programma is...'
'Een rode mier is ook primitief,' zei ik, 'maar als er een paar duizend je broekspijp in kruipen, heb je wel degelijk een probleem. En als de FBI echt de pest in krijgt en de namen van de lijst begint na te gaan, wie weet wat er dan gaat gebeuren.'
'Er zijn eerder dit soort aanvallen geweest. Ik heb er in *Newsweek* over gelezen.'
'Ja, maar met één heel groot verschil,' zei ik. 'Toen ging het om particuliere ondernemingen. Het officiële standpunt van de overheid was

dat ze het heel erg vond, maar in werkelijkheid dachten ze: die particuliere ondernemingen zullen ons een rotzorg zijn; die gasten verdienen hun geld toch wel. Maar nu zijn ze aan het rotzooien met hún geld...'

'Ah.'

'Precies. Ah.'

De JPEG-foto die Bobby me had gestuurd stond nog steeds op mijn harde schijf. Ik opende het bestand en bekeek het. Het was een parkeerterrein, gefotografeerd vanuit een vrij hoog standpunt. Drie mannen in pakken liepen over een parkeerterrein vol trucks. Ze hadden alle drie een attachékoffertje in de hand en een van hen had zijn gezicht naar de camera gekeerd. Maar de resolutie van de JPEG was niet hoog genoeg om het gezicht te kunnen herkennen. Alle foto's, had Bobby gezegd, waren hetzelfde.

'Wie zouden dat zijn?' vroeg LuEllen.

'Ik heb geen idee.'

'Als die foto belangrijk is, moet het zijn omdat die drie niet samen horen te zijn. Je weet wel, een gangster en een smeris of zoiets.'

'Of een Chinees en een Amerikaan,' zei ik. 'Moet je dat hoofd zien... hij heeft wel iets oosters.'

'De vorm van zijn gezicht, tenzij het een vrouw is.'

'Tja, ik weet het niet.' En dat was de waarheid.

Na middernacht brak ik in in de server van Bloch Tech. Er zit zo veel rommel in een server, zelfs in een kleine, dat je daar niet zomaar in kunt rondscharrelen alsof je een boek doorbladert. Het lijkt meer op het doorzoeken van een bibliotheek, of proberen iets te maken van Jacks disks.

Ik zocht naar referenties met Firewall en vond er een paar honderd in de vorm van opgeslagen e-mails en bijdragen aan websites. Zes abonnees hadden veel over Firewall gecommuniceerd. Ik dook in de administratiebestanden, zocht de abonnees op en kopieerde hun namen en adressen. Toen ik daarmee klaar was, viel me iets op. Het waren alle zes nieuwe abonnees die zich in de afgelopen twee weken hadden aangemeld en alle zes hadden drie maanden vooruitbetaald met een cheque in plaats van een creditcard.

'Verdomme, ik durf te wedden dat die namen vals zijn,' zei ik tegen LuEllen. Toch sloeg ik ze op. Ik kon ze later naar Bobby sturen en hem ernaar laten kijken.

Nu ik toch in de administratieve bestanden zat, besloot ik te kijken of ik

Jack Morrisons naam tegenkwam, maar dat leverde niets op. Toen, zonder veel hoop, deed ik hetzelfde met Terrence Lighter, en dat leverde een verrassing op. Lighter had hier een abonnement, en wat nog mooier was, er zaten een stuk of tien e-mails in zijn postbakje. Een paar waren gecodeerd, dus die sloeg ik over. De rest bestond voornamelijk uit e-mails van en naar verzamelaars van en handelaren in antieke wetenschappelijke apparaten, die blijkbaar een hobby van hem waren.
En er was een korte e-mail van voorlaatste zondag, ongecodeerd, die meldde:

> Meneer Morrison. Ik verwacht u morgen om halfnegen op mijn kantoor. Neemt u alstublieft de bestanden mee. Dank u. T.L. Lighter.

12

Om drie uur ’s nachts – middernacht aan de Westkust – belde ik Lane. Green nam op en zei: ‘We worden belaagd.’

‘Hoe bedoel je?’

‘We worden in de gaten gehouden. Niet opvallend, maar ze zijn in de buurt. Het lijkt wel of ik paranoïde ben, maar er is een auto – een groene, en ik denk dat het een Camry is – die ik een paar keer te vaak heb gezien, met een gezicht dat ons aankijkt. Steeds op een paar blokken afstand.’

‘Wat denk je?’

‘Ik denk dat we hier weg moeten. Als we ze kwijt zijn, zal ik me een stuk prettiger voelen. Hier zitten we als vlinders tegen de muur geprikt.’

‘Oké, doe dat. We hebben hier nog een paar dingen te doen, maar we kunnen overmorgen in Dallas zijn. Of de dag daarna, maar langer kan het niet duren. Misschien kun je ze verrassen door naar het vliegveld te rijden, de auto te dumpen en in het vliegtuig te stappen.’

‘Wat als ze mensen in Dallas hebben?’

‘Vlieg eerst naar Seattle,’ stelde ik voor.

‘Oké, ik zal er met Lane over praten.’

‘Hoe gaat het met haar?’

‘Ze is nog wat gespannen. Hier, praat zelf maar met haar.’

Lane kwam aan de lijn en ik vertelde haar over Jack en Lighter, en dat Jack misschien iets bij AmMath had gevonden wat hij onder Lighters aandacht wilde brengen. Het probleem van zijn tweede trip zag ze niet onmiddellijk in.

‘Ik wist dat er iets mis was,’ zei ze. ‘Als Jack met die man ging praten en die man werd vermoord, moeten we dat aan iemand vertellen. Dit bewijst het. Dat er bij AmMath iets gaande was.’

‘Het bewijst niets concreets,’ zei ik. ‘En die tweede trip is een probleem.’

‘Ik zie dat probleem niet. Die man...’

‘Ze zullen zeggen dat Jack hem heeft doodgeschoten.’

Dat bracht haar maar kort tot zwijgen. ‘Maar we weten dat hij dat niet heeft gedaan,’ protesteerde ze. ‘Dat zou Jack nooit doen.’

'Ze hebben in Texas een wapen dat jaren geleden in San Jose is gestolen. Ze hebben getuigen die hebben gezien dat hij heeft geschoten en een van die getuigen heeft zelfs een kogel in zijn borst gekregen. Nou, als ze de zaak ooit gaan uitspitten, zullen ze zien dat hij in de namiddag, na werktijd, naar Baltimore is gevlogen en de volgende ochtend is teruggekomen. Zijn contactpersoon bij de NSA is midden in die periode vermoord en hij heeft er nooit een woord over gezegd, tegen niemand.'
Nu zweeg ze iets langer. 'Akkoord, als je het zo stelt, klinkt het niet best. Maar misschien wist hij er niets van.'
'Er is nog een probleem. Als we informatie verstrekken aan de FBI, waar hebben we die dan vandaan?'
'Daar valt wel iets aan te doen. Een anoniem telefoontje uit Dallas...'
'Oké, we kunnen iets verzinnen. Misschien doen we dat wel. Maar nu nog niet. Pas als de informatie voor ons minder belastend is. Of als we iets beters hebben om ze aan te bieden.'

'Hoe gaat het met je brandwonden?' vroeg ik.
'De ergste zijn aan het vervellen, zoals na een flinke zonnebrand. De minder erge zijn praktisch verdwenen. Het doet minder pijn, maar alles jeukt als de hel.'
'Heb je de politie van Dallas nog gesproken?'
'Ja. De rechercheur die de zaak behandelt, vroeg wanneer ik naar Dallas kwam. Ik heb gezegd dat ik nog een paar dagen nodig had en heb hem nog een keer onder vuur genomen over AmMath.'
'Heb je genoeg contant geld?' vroeg ik.
'Ja. Wil je wat lenen?'
'Nee, maar laat Green zijn creditcard gebruiken als jullie naar Dallas gaan en betaal hem dan met contant geld terug. Ze weten niet wie hij is, dus ze kunnen je niet via zijn creditcard op het spoor komen. En hou je mobiele telefoon bij je.'
'Natuurlijk. Wat gaan jullie doen?'
'We doen hier nog wat research en komen jullie dan achterna naar Dallas. Laat je telefoon aanstaan.'

Ik ben nooit een erg goede slaper geweest. Mijn slaap-waakcyclus duurt ongeveer vijfentwintig uur, zodat ik de neiging heb de klok steeds een uur vooruit te schuiven totdat ik de hele dag slaap en de hele nacht werk. Daarna blijf ik de tijd doorschuiven totdat alles weer redelijk normaal is. Hoe dan ook, aan zeven uur slaap heb ik genoeg; korter maakt me chagrijnig.

Ik was flink chagrijnig toen LuEllen de volgende ochtend om acht uur haar koude vingers langs mijn ruggengraat liet gaan. Ik vloog bijna tegen het plafond van schrik en dat scheen ze wel grappig te vinden.
'Je bezorgt me nog eens een hartaanval,' zei ik nijdig. Ik hield er niet van als ze me kwam besluipen. 'Hoe ben je binnengekomen?'
'Dat slot stelt niets voor,' zei ze.
'Geweldig, werkelijk geweldig. Je bezorgt me een hartstilstand omdat je behoefte hebt om tegen iemand aan te kletsen tijdens het ontbijt.'
'Nee, niet waar. Er was heel slecht nieuws dat ik je moest vertellen, maar als je zonodig de kwaaie pier moet uithangen, vertel ik het je niet,' zei ze, en ze deed haar armen over elkaar.
'Wat voor nieuws?'
'Zeg alsjeblieft.'
'Vertel me dat verdomde nieuws of ik adem in je gezicht.'
'De FBI heeft Bobby opgepakt.'
'Wat?' Daar schrok ik echt van. 'Hoe weet je dat? Wie heeft je gebeld?'
'Het is op tv. Ze hebben hem gisteravond opgepakt en hij wordt vandaag voorgeleid voor het federale gerechtshof in New Orleans. Ze zeggen dat hij betrokken is bij de inbraak in de computers van de belastingdienst en dat de aanval nog steeds voortduurt.'
'Ze zijn niet goed snik.' Ik griste de afstandsbediening van het nachtkastje en zocht CNN op. Tegelijkertijd vroeg ik LuEllen: 'Heb je een veilige telefoon meegebracht?'
'Ja.'
CNN maakte weer eens reclame voor zichzelf. Daarna begonnen ze aan het weer. Ik wipte uit bed, pakte mijn notitieboekje en gebruikte de veilige telefoon om John Smith in Longstreet te bellen. John nam onmiddellijk op en was klaarwakker.
'Je spreekt met de man aan de overkant van de rivier,' zei ik. 'Is het waar?'
'Dat weten we niet. Ik denk zelf van niet, maar die knaap, wie hij ook is, wordt over twee uur voorgeleid, dus dan weten we het zeker. Onze vriend is echter off line. Al zijn nummers zijn onbereikbaar.'
'Dat zijn ze omdat hij ze heeft afgesloten,' zei ik. 'Als de feds hem hadden opgepakt, zouden ze zijn lijnen intact hebben gelaten om te zien wie er belde.'
'Er is nog iets anders. Als ze hem thuis hadden opgepakt, zou het logischer zijn als ze hem in Jackson zouden voorleiden, niet in New Orleans.'
'Ik weet niet waar hij woont, maar ik ben blij dat te horen,' zei ik.
We praatten nog even door over de mogelijke details van de nieuwsuit-

zending die we geen van beiden hadden gezien. 'Ik bel je terug,' zei ik toen.

'Hoe diep zitten we in de problemen?' vroeg LuEllen.
'Het hangt ervan af of ze hem écht hebben en hoeveel ze weten. En of hij bereid is een deal te sluiten. Ik heb hem nooit persoonlijk ontmoet, maar als hij bereid is mee te werken, kan hij ons een hoop narigheid bezorgen. Hij weet alles van Anshiser, hij weet van Longstreet, van Modoc en van Redmond...' Allemaal zaken die als bedrijfsspionage omschreven konden worden.
'Misschien moet je je uit deze zaak terugtrekken,' zei LuEllen. 'Je koffer pakken en naar huis gaan.'
'Dat is het overwegen waard,' zei ik. 'Hoewel ik niet graag op de loop ga.'
'Hoe klinkt tien jaar in een federale gevangenis je in de oren?' vroeg ze.
'Er moeten andere opties zijn.'
We keken elkaar aan en ik besefte hoe precair mijn situatie was. Ik had mezelf altijd gezien als een soort eenling die zijn eigen weg ging en deed wat hij wilde en wanneer hij het wilde. Maar Bobby wist dingen van me – wist waar ik te vinden was – en LuEllen ook, en nu wist Lane Ward ook een paar dingen van me, net als twintig of dertig andere mensen. Als de FBI er op de een of andere manier in slaagde al die mensen in één kamer te krijgen, zou ik hangen.
'Jij kunt misschien koppig zijn,' zei ze, 'maar ik behoud het recht om eruit te stappen, dat weet je.'
'Ja, wanneer je wilt,' zei ik. Dat was altijd de deal geweest, en LuEllen was altijd erg terughoudend geweest over haar identiteit, haar achtergrond en de plek waar ze woonde. Niemand wist veel over LuEllen, ook ik niet.
We keken nog een halfuur tv en ondertussen kleedde ik me aan. Er was een kort item over Bobby, waarin alleen werd gezegd dat hij was opgepakt en ervan werd verdacht de leider van Firewall te zijn en verantwoordelijk te zijn voor de aanval op de belastingdienst. De aanval duurde nog steeds voort en de regering overwoog de datum voor de kwartaalaanslagen uit te stellen. Het Congres schreeuwde moord en brand.
'Je had gelijk,' zei LuEllen. 'Hier raken ze pas echt opgewonden van.'
We gingen ontbijten maar zeiden geen van beiden veel. Ik probeerde te bedenken wat we nu moesten doen en één optie kwam steeds weer bovendrijven: de politie bellen. Het probleem was alleen ze zover te krijgen dat ze naar ons zouden luisteren, aangezien ze (a) dachten te weten wat er gaande was en (b) ons als de slechteriken beschouwden.

'Nu ik Bobby niet meer heb om research te doen,' zei ik tegen LuEllen toen we terugliepen naar het motel, 'is het net alsof ik... ik weet het niet... blind ben geworden.'
'Wat voor research moet er dan nog gedaan worden?'
'Alles wat ons kan helpen de overheid in een andere richting te sturen. Ze halen het hele land overhoop om vijftien tot twintig van onze mensen te vinden, en we hebben niets gedaan... ik bedoel, in elk geval niet gedaan waar zij ons van verdenken. Iemand moet met ze gaan praten.'
'Ik niet.'
'Nee, natuurlijk niet. Maar misschien zou ik iemand moeten opzoeken om mee te praten. Als ik Bobby had, zou ik misschien iemand kunnen vinden.'

Terug in het motel trok ik een sportbroekje en een T-shirt aan en ging ik een eindje joggen, waarbij mijn mobiele telefoon onhandig aan mijn broekband hing en tegen mijn heup sloeg. LuEllen ging winkelen. Ik liep vijf kilometer in een flink tempo en het voelde goed na al die tijd in auto's en vliegtuigen en kleine motelkamers. Toen ik terug was, nam ik nog een korte douche om het zweet van mijn lijf te spoelen, en ik stond me af te drogen toen John belde.
'Het is hem niet,' zei John. Hij klonk aangeslagen, wat niet vaak voorkwam. 'De man die ze hebben gepakt is blank. Ze hebben net een foto laten zien van hem en de smerissen op de trap van het gerechtshof.'
'Ah, shit, ik hoop dat alles oké is met onze vriend.'
'Ik ook. Hij kan niet weg... niet letterlijk in elk geval. Hij moet bij de zaak blijven.'
'Als hij belt, zeg dan dat ik hem nodig heb.'
'Zal ik doen,' zei John.
Nadat ik had opgehangen, zette ik de tv uit en ging ik het Net op. Ik wilde meer te weten komen over de NSA en proberen een paar namen te vinden. Maar ik vond niets anders dan onzin. Maar ik heb een aantal postbakjes, her en der verspreid over het Net onder verschillende namen en identiteiten, en toen me duidelijk werd dat ik op het Net niets zinnigs zou vinden, checkte ik mijn postbakje bij AOL. Er was een bericht voor me: een getal van zes cijfers, beginnend met 800.
'Bobby,' zei ik hardop. Hij kende enkele van mijn postadressen. Ik probeerde het volgende en vond nog eens zeven cijfers. Het laatste postbakje was leeg. Ik pakte mijn laptop, haalde mijn plakmicrofoon uit mijn reistas en liep de deur uit.
Ik legde contact met behulp van een munttelefoon bij een benzinesta-

tion op ruim drie kilometer afstand van het motel. Ik gebruikte daarvoor de plakmicrofoon, die een waardevol attribuut is als je op reis bent. Het maakt niet uit in welk land je bent, hoe het telefoonsysteem werkt of hoe hoog de netspanning is, zolang je het audiosignaal van je internet-provider kunt ontvangen, kun je het Net op. Ik draaide het nummer en onderwierp me aan de oude inlogprocedure, dus toen ik een '?' kreeg, typte ik een 'k'.

Ik was het niet.
Je meent het. Vertel me eens, wat deed de vrouw na de opmerkelijke gebeurtenissen op de Mississippi?

Er gebeurde even niets terwijl hij erover nadacht. Ik wilde een bevestiging dat ik werkelijk Bobby aan de lijn had. En hij was snel, Bobby, want hij antwoordde met de naam van de vrouw. De juiste naam.

Marvel.
Heb namen nodig van NSA-mensen met wie ik privé over Firewall kan praten. Server in MD had NSA-klanten. Geruchten dat Firewall van NSA komt.
Kunt beter met FBI gaan praten. NSA kan materiaal server laten verdwijnen.
Praat liever met ingewijde van NSA. FBI heeft wapens.
Oké, zal NSA-namen nagaan.
Misschien FBI-namen ook, voor de zekerheid.
Kan ik doen.
Blijf je op dit nummer?
Nee. Verander per contact van nummer en beperk contact tot 2 minuten. Zal nieuw nummer voor je achterlaten. Zal NSA-informatie in SF-postbakje dumpen.

Voordat ik het gesprek beëindigde, gaf ik hem de informatie over hoe hij in het abonneebestand van de Bloch Technology-server moest komen en stelde voor dat hij de lijst met abonnees bekeek.

Zal ik doen. Moet nu gaan.
Pas goed op jezelf.
Jij ook.

LuEllen wachtte op me toen ik terugkwam. Ik bracht haar snel op de hoogte. 'Wat doen we nu?' vroeg ze.
'Wachten tot Bobby contact met ons opneemt.'
'En je wilde persoonlijk met die man gaan praten?'
'Ja. Als we het via het Net doen, of hem opbellen, kan hij denken dat hij een of andere computerrebel aan de lijn heeft. Als we hem persoonlijk benaderen, zijn we waarschijnlijk overtuigender.'
'Het is wel riskant.'
'Ja... en weet je, ik heb nagedacht. Bobby denkt dat we beter naar de FBI kunnen stappen in plaats van de NSA, omdat de NSA wel eens kan besluiten alles te dumpen wat er op die server staat, wat dat ook is. Dus als hij ons een paar namen bij de FBI kan leveren, moeten we die misschien ook een berichtje sturen.'
'Laten we dat even in gedachten houden.'

We gingen uit, sloegen nog een paar ballen op de golfbaan, gingen weer naar de film, die net zo slecht was als de vorige. Je zag de laatste tijd alleen nog maar films waarin oude actiehelden waren gekoppeld aan vrouwen die veel en veel jonger waren; waar ik dus de rillingen van kreeg. Intussen bleef ik mijn postbakjes checken. Om twee uur zaten er in mijn bakje bij SF, wat een van mijn oudste postadressen is, drie pagina's tekst.
Het aanbevolen NSA-contact was een stafmedewerker van de beveiliging, een vrouw die Rosalind Welsh heette. Ze stond hoog genoeg op de ladder om rechtstreeks met de top te kunnen praten en laag genoeg om zelf nog aanspreekbaar te zijn. En, zei Bobby, ze was onlangs gescheiden en had een studerende zoon. Haar ex-man werkte ook bij de NSA, maar hij had een nieuw adres, terwijl Rosalind Welsh nog hetzelfde telefoonnummer en oude adres in Glen Burnie had, wat erop duidde dat ze alleen woonde.
We kregen ook vijf namen bij de FBI, plus het privé-telefoonnummer van de directeur. Als we dat gebruikten, dacht ik, zouden we zeker aandacht trekken.
Aan het eind meldde Bobby:

Heb Bloch-abonneebestand afgecheckt tegen NSA-personeelsbestand. Van de drieduizend klanten zijn er 1844 van de NSA.

Ongelooflijk. NSA is Firewall.

Misschien.

Ga uit server. Ik ga misschien met FBI praten.

Oké.

Als ik rechtstreeks met Rosalind Welsh ging praten, moest ik mijn gezicht en haar bedekken. LuEllen stelde een Halloweenmasker voor, omdat het binnenkort Halloween zou zijn. Ze waren overal te koop en van veraf niet als masker herkenbaar. We reden naar Philadelphia om er een te kopen en het werd een rubber masker dat mijn hele gezicht bedekte en Bill Clinton voorstelde. Het zat perfect, maar ik kon niet goed praten door het smalle spleetje dat de mond vormde, dus knipten we met een nagelschaartje de lippen eraf. In de speelgoedwinkel kochten we ook een plastic waterpistool en een honkbalpet om de uitdossing compleet te maken.

We hadden voor Philadelphia gekozen omdat het maar twee uur rijden was en LuEllen er contacten had: een wapenman die ik één keer eerder had ontmoet en, zo bleek nu, ook een telefoonman. We kochten een 'schone' mobiele telefoon, gegarandeerd voor een week, voor driehonderd dollar. Even na zeven uur waren we terug in Baltimore. Glen Burnie ligt aan de zuidkant van de stad en om halfacht waren we bij Welsh' huis.

'Er brandt licht, dus ze is thuis,' zei LuEllen.

'Dus we rijden een paar keer langs en dan bel ik aan.'

'Ze schrikt zich wezenloos als je zo voor de deur staat. En wat als er iemand bij haar is?'

'Er zit een raam in de deur van de garage,' zei ik. 'Ik kan kijken hoeveel auto's er staan als ik naar de deur loop.'

'Niet echt waterdicht,' zei ze.

'Wat is dat wel?'

Het bleek achteraf niet nodig. We reden voor de derde keer langs het huis, zochten een plekje waar LuEllen in de auto op me zou wachten, toen Rosalind Welsh haar huis uit kwam, op de oprit een paar rek- en strekoefeningen deed en de straat uit jogde. We reden haar langzaam voorbij terwijl ik haar eens goed bekeek. Zo te zien was ze een jaar of vijftig, en ze jogde met de vastberaden houding van iemand die dat lang

niet had gedaan maar serieus van plan was haar bureaustoelachterste kwijt te raken.
'Laten we het op straat doen,' zei ik. 'Je stopt een eind voor haar, voor een huis waar geen licht brandt, en laat me eruit. Ik buig me naar je toe alsof ik je gedag zeg en als ze langskomt hou ik haar staande.'
'Dan ziet ze de auto. En misschien de nummerplaten.'
'Rij een oprit op, dan ziet ze alleen de zijkant. Als ik haar staande heb gehouden, draai ik haar om en kun jij achteruit de straat op rijden en om de hoek parkeren. Als ik met haar klaar ben, laat ik haar weer richting huis joggen.'
'Het zit me niet lekker.'
'Ja, nou... het is beter dan bij haar aanbellen.'
'En als ze het op een gillen zet?' vroeg LuEllen.
'Dan ren ik weg.'

Dit was een onderdeel van mijn werk waarover ik me wel eens zorgen maakte: het erbij betrekken van onschuldige mensen op een manier die hen misschien schade kon berokkenen. Doorgaans, als ik aan het werk ben, haal ik informatie van de ene plek weg en lever ik die af op een andere. In de meeste gevallen kan ik mezelf geruststellen met de magere gedachte dat wat ik doe in het voordeel is van de mensheid in het algemeen: concurrentie ontmoedigen, banen redden, dat soort dingen. Maar soms, hoewel het me tegenstaat, moet ik er een onschuldige persoon bij betrekken. Zoals deze dame, een ambtenaar die een beetje aan de zware kant was maar vastbesloten er in deze stille straat een paar pondjes af te joggen. Wat het ook zou opleveren, ik zou haar in elk geval de doodsschrik op het lijf jagen. Ik zou het niet gedaan hebben als die Firewall-zaak me er niet toe dwong...
Ik trok het masker over mijn hoofd, zette de honkbalpet op en nam het waterpistool in mijn hand. LuEllen reed haar voorbij en stuurde een half blok verderop een oprit op. Ik stapte uit, boog me over het open portier en LuEllen zei: 'Honderd meter, zeventig, veertig... doe het portier dicht en actie.'
Ik ging rechtop staan, sloeg het portier dicht en draaide me om. Rosalind Welsh was nog een meter of tien van me verwijderd en ze glimlachte automatisch naar me toen ik me omdraaide. 'Mevrouw Welsh,' zei ik terwijl ik de randen van het masker langs mijn lippen voelde schuiven, 'blijft u staan. Ik heb een pistool op u gericht. Ga niet gillen, blijf gewoon staan en er overkomt u niets.'
Terwijl ik het zei, ging ik voor haar staan om haar de doorgang te blok-

keren en toen ze zich wilde omdraaien, zei ik op scherpe toon: 'Niet doen.' Ze zag mijn gezicht, deinsde achteruit en opende haar mond om te gillen, maar ik zei: 'Niet gillen. Ik doe u geen kwaad. Ik wil alleen even met u praten.'
Ze keek om zich heen en ik deed een stap naar haar toe, ging tussen haar en de auto staan en zei: 'Ik moet u vragen of u zich wilt omdraaien. We gaan de auto van de oprit rijden en we willen niet dat u de nummerplaten ziet. Als u ze wel ziet... nou, neemt u van mij aan dat u ze niet wilt zien. Draait u zich om en kijk recht voor u uit, en als u met uw rug naar de auto staat, kom ik tegenover u staan.'
Ik praatte op kalme toon, wilde haar niet banger maken dan nodig was en legde uit wat ze moest doen, zodat ze iets had om zich op te concentreren. Toen ze zich had omgedraaid, liep ik om haar heen en zei: 'Niet naar de auto kijken.' LuEllen reed achteruit de oprit af en sloeg even later de hoek om.
'Ik ben een van de mensen over wie de NSA geruchten verspreidt,' zei ik tegen Welsh. 'Er wordt van me gezegd dat ik lid ben van Firewall, net als diverse vrienden van me. Maar dat zijn we niet. We zijn de zaak aan het onderzoeken en proberen erachter te komen wat er precies aan de hand is. Weet u waar de geruchten over Firewall vandaan komen?'
'Meneer, wij zijn nauwelijks betrokken bij het opsporen van Firewall. Dat doet de FBI...' Ze was bang, dreigde flauw te vallen, noemde me 'meneer'.
'De geruchten over Firewall zijn afkomstig van een internetserver in Laurel, Bloch Technology,' zei ik. 'Dat is een particuliere server met een klantenkring die vrijwel uitsluitend wordt gevormd door mensen van de NSA. Wij geloven dat de NSA Firewall ís, en we gaan onze vermoedens vanavond aan de FBI bekendmaken.'
Haar angst nam af; ik kon het zien in haar ogen. Ze begon geïnteresseerd te raken in wat ik te vertellen had. 'U denkt dat de NSA de belastingdienst aanvalt?'
'Wij denken dat een stel Europese mafketels de belastingdienst aanvalt en dat ze zich de naam Firewall hebben toegeëigend omdat die gevaarlijk en gaaf klinkt.'
'Hebt u ooit van een zekere Bobby gehoord?' vroeg ze, en toen ik te lang aarzelde, gaf ze zelf het antwoord. 'Ja, dus.'
'Ja.'
'De FBI en onze beveiligingsmensen zijn hem op dit moment aan het verhoren,' zei ze. Een bedekt dreigement, wat wees op moed.

Opnieuw aarzelde ik, maar straks zou toch uitkomen dat ze de verkeerde hadden gepakt. 'Dat zou me zeer verbazen, mevrouw,' zei ik, 'aangezien Bobby degene is die me uw naam heeft gegeven. Vanmiddag.'
Haar wenkbrauwen gingen omhoog. 'U maakt een grapje.'
'Ik vrees van niet. De man die jullie hebben opgepakt mag misschien Bobby heten, maar hij is niet dé Bobby.'
'En Terrence Lighter?' vroeg ze.
Nu moest ik een beslissing nemen, opnieuw een moeilijke, maar het moest wel. 'Hebt u ooit gehoord van de naam Jack Morrison?'
'Ja.' Verder niets.
'Dan weet u ook dat hij zogenaamd is doodgeschoten door een bewaker van een van uw contractanten, AmMath in Dallas.'
'Het staat vast dat hij door de bewaker van AmMath is doodgeschoten.'
Ik stak mijn wijsvinger op. 'Wij denken daar anders over. Wij denken dat hij is vermoord door dezelfde mensen die Lighter hebben vermoord. Kijk naar Lighters uitgaande e-mails; hij zit in de Bloch-server. Kijk vervolgens naar Morrisons reizen. Hij is Lighter die laatste week twee keer gaan opzoeken, de laatste keer op de avond dat Lighter werd vermoord. De moorden op Lighter en Morrison hebben met elkaar te maken en zijn gecoördineerd via een server die voornamelijk door uw mensen wordt gebruikt.'
Ze schudde haar hoofd. 'Waarom zou ik u geloven?'
'Dat moet u ook niet doen. Ga het zelf na. U bent stafambtenaar bij een beveiligingsbedrijf. Doe uw werk.'
Ik keek over mijn schouder. We hadden twee of drie minuten gepraat maar het leek wel een eeuwigheid. 'Ik moet nu gaan. Ik zal u bellen om te informeren of u er iets aan gaat doen. Als u het doet, hoeven wij het niet te doen. Als u het niet doet, doen wij het, en we kunnen niet garanderen dat er geen slachtoffers zullen vallen. We gaan vanavond de FBI bellen over de Bloch Technology-server.'
Ik deed een stap achteruit en ze vroeg: 'Als ik gegild had, had u me dan neergeschoten?'
Ik keek naar het pistool in mijn hand, wierp het haar toe en schudde mijn hoofd. Ze ving het op toen ik me omdraaide om weg te rennen. 'Het is niet geladen,' riep ik achterom. 'Ik wilde geen natte plekken in mijn broek.'
Ze stond er nog steeds toen ik me bij de hoek omdraaide. 'Aangenaam kennis te maken, Bill,' riep ze me na.
Een moedige vrouw.

‘Dus je gaat de FBI bellen?’ vroeg LuEllen toen we wegreden.
‘Absoluut. Als we die server twee bureaucratische instanties op zijn dak sturen, kan hij de zaak onmogelijk nog stilhouden.’
Ik belde vanuit een telefooncel, met Bobby’s lijst van FBI-namen en privé-telefoonnummers naast me. De eerste twee waren niet thuis. De derde man heette Don Sobel, en hij nam onmiddellijk op. Zo te horen had hij zijn mond vol cornflakes en op de achtergrond was de Letterman Show te horen.
‘Meneer Sobel,’ zei ik. ‘Ik maak deel uit van de computergemeenschap. Ik bel om u te vertellen dat die groep, Firewall, die heeft ingebroken in het computersysteem van de belastingdienst, is opgezet door de National Security Agency...’
‘Met wie spreek ik?’ Aan de manier waarop hij het vroeg kon ik horen dat hij dacht dat hij een of andere idioot aan de lijn had.
‘Ik bel namens diverse mensen,’ zei ik. ‘Dus als u uw baan graag wilt houden, raad ik u aan de volgende naam op te schrijven. Bloch Technology. B-L-O-C-H. Dit bedrijf heeft een internetserver in Laurel, Maryland, in het Carter-Byrd Center...’
‘Wacht even, wacht even, ik schrijf het op,’ zei hij.
Ik spelde de naam nog een keer en zei toen: ‘Deze server is de bron van de Firewall-geruchten. Als u het abonneebestand bekijkt, zult u zien dat het voornamelijk bestaat uit mensen van de NSA. U zult ook zien dat het deze computer is waarin de naam Firewall voor het eerst is opgedoken, een aantal dagen voordat ze in het nieuws kwam. De geruchten zijn in omloop gebracht door een bedrijf dat met de NSA samenwerkt en dat AmMath heet, A-M-M-A-T-H, in Dallas, Texas. AmMath is ook betrokken bij de moord op een NSA-topfunctionaris die Terrence Lighter heet. L-I-G-H-T-E-R. Hebt u dat?’
‘Wacht, die laatste naam, Lighter...?’
Ik spelde de naam opnieuw en zei: ‘Beveiligingsmensen van de NSA zijn nu onderweg naar Bloch Tech. Als de FBI ze niet op de vingers kijkt, is er straks misschien niets meer te vinden. U kunt een stafambtenaar van de NSA, Rosalind Welsh’ – ik spelde de naam en gaf hem het telefoonnummer – ‘bellen om naar de server te informeren.’
‘En hoe zit het met...’ begon hij.
‘Een prettige dag nog.’ Ik hing op en weg waren we.
‘Zo,’ zei ik. ‘Nu gaat er zeker iets gebeuren.’

13

Wat de Europese hackers aan het doen waren met de Amerikaanse belastingdienst was in feite doodsimpel – computer*nerds* van veertien hadden het programmeerwerk kunnen doen – maar de organisatie gaf blijk van ouderwetse, degelijk Duitse planning. Ze moesten weken werk gehad hebben om niet alleen in te breken in de computers van een heel stel kleine middelbare scholen, maar zo bleek nu, ook in die van diverse grote internetbedrijven.
Voordat ik het probleem nader had bekeken, dacht ik dat het vrijwel onmogelijk was om in die verkoopcomputers te komen zonder de beveiligingscodes met bruut geweld te kraken. Ik had het mis. Het bleek dat een deel van de grote internetbedrijven hun hele beveiligingsbudget besteedden aan het beschermen van de transacties per creditcard en contant geld, en ervoor te zorgen dat niemand met hun voorraadlijsten en verkoopcijfers kon rotzooien.
Maar die bedrijven hadden ook computers voor routinematige handelingen en geautomatiseerde contacten met de consument; computers die bijvoorbeeld niets anders deden dan standaard e-mails versturen naar de klant, met de mededeling dat hun bestelling was verzonden. Voor dit soort computers was een minder zware beveiliging nodig.
Ze waren een perfect doelwit voor de hackers, gespecialiseerd in het verzenden van e-mails, en als de computers eenmaal waren binnengedrongen, konden ze gemakkelijk geprogrammeerd worden om de valse belastingaanslagen te verzenden. Tijdens het hoogtepunt van de aanval werden er op die manier duizenden e-mails per uur verstuurd.
Op zichzelf was dat al erg genoeg, maar de hackers waren nog een stap verder gegaan. Ze lieten de aanslagen niet door de internetcomputers terugsturen naar de belastingdienst, maar lieten dat door de klanten van het bedrijf doen. Elke keer als ze een bevestiging van een aankoop stuurden, werd er een bestand van de belastingdienst aangehecht, dat echter niet zichtbaar werd op de monitor van de klant. Wat wel zichtbaar werd was de echte bevestiging of mededeling van het internetbedrijf, plus een vals bericht van de hackers met het verzoek om 'ter wille

van een veilige afhandeling van de aankoop' te klikken op de knop met 'bevestigen' onder aan de pagina.
Elke klant die op 'bevestigen' klikte, verstuurde een bericht, maar niet naar het internetbedrijf. Dat was dan zo'n valse aangifte die rechtstreeks naar de belastingdienst ging. En als de belastingdienst zo'n bericht dan naging, kwam ze terecht bij duizenden mensen in het hele land, die allemaal van niets wisten.

De aanval duurde nog steeds voort toen LuEllen en ik de volgende dag in onze huurauto in de middagspits op de Interstate 10 zaten. We hadden de Interstate genomen omdat we, als we ons snel verplaatsten, moeilijker te traceren zouden zijn.
'Zonde om die brandschone mobiel niet te gebruiken,' mopperde LuEllen.
'Daar hebben we hem voor gekocht,' zei ik. Ik haalde het toestel tevoorschijn en toetste het directe nummer van Welsh bij de NSA in. Er werd niet opgenomen.
'Ze is er niet,' zei ik terwijl ik het toestel uitzette.
'Wat houdt dat in?'
Ik dacht er even over na en zei toen: 'Ik had gezegd dat ik haar zou bellen. Maar het is zondag en misschien denkt ze dat ik alleen haar privénummer heb. Ik durf te wedden dat ze thuis is en bij de telefoon zit.'
'Met een stuk of tien FBI-agenten.'
'Ja, nou...'
Ik belde haar thuis. Toen haar telefoon vier keer was overgegaan, zei ik tegen LuEllen: 'Misschien kan het haar geen barst schelen.' Ik wilde het toestel net uitzetten, toen het kraakte en ik haar stem hoorde.
'Hallo?'
'Met Bill Clinton. We hebben elkaar gisteravond gesproken. Bent u naar Laurel geweest?'
'Ja, we zijn er geweest. Belt u met een mobiele telefoon?'
'Ja.'
'Dan moeten we voorzichtig zijn. We hebben het bestand bekeken waar u het over had, maar geen dataverkeer gevonden van het soort dat u omschreef, tussen de meneer hier en de meneer in Dallas.'
'Gisteravond was het er wel degelijk.'
'We denken dat het betreffende bestand inderdaad gewist kan zijn. Hebt u bij de server in Laurel een abonnement geopend op naam van B.D. Short? Voor eigen gebruik?'
'Nee.'
'Dan is een onbekende bezig geweest bestanden te wissen.'

'Ik heb u verteld wie het was.'
'Dat zijn we aan het nagaan,' zei ze. 'We zouden graag willen dat u contact met ons houdt. We willen u ook een bestand toesturen en u vragen voor ons twee foto's te bekijken. Kunnen we onze computers aan elkaar koppelen?'
'Wacht even.' Daar had ik niet op gerekend; ze waren wel heel erg coöperatief. Ik draaide me om op mijn stoel, zocht op de achterbank, pakte mijn laptop en zette hem aan. 'Ik ben aan het opstarten,' zei ik.
'Als ik eerlijk ben, moet ik zeggen dat ik uw benaderingswijze van gisteravond niet erg waardeer. Ik ben me rotgeschrokken.'
'Dat spijt me,' zei ik. Ik had de modemkabel met de plakmicrofoon opgerold en probeerde het brede elastiek eraf te krijgen terwijl ik met mijn andere hand de telefoon bij mijn oor hield. De kabel viel tussen mijn benen op de grond en ik moest me vooroverbuigen om hem te pakken. Terwijl ik dat deed en vanuit dat lage standpunt omhoog keek, zag ik een kleine twee kilometer verderop een helikopter boven een rij gebouwen hangen. Ik pakte de kabel, trok het elastiek eraf, sloot de laptop op de telefoon aan en riep mijn e-mailprogramma op. Even later was ik klaar.
'Laat maar komen,' zei ik.
'Het bestand is ongeveer honderd kilobyte, dus het zal één à twee minuten duren,' zei ze. 'Als u er klaar voor bent...'
Ik kreeg het audiosignaal, drukte op de ontvangstknop en het downloaden begon.
'Wat ben je allemaal aan het doen?' vroeg LuEllen.
'Ze sturen een paar foto's die we moeten bekijken,' zei ik.
'Goh, wat zijn ze coöperatief,' zei ze droog, mijn eigen gedachten verwoordend.
'Ja, dat viel mij ook op...' En terwijl ik het zei, keek ik uit het raampje aan de passagierskant. Daar, nog geen achthonderd meter verderop en in lijn met ons mee vliegend, was nog een helikopter. 'Shit!'
'Wat?' Ze schrok van de toon van mijn stem toen ik de kabel uit de computer trok en de telefoon uitzette.
'We zijn in de val gelokt. Ze zijn ons gesprek nagegaan en hebben ons misschien al omsingeld. Zie je die helikopter recht voor ons? Rechts van ons zit er nog een.'
'O man, Kidd, wat doen we nu?'
'Nog niets. Blijf gewoon doorrijden,' zei ik. 'Misschien hebben ze ons nog niet gezien.'
'De voorste helikopter komt deze kant op.'

'Die andere ook,' zei ik. Er naderde een afslag en een tweede bord gaf aan dat er een winkelcentrum was. Ik kon het in het noorden zien liggen; het was groot en had zo te zien een overdekt parkeerterrein. 'Neem de afslag, neem de afslag.'
LuEllen stuurde naar rechts en nam de afslag. 'En nu?'
'Aan het eind linksaf. Er is daar een winkelcentrum met een parkeergarage. Als ze ons hebben gezien, kunnen we niet aan ze ontkomen zolang ze ons blijven zien.'
Het was een koele dag en ik had een dun sweatshirt aan over mijn polo, en mijn jack lag op de achterbank. Ik trok het sweatshirt uit en begon alle oppervlakken schoon te vegen waarvan ik vermoedde dat we ze hadden aangeraakt, terwijl ik tegelijkertijd de twee helikopters in de gaten probeerde te houden. De helikopter rechts van ons begon snel dichterbij te komen.
'Ik denk dat ze ons hebben gezien,' zei ik. 'Rij de parkeerkelder in.'
LuEllen reed door een rood stoplicht, stuurde scherp naar rechts, reed de oprit naar het winkelcentrum vanaf de verkeerde kant in en schoot de parkeerkelder in. 'We hebben ook achterin gezeten,' zei ze. 'Onze vingerafdrukken zitten overal. We hebben de radio aan gehad...'
Ik zag een parkeerplek die aan de ene kant, bij de zijmuur, lager was dan aan de andere. 'Daar. Rij er achteruit in, niet met de neus naar voren.'
'Waarom?'
'Doe het, verdomme!'
Ik kroop tussen de stoelleuningen door naar de achterbank, veegde alles schoon, stopte mijn laptop in mijn koffertje en haalde mijn oude Leatherman-mes eruit terwijl LuEllen de auto parkeerde. Toen ze de motor afzette, zei ik: 'Doe de kofferbak open en stap uit. Raak niets aan.'
Ze trok de mouwen van haar jack over haar handen, deed de kofferbak open en veegde alles nog eens af. Ik stapte uit, veegde de deurhendel af, liep naar de achterkant van de auto en liet me tussen de muur en de achterbumper op de grond vallen. Ik haalde het Leatherman-mes uit mijn zak en vouwde het open. Nadat ik een paar keer geprobeerd had het puntige, gekartelde lemmet met de hand door het plaatwerk te rammen, trok ik mijn schoen uit, stak mijn hand erin en sloeg ermee op het mes totdat ik in de benzinetank zat. Toen ik eenmaal een gat had, was het simpel en draaide ik het mes rond totdat ik een opening ter grootte van een kwart dollar had. Benzine stroomde uit de tank op de grond en liep al gauw onder de auto door.
'Kidd,' zei LuEllen. 'Ik hoor de helikopter; hij komt dichterbij.'

'Heb je een aansteker bij je?'
'Jezus, ga je de garage opblazen?' Maar ze haalde haar aansteker uit haar schoudertas, een lichtblauwe Bic, en gaf hem aan mij. Ik bukte me en hield de Bic bij een vingerbreed zijstroompje van de plas benzine. Zodra die vlam vatte, stond ik op en renden we weg.
We renden vijftien meter, tot we op veilige afstand van de auto waren, en vertraagden onze pas. Verderop in de parkeerkelder liepen mensen, maar niemand schonk enige aandacht aan ons. Ik kon de helikopter ergens boven ons horen, maar het klapwiekende geluid leek van alle kanten te komen. Toen laaiden de vlammen op tegen de zijmuur en op het moment dat ik iemand hoorde gillen, liepen wij het winkelcentrum in.
We konden twee dingen doen: ons ergens verstoppen of ervandoor gaan. Ik zei het tegen LuEllen.
'Deze kant op,' zei ze, en ze pakte mijn arm vast.
'Wat is daar?'
'De achteruitgang...'
We liepen het winkelcentrum door en gingen door de achteruitgang naar buiten. 'Kijk uit naar iemand die uit een auto stapt. Bij voorkeur een vrouw.'
Hoeveel mensen stappen er op parkeerterreinen bij winkelcentra uit auto's? Een miljoen per uur? Maar probeer maar eens iemand te vinden die dat doet als je er behoefte aan hebt. We zagen wel dat er aan de zijkant van het winkelcentrum enige commotie ontstond en er mensen af en aan renden. Ik stond ernaar te kijken toen LuEllen zei: 'Daar.'
Ik volgde haar blik. Een vrouw stapte uit een donkerrode Dodge-minivan. Ze had een halflange blauwgrijze jas aan en een tas in haar hand. Ze liep naar de achterkant van het busje, draaide zich achteloos om, richtte haar hand erop en even gloeiden de achterlichten op. Vervolgens stak ze haar sleutels in de zijzak van haar jas.
'Zij wordt het,' zei LuEllen. 'We doen het als volgt, en je moet precies doen wat ik zeg...'

Ik liep het winkelcentrum weer in en ging voor een etalage van een winkel met Victoria's Secret-lingerie staan. Even later kwam de vrouw met de blauwgrijze jas door de glazen deuren. Ik begon haar kant op de lopen met mijn koffertje geopend voor mijn borst alsof ik iets zocht. LuEllen liep twee meter achter de vrouw, in hetzelfde tempo. Toen ze vlak bij me was, draaide ik me een kwartslag, boog ik me over mijn koffertje en bleef abrupt staan, zodat ze bijna tegen me op botste. Ze bracht haar handen omhoog om me af te weren en ik zei: 'O, jeetje, sorry, hoor.'

Op het moment dat ze uitweek en even mijn elleboog aanstootte, schoot LuEllens hand in haar jaszak. De vrouw liep door, LuEllen knikte naar me, draaide zich om en liep naar de uitgang. Ik ging haar achterna.
'We hebben niet veel tijd,' zei LuEllen toen we het parkeerterrein op liepen. Ze was gespannen. We hoorden de helikopter nog steeds maar zagen hem niet, dus die hing waarschijnlijk aan de andere kant van het winkelcentrum. Toen hoorden we opeens sirenes en was ik even bang dat de politie de hele omgeving zou afzetten, maar het waren de sirenes van twee brandweerauto's die zich naar de andere kant van het winkelcentrum haastten.
We stapten in het busje – LuEllen achter het stuur – en reden weg. Bij het stoplicht op de hoek konden we in de parkeerkelder kijken en het vuur achterin zien. De twee helikopters waren inmiddels geland op een stuk braakliggend terrein naast het winkelcentrum en bij de ingang van de garage hadden zich een paar honderd mensen verzameld.
'Als ze daar nog vingerafdrukken uit halen,' zei ik, 'hebben ze die verdiend.'
'Denk je dat er nog zijn achtergebleven?'
'Ik weet het niet. Maar waarom zouden we het risico nemen? Bovendien heeft het vuur ervoor gezorgd dat de mensen niet naar ons keken.'
'Denk je dat die vrouw je gezicht heeft gezien?'
'Vermoedelijk wel,' zei ik. 'Een deel, niet helemaal.'
We reden met het busje naar het vliegveld en probeerden onderweg zo weinig mogelijk aan te raken. Daar aangekomen zetten we het busje op het parkeerterrein aan de achterkant en veegden we alles schoon. Ik legde een blocnoteblaadje met de tekst DEZE AUTO IS GESTOLEN op het dashboard en we namen een taxi naar het motel.

In het motel nam LuEllen me. Dat deed ze wel vaker als er problemen waren geweest en de spanning hoog was opgelopen. Ze ging naar haar kamer, snoof een paar lijntjes coke en kwam met felblauwe ogen en pupillen als speldenknoppen naar de mijne.
'Je hebt behoefte aan lichaamsbeweging,' zei ze terwijl ze haar shirt uittrok.
LuEllen is een heel aantrekkelijke vrouw en een goede vriendin, dus het zou onbeleefd zijn geweest als ik had geweigerd.

Toen de eerste ronde seks achter de rug was en ik met mijn vingertoppen de meer interessante contouren van haar lichaam volgde, vroeg ze: 'Vertel me hoe ze het hebben gedaan.'
'Ze moeten ons wel erg graag willen pakken,' zei ik. 'Of we waren op

de plek waar zij hun materieel hadden. Ik neem aan dat ze een paar helikopters in de buurt van Baltimore en misschien ook Washington hadden, uitgerust met radio-opsporingsapparatuur; mobiele telefoons zijn tenslotte radio's...'
'Dat weet ik.'
'De NSA beschikt bovendien over apparatuur om telefoongesprekken na te gaan, dus waarschijnlijk hebben ze onze telefoon getraceerd en het signaal doorgestuurd naar de dichtstbijzijnde helikopter. Die is ons blijven volgen en heeft uit onze verplaatsingssnelheid kunnen opmaken dat we op de Interstate zaten. Als we op een andere telefoon overschakelden, zouden ze onze rijrichting hebben en met het tijdsverschil een vrij exacte locatie kunnen berekenen. Vanaf dat moment zou het met hun richtingzoekers alleen nog een kwestie van tijd zijn. Daarom lieten ze ons die foto's downloaden. Het signaal moest heen en weer blijven gaan terwijl wij werden afgeleid van wat er gebeurde.'
'Slim,' zei ze.
'Ja. We hebben het verprutst. Sorry, ík heb het verprutst. Ik was vergeten met wie we te maken hebben. Als ik mijn hersens had gebruikt, hadden we de trein naar New York genomen, die ze in geen miljoen jaar hadden gevonden, en hadden we het gesprek gevoerd vanuit een restaurantje in de binnenstad. In plaats daarvan...' Ik liet haar mijn handen zien. '... hebben we het verprutst. Hertz zal heel boos zijn op Nancy M. Hoff.'
LuEllen giechelde. 'Als ze een klomp metaal en plastic terugkrijgen.'
'Laten we het hopen.'
Ze zuchtte, rolde zich op haar rug en zei: 'Het was leuk, zowel de vlucht als de seks. Maar we moeten beter oppassen.'
'Ik geloof niet dat we hier verder nog veel kunnen doen,' zei ik. 'Welsh zei dat ze in de server in Laurel waren geweest, dus misschien handelen zij de rest af.'
'Dus? Gaan we naar huis?'
'Wil je naar huis?'
'Wat ga jij doen?'
Ik dacht een ogenblik na en zei: 'Ik ga naar Texas. Gewoon, een beetje rondkijken.'
'Ik ben wel eens in Texas geweest,' zei ze. 'Ik vond het er wel leuk. Zoals ze zich kleden, bevalt me wel.'
'Als je mee wilt, ben je welkom.'

Aan het eind van de middag pakten we onze spullen, namen een taxi naar BWI en vlogen naar New York. We overnachtten in Manhattan, in één kamer deze keer. Maandagochtend, voordat we naar La Guardia vertrokken, belde ik Welsh op kantoor vanuit een telefooncel. Haar secretaresse nam op en zei dat mevrouw Welsh in een vergadering zat.

'Je spreekt met Bill Clinton. Als ze me ooit nog wil spreken, heeft ze tien seconden om aan de telefoon te komen. Daarna ben ik vertrokken.'

Na vijf seconden nam Welsh op. 'Dit kan beter geen grap zijn.'

'Nee, dit is geen grap. Dit is een dreigement. Als je ons ooit weer achternakomt of ons bedreigt, maken we gehakt van die mooie, nieuwe computers die jullie om de maand aanschaffen.'

'We zijn niet onder de indruk van je dreigementen, Bill. We zitten je op de hielen.'

'O, ja? Heb je veel vingerafdrukken uit die auto kunnen halen? Luister, dame, ik zal je iets vertellen. Als wij ons bedreigd voelen, halen we je neer. En als je een demonstratie wilt van wat we kunnen, zetten we je hele interne telefoonlijst op het internet, compleet met alle namen, huisadressen en privé-nummers, zodat iedereen die de pest aan jullie instantie heeft, jou en je werknemers dag en nacht kan bellen. Denk je dat dat overtuigend genoeg is?'

Haar zelfvertrouwen begon af te brokkelen. 'Ik geloof niet dat jullie...'

'Met welke telefoon denk je dat ik je nu bel?' vroeg ik. 'Jezus, mens, denk na voordat je iets doet.'

'Doe dat niet...'

'Duik in die computers, zoek uit wat er met Lighter en Jack Morrison en AmMath en Clipper is gebeurd en blijf verdomme bij ons uit de buurt.'

Ik hing op. Vijf minuten later, toen we op weg naar het vliegveld waren, begon een van LuEllens mobiele telefoons te piepen. De taxichauffeur zat in het Arabisch in zichzelf te mompelen en sloeg geen acht op ons. LuEllen haalde de telefoon uit haar tas, drukte op de spreekknop, zei 'hallo', luisterde even en gaf het toestel toen aan mij. 'Green,' zei ze.

Green belde vanuit een cel bij een benzinestation in San Francisco. 'Ik kon er niet achterkomen hoe ze het deden, maar ze zaten nog steeds achter ons, altijd op een paar blokken afstand,' zei Green. 'Dus ben ik naar mijn broer gegaan – die heeft een garage – heb de auto op de brug gereden en raad eens?'

'Je had een zendertje.'

'Ik heb het nog steeds,' zei hij. 'Het ligt nu op het dashboard en ik heb het met tape vastgeplakt op een sterke magneet. Als we bij de luchthaven zijn, plak ik het onder een vertrekkende auto. Dat zal ze wel even

bezighouden. We vliegen via Seattle naar Houston en rijden van daaruit naar Dallas.'
'Oké. Wij zijn nu onderweg en landen vanavond in Dallas.'
'Waarschijnlijk blijven we in Houston overnachten, dus dan zien we jullie morgen.'
We praatten nog even door en toen was Green weg.
En wij waren ook weg. Zeven uur later waren we in Dallas.

14

St. John Corbeil

Corbeil zweette. Ondanks de airconditioning in zijn kantoor voelde hij het klamme vocht onder de boord van zijn overhemd en hij verachtte zichzelf erom. Het was geen eerlijk zweet, zoals je dat van trainen met gewichten kreeg. Dit was angstzweet, het soort dat je uitbrak wanneer een botte NSA-functionaris je met je rug tegen de muur zette met onverwachte vragen, terwijl een of andere FBI-flikker je glimlachend zat op te nemen en met zijn gouden polsketting zat te spelen.
Strunk – de beveiligingsman heette Karl Strunk – had vragen over de Bloch Tech-server, over Firewall en over de dood van Lighter en Morrison. Corbeil slaagde erin de vragen te pareren en zich van de domme te houden. Hij deed niet graag alsof hij van niets wist, maar het was nodig geweest. En het was maar net goed gegaan.
Hoe waren ze bij Bloch Tech binnengekomen en hoe was het verband tussen Bloch Tech en de Firewall-geruchten gelegd? Dat was wel het laatste wat hij had verwacht...

Hart klopte één keer en kwam meteen binnen. 'Wat is er aan de hand?' vroeg hij. 'Zijn er problemen?'
'Ik weet het niet. Er is iets gaande. Ze weten van Bloch Tech en vermoeden dat Lighter en Morrison met elkaar in verband staan. Maar ze schijnen geen idee te hebben wat dat verband is. En dát begrijp ik dus niet. Hoe kunnen ze een verband vermoeden zonder te weten wat dat verband is...' Hij stopte en riep zichzelf tot de orde. Hij was bijna gaan stotteren, als een of ander puisterig gemeenteambtenaartje dat zijn doosje paperclips kwijt is.
'Daar hebben we voor gezorgd met Morrisons vliegtuigtickets,' zei Hart. 'Hebben ze die gevonden?'

'Ik was niet degene die de vragen stelde, maar ik neem aan van wel. Ik heb volgehouden dat we alles in de gaten hielden omdat we bang waren dat we geïnfiltreerd waren door Firewall. Ik heb geopperd dat Firewall Bloch Tech heeft geïnfiltreerd, heb toegegeven dat het de grootste server van Glen Burnie is en mijn vermoeden uitgesproken dat er waarschijnlijk veel NSA-mensen in zaten die op zoek waren naar alles wat ze te pakken konden krijgen.'

'Wat zei hij daarop?'

'Het idee verbaasde hem niet. Ik ben de nadruk blijven leggen op de aanval op de belastingdienst. Die had hen ook verbaasd.'

'Mij ook.'

Corbeil glimlachte. 'Volgens mij is dit prachtig. Zij gaan op zoek naar een stel mensen die beweren Firewall te zijn en ze laten ons verder met rust. Als je ooit te maken hebt gehad met die engerds die tegenwoordig internet verzieken, weet je ook dat ze de credit willen voor de schade die ze hebben aangericht. Dat vinden ze stoer.'

'Het zou leuk zijn als we een beetje overzicht hielden.'

Corbeil knikte. 'Ik ga naar Meade en trommel het ouwejongenscircuit op. Kijken of ik kan uitvissen wat er aan de hand is.'

'Ik zal ook een paar telefoontjes plegen,' zei Hart. 'De jongens vragen of ze hun ogen open willen houden, en ze zeggen dat als er problemen zijn, ik eruit wil stappen voordat de zaak op hol slaat. Misschien levert dat iets op.'

'Doe dat,' zei Corbeil. 'En zeg tegen Woods dat hij de computers in de gaten houdt, voor het geval de mensen van Meade een *backdoor* hebben gevonden.'

Toen Hart was vertrokken, voerde Corbeil een zestal telefoongesprekken en slaagde hij erin zich te laten uitnodigen op het hoofdkwartier van de NSA om over Firewall en AmMath te praten. Als hij er eenmaal binnen was, zou het normaal genoeg lijken als hij een paar oude vrienden opzocht en peilde wat de geruchten waren. Hij had er immers een hoop geld in gestopt en misschien zouden er banen op de tocht staan... Ergens was iemand bezig een stroom van informatie op gang te houden en als hij niet kon ontdekken wie dat was, kon hij schade oplopen.

Hij ging nog eens een halfuur on line en gebruikte een gecodeerde spreadsheet om zijn geld te verplaatsen tussen zijn verschillende offshore rekeningen, van zijn inkomstenrekening via een grote omweg naar zijn investeringsrekening. Er was een bedrag dat Corbeil ooit in de *Wall Street Journal* had gelezen. Het hoofd van een groot arbitrage-

fonds had vijfentwintig miljoen opzijgezet voor eigen gebruik, meldde de *Journal*, en met de rest van zijn kapitaal speelde hij. Vijfentwintig miljoen, had de man gezegd, was genoeg om in elke redelijke behoefte te kunnen voorzien.
Corbeil had het tot zíjn bedrag gemaakt, vijfentwintig miljoen. Als hij dat bedrag binnen had, zou hij de *Old Man of the Sea* sluiten en een manier bedenken om zichzelf veilig te stellen voor Woods, Hart en Benson. Dan zou hij voor zichzelf iets anders bedenken om te gaan doen, in een milder klimaat. Ibiza leek hem wel wat...
Corbeil mijmerde enige tijd over Ibiza, maar toen gingen zijn gedachten weer naar Woods, Hart en Benson. Als Hart en Benson iets zou overkomen en als Woods verdween met een groot bedrag aan contant geld, zouden er bepaalde conclusies kunnen worden getrokken. Maar als het Clipper-project sneuvelde, zoals de bedoeling was, kon hij de zaak gewoon opdoeken en een andere bezigheid gaan zoeken.
Maar dat had nog een paar jaar tijd nodig, want hij was nog maar halverwege zijn vijfentwintig miljoen...

Hart kwam terug. 'Ik heb een paar jongens gesproken. Ze hebben beloofd dat ze hun oren open zullen houden, maar op dit moment hadden ze niets nieuws te melden. De enige geruchten die ze hadden gehoord gingen over ons en het mislukken van het Clipper-project.'
'Dat is algemeen bekend,' zei Corbeil. 'Ik heb nagedacht. Er is óf iemand die informatie over ons verspreidt, óf die Ward-vrouw weet iets wat wij niet weten. Misschien is Morrison meer dan één keer binnen geweest. Misschien werkten ze samen.'
'Mogelijk. Maar als dat waar was en zij draagt al haar spul over aan de NSA, waarom zijn ze daar dan zo verbaasd over? Waarom zijn ze alleen maar wat aan het rondsnuffelen? Ze schijnen niet echt veel te weten. Misschien probeert ze ons lekker te maken en komt ze straks met een aanbod.'
'Daar lijkt het niet op. En als jullie haar niet uit het oog waren verloren...'
'Hoor eens, het dumpen van dat zendertje was vakwerk,' zei Hart. 'Een docent van een universiteit doet zoiets niet. Volgens mij...'
Corbeil wuifde het weg. 'Daar hebben we het al over gehad, en voorlopig is ze uit het zicht verdwenen. De politie zegt dat ze hiernaartoe komt om naar het huis te kijken en nog wat van Morrisons apparatuur en persoonlijke bezittingen op te halen. Jullie hebben afschriften van MasterCard en American Express in haar huis gevonden; misschien kun je haar via haar creditcards traceren.'

Hart knikte. 'Ik zal het nagaan.'
Corbeil leunde achterover in zijn stoel. 'Iemand is met ons aan het klooien, William. Waarschijnlijk de NSA, maar zo voelt het niet. Strunk wist een paar dingen, maar wat hij wist, zat vol gaten. De vragen die hij stelde, vertoonden geen logische volgorde. Hij wist stukjes en beetjes, maar niet meer dan dat.'
'We moeten Ward vinden,' zei Hart.
'Ja, zoek haar op en hou haar in de gaten.'

15

Het was warm in Dallas.
Zo warm dat de kranten erover klaagden. Onnatuurlijk warm voor de tijd van het jaar. Toen we uit een taxi stapten bij het gebouw van DFW-autoverhuur, dat een paar kilometer van het vliegveld lag, zagen we een gezette, roodharige vrouw die een zwarte koffer achter zich aan sleepte naar de balie van Hertz, om daar te klagen over haar rekening. Ik kon niet horen wat ze zei, maar ik zag wel dat haar blouse drijfnat was van het zweet, na die vijftig meter lopen over het parkeerterrein.
We huurden een auto met een goede airconditioning op een van LuEllens valse identiteitsbewijzen en namen twee kamers in de Ramada Inn. Toen we onze spullen hadden uitgepakt, reden we naar het West End Historic District, wat een verzameling winkelstraten vol reuzenvarens te midden van een stel oude pakhuizen bleek te zijn.
Het gebouw van TrendDirect, ooit een pakhuis van rode baksteen, was gemoderniseerd en had nu een voorgevel die voornamelijk uit zwart glas bestond. Het stond los van de andere huizen in het blok. Een deel van de begane grond werd ingenomen door een imposante lobby die zichtbaar was vanaf de straat en waarin oude baksteen werd afgewisseld door nieuw marmer, met daarboven een raamwerk van zware houten plafondbalken. Aan de zijkant, op een eilandje van marmer, waren de balies van de receptie en de bewakingsdienst. We konden twee hoofden onderscheiden, maar zagen verder niets dat op beveiliging wees.
Het overige deel van de begane grond werd in beslag genomen door winkeltjes: een paar boetieks, een herenmodezaak, een winkel in sportartikelen, een koffieshop en een bar annex steakrestaurant op de hoek.
TrendDirect, een reclamebureau dat in *direct mail* deed, bezette de eerste tot en met de vierde verdieping, plus de achterste helft van de begane grond. Vijf en zes werden ingenomen door een advocatenkantoor, zeven door een advertentieagentschap en de overige twee door AmMath.
LuEllen had een jagersblik in haar ogen. 'Negen verdiepingen,' zei ze toen we voor het gebouw langs waren gereden.

'Negen verdiepingen.'
'Juist, negen.'

Het gebouw stond aan een brede straat, tegenover een pleintje met gazons, en het meeste verkeer was afkomstig van de plaatselijke bevolking. De beide zijstraten waren smal en bestonden uit wanden van getint glas. Aan beide zijkanten waren drie winkeletalages.
De achterkant van het gebouw grensde aan een bredere, drukkere straat die stonk naar uitlaatgassen en koelvloeistof van trucks. Een zestal laadperrons stond haaks op evenzoveel stalen roldeuren en in het midden zat een raamloze toegangsdeur, die eveneens van staal was. Een kleinere stalen roldeur, net groot genoeg om een kleine vrachtwagen door te laten, zat aan het uiteinde van de achtergevel. De laadperrons werden geobserveerd door een videocamera.
'Wat denk je ervan?' vroeg ik aan LuEllen. Ze had zich voorovergebogen en keek door de voorruit omhoog.
'Ik wil het dak zien,' zei ze.
'LuEllen...' Ik heb een beetje last van hoogtevrees.
'Het is een lastig gebouw,' zei ze. 'De beveiligingsbalie wordt vierentwintig uur per dag bemand en we weten dat er 's nachts bewakers rondlopen. Jack zou er een neergeschoten hebben toen die zijn ronde door het gebouw deed. Waarschijnlijk kunnen we een van de deuren aan de achterkant wel open krijgen, maar het blijft de vraag of we dan boven kunnen komen. Dat weten we pas als we binnen zijn.'
'Er moet een manier zijn.'
'Die is er waarschijnlijk ook wel. Het feit dat er een verband is met een of ander topgeheim van de overheid maakt me extra nerveus. Als we vanaf het dak naar beneden gaan... kijk, het gebouw aan de overkant is een kantoor. Als je hier keert, zal ik het je laten zien.'
Het gebouw zag eruit zoals ze gezegd had: een oud pakhuis, gerenoveerd, met winkels vol neonreclames op de begane grond en zo te zien werden de verdiepingen daarboven als kantoorruimte gebruikt.
'Waar het om gaat is dat de beveiliging waarschijnlijk aan alle kanten rammelt. Er is geen lobby, het ziet er allemaal wat goedkoop uit, dus volgens mij zijn het kantoren van kleine particuliere bedrijfjes. We kunnen overdag naar binnen gaan, ons ergens verstoppen en 's nachts het dak op gaan. Het is elf verdiepingen hoog, twee hoger dan Trend-Direct,' zei LuEllen. Ze keek van het ene gebouw naar het andere. De straten zijn smal... Ik durf te wedden dat het van het ene dak naar het andere niet meer dan een meter of twaalf is. We kunnen een lijn spannen

en ons naar de overkant laten glijden. Het dak van TrendDirect zal niet beveiligd zijn; dat zou echt hoogst ongebruikelijk zijn.'
'Waarom gaan we niet met valse identiteitsbewijzen door de voordeur naar binnen?' vroeg ik. 'Of laten we sleutels maken voor de achterdeuren?'
'Dat kan ook.'
'Of we kunnen een snuffel doen.' Een 'snuffel' was een term die we zelf hadden bedacht. Het was zoiets als een snelle, eerste verkenning door zogenaamd iets te komen afleveren en het doelwit dan te bekijken. LuEllen had het al minstens twintig keer gedaan. Ik beperkte me meestal tot de publieke rondleiding die de meeste grote bedrijven doen en die heel informatief zijn als je weet waarnaar je moet kijken.
'Dat is ook een mogelijkheid,' gaf ze toe. Maar het idee van het dak sprak haar het meest aan. Ze hield van de adrenalinestroom die ermee gepaard ging, en ze vond het gewoon leuk om 's nachts om drie uur over straat te zeilen. We observeerden het gebouw nog een kwartier en LuEllen schoot een paar rolletjes diafilm vol. Ze stapte zelfs uit de auto om de glazen voorgevel nog eens goed te bekijken.
Ze kwam hoofdschuddend terug. 'Een en al glas en steen,' klaagde ze. 'Er werken daar mensen, die moeten ademhalen. Jezus, dit is onmenselijk.'
'LuEllen, dat is de stem van de werkende klasse,' zei ik.
'Maar weet je wat? Het ziet er allemaal flink beveiligd uit,' zei ze. 'Iemand heeft daar heel erg zijn best voor gedaan... en ik bedacht nog iets anders.'
'Wat?'
'Hoe vaak komt het voor dat nachtwakers gewapend zijn? Zoals die oude man die is neergeschoten?'
Ik dacht erover na en schudde mijn hoofd. 'Niet vaak.'
'Een lastig gebouw,' zei ze. 'Ik zou het laten voor wat het was, als ik alleen werkte, tenzij ik binnen een goed contact had.'
'O.' We dachten erover na terwijl we wegreden. Geen van ons was erg goed bekend in Dallas, en het bleek dat het West End Historic District niet alleen historisch was omdat het oud was, maar ook omdat het de plek was waar John F. Kennedy was vermoord. We reden langs het monument zonder te weten wat het precies was, totdat LuEllen het straatnaambordje met Dealy Plaza zag.
'Herinner je je Kennedy?' vroeg ze terwijl ze haar hoofd omdraaide om naar het monument te kijken.
'Soms denk ik dat,' zei ik. 'Maar ik herinner me vooral wat de mensen over hem vertelden.'

'Ik heb hem alleen in een paar oude tv-programma's gezien,' zei LuEllen, 'maar voor een president leek hij me wel oké.'
Op de terugweg naar het motel vonden we een telefooncel en ging ik on line met Bobby. Hij had research naar AmMath gedaan in de wetenschap dat we er misschien naar binnen zouden willen.

TrendDirect ziet er lastig uit. Zijn er mogelijkheden per computer?
Heb ik nog niet gevonden. Maar ik heb Corbeils huis bekeken. Hij heeft een T-1-aansluiting.
Geweldig. Geef adres...

Corbeil had een appartement in een chic gebouw van glas en beton op een golfbaan in Noord-Dallas, een besloten gemeenschap die Lago Verde heette. De T-1-lijn betekende waarschijnlijk dat hij met zijn pc toegang had tot het systeem van AmMath.
'Dit is de plek waar we een snuffel moeten doen,' zei LuEllen toen we langs de poort reden. 'Ik durf te wedden dat het hek de enige beveiliging is. Misschien dat er 's nachts een paar bewakers in golfkarretjes rondrijden.'
'Dus we gaan naar binnen?' vroeg ik.
'Laten we eerst nog even bij Bobby informeren,' zei ze. 'We moeten Corbeils exacte adres hebben, en de naam van een alleenstaande vrouw die in het gebouw woont. Misschien kan hij de liften nagaan... Moeten die dingen niet onderhouden worden of zoiets?'
'Ik denk het.'

Bobby kwam weer on line en zei dat Corbeil volgens de plaatselijke telefoondienst en energievoorziening op de twee bovenste verdiepingen woonde van een negen verdiepingen tellend gebouw dat Poinsettia heette. Alle appartementen in het gebouw bestonden uit twee verdiepingen; op de eerste en tweede, derde en vierde, vijfde en zesde, en zevende en achtste. Hij had niet kunnen ontdekken wat er op de begane grond was, noch hoe het met de liften zat. Er was een databank voor alle liften in de staat Texas, maar die kon hij niet op adres doorzoeken; daar had hij het serienummer van de lift voor nodig.
Hij had wel de naam van een alleenstaande vrouw gevonden, ene Annebelle Enager, die in het Primrose-gebouw woonde.

'Het is een begin,' zei LuEllen.
'We doen een snuffel?'
'Een lichte,' zei ze.
Een van de dingen die je in films nooit te zien krijgt, is dat inbrekers hun halve leven bezig zijn met boodschappen doen. We kochten een paar penselen en potten zwarte en rode waterverf in een speelgoedwinkel. In een winkel voor kantoorbenodigdheden kocht LuEllen een potje rubberlijm, een rol brede plastic tape, een stanleymes en zo'n platte doos met een hendel aan de zijkant, om afleveringsbonnen in te doen, plus het pak bonpapier dat erin hoorde. Het werkte ongeveer als een houder voor wc-papier die je in sommige toiletten tegenkwam; je trok aan de hendel, de bon kwam eruit, de klant tekende voor ontvangst, je deed de hendel terug en de bon verdween weer in de doos.
We huurden een wit busje bij Hertz, reden ermee naar een praktisch verlaten parkeerterrein achter een breedbeeldbioscoop, waar ik met de waterverf ons bedrijfslogo op de zijkanten schilderde: Rose's Roses.
'Dat ziet er fantastisch uit,' zei LuEllen toen ik klaar was. 'Je hebt je roeping gemist; je had reclameschilder moeten worden.'
'Toch denk ik niet dat het me helemaal zou bevredigen,' zei ik. Ik had twee gekruiste rode rozen geschilderd, met zwarte stelen, en de naam erboven in rood. Ik hoopte wel dat niemand beide kanten van het busje goed zou bekijken, want helemaal hetzelfde waren ze niet.
Terwijl ik aan het schilderen was, zat LuEllen op de achterbumper, wrong ze met behulp van een schroevendraaier de bonnendoos open en sneed ze met het stanleymes een opening ter grootte van een kwart dollar in de voorkant. Haar JVC-minicamcorder paste er net in. Ze bevestigde hem met plakband en plakte met de rubberlijm een bon op de doos, zodat hij net over de opening hing.
'Zijn we klaar?' vroeg ze toen ik mijn rozen af had.
'Als jij het bent.'
'Kom, dan gaan we.'

Eigenlijk hoefde ik niets te doen. LuEllen reed het busje naar de poort, zei iets tegen de man in het wachthuisje, waarna hij over zijn schouder wees en opendeed. Ik wachtte een blok verderop in de auto.
Ze bleef precies tweeëntwintig minuten binnen, tien minuten langer dan ik redelijk vond. Ze zwaaide naar de bewaker, sloeg linksaf en vijf minuten later ontmoetten we elkaar op een parkeerstrook vol onkruid en afval onder een snelweg. Toen ik kwam aanrijden, was ze al bezig

om met een jerrycan water en een keukenrol het korte bestaan van Rose's Roses te beëindigen.
'Geen probleem,' zei ze opgewekt toen ik naar haar toe kwam lopen. 'Ik heb zelfs een afspraakje, mocht het nodig zijn.'
'Met wie?'
'Een knaap die Ralph Carnelli heet en die daar kantoorwerk doet; een soort assistent-beheerder, denk ik.'
Eenmaal op het terrein had ze rondgereden totdat ze het Poinsettia-gebouw zag. De begane grond en de kelder waren parkeerruimte, zei ze. Meer had ze niet kunnen zien. Toen had ze het clubhuis aan de rand van de golfbaan gevonden. Dat bestond uit een receptiegedeelte, kantoren op de eerste verdieping, en een lounge en oefenkamer voor de bewoners.
'Ik ben verdwaald,' zei LuEllen.
'Begrijpelijk, als het daar zo groot is,' zei ik.
'Ja, ik ben de trap op gelopen en toen vond ik Ralph, die me weer naar beneden bracht en me de receptie liet zien. Ik heb daar de bloemen voor Annebelle achtergelaten en toen raakten we aan de praat. Hij probeerde me te versieren en ik deed net of ik dat leuk vond. Ik heb hem mijn telefoonnummer niet gegeven, maar hij me het zijne wel.'
'Leuke man?'
'Zag er goed uit. Tweeënveertig. Gescheiden. Brede schouders.'
'Dus met dat rokje en die billen van jou had die arme jongen geen schijn van kans.'
'Precies. En...' Ze wachtte even om de spanning op te voeren.
'Nou?'
'Het clubhuis is altijd open, vierentwintig uur, dag en nacht. De deur tussen het clubhuis en de kantoren is wel open te krijgen. Achter in Ralphs kantoor staat een lage houten archiefkast met de namen van de diverse gebouwen op de laden, vier namen per la.'
'Bouwtekeningen?'
'Dat denk ik. Ik kon het niet echt zien. Maar het kantoor had iets met onderhoud te maken.'
'Vannacht gaan we. We klimmen over het hek, steken de golfbaan over en gaan bij het clubhuis kijken. Als de deur open is, gaan we naar binnen.'
'Natuurlijk,' zei ze.

Om acht uur werden we gebeld door Green; ze waren in Houston en zouden naar Dallas komen zodra het licht werd. LuEllen en ik keken naar de video die ze in Lago Verde had gemaakt totdat ik er net zo goed de weg kende als zij.

Om tien uur gingen we ernaartoe met niet meer dan een dikke, wollen legerdeken die we in een dumpzaak hadden gekocht, een mes dat ik in een Denny's had gepikt, en een zaklantaarn. Nadat we een geschikte boom hadden gevonden bij het hek om de golfbaan, parkeerden we in een straat met woonhuizen, een blok verderop. De golfbaan was afgezet met een hek van draadgaas, bijna tweeënhalve meter hoog maar zonder prikkeldraad erbovenop. We hadden allebei een spijkerbroek, zwarte gympies en een donkerrood jack aan. Donkerrood is bijna net zo geschikt als zwart om ongezien te blijven, tenzij iemand een zaklantaarn op je richt, en áls dat gebeurt, zie je er in donkerrood net iets onschuldiger uit dan in zwart.

De boom achter het hek om de golfbaan stond halverwege twee lantaarnpalen, en aan de overkant van de straat waren winkels. Een verf- en behangwinkel sloot om acht uur en de winkel in luxe stereoapparatuur ernaast om negen uur. Om tien uur, toen de meeste auto's waren verdwenen, jogden we de straat in. Bij de boom gooide LuEllen de deken over het hek, ik haakte mijn handen in elkaar, zij zette haar voet erin en ze was eroverheen. Ik klom haar achterna, draaide op mijn buik over de deken en liet me aan de andere kant vallen. We hurkten neer achter de boom en keken naar de langsrijdende auto's. Er was er niet een die vaart minderde. We bleven daar nog tien minuten wachten en liepen toen de golfbaan op.

Toen we het licht van de straat achter ons hadden gelaten, was het op de golfbaan zo donker als in een kolenzak. Ik had nooit aan Dallas gedacht als aan een 'groene' stad, maar vanuit een vliegtuig lijkt het meer op een bos dan een stad. Golfbanen zijn nóg groener, en het merendeel van dat groen heeft doornen. We staken een fairway over, langzaam lopend, ik liep een doornstruik in, deinsde zacht vloekend achteruit, ging vlak achter LuEllen lopen en zo bewogen we ons in de richting van het verlichte clubhuis driehonderd meter verderop.

Ongeveer vijftig meter van het clubhuis vonden we tussen twee bomen een zacht grasveldje waar we de deken uitspreidden en gingen zitten. We konden zowel uit de voor- als de achterkant van het clubhuis licht zien schijnen. Boven was alles donker.

De achterkant van het clubhuis bestond uit een glazen pui waarachter we frisdrank- en snoepautomaten zagen staan, plus een stel zachte leren fauteuils, zoals in een eersteklas lounge van een vliegveld. We zagen een zestal mensen in de lounge. Twee van hen waren zo te zien net uit de oefenkamer gekomen en trokken hun schoenen aan. De andere vier zaten in de fauteuils met elkaar te praten.

'Het kan wel even duren,' zei LuEllen.

Uiteindelijk duurde het drie uur. De zes waren gewikkeld in een geanimeerd gesprek waaraan geen eind leek te komen en toen ze anderhalf uur later eindelijk vertrokken, kwam er een nieuw stel binnen. Er kwamen ook nog mensen uit de oefenkamer. Na middernacht begon het stiller te worden, maar elke keer als we in beweging wilden komen, kwam er weer iemand binnen. Eindelijk, om kwart over een, hadden we een kwartier lang niemand gezien.
'Laten we het proberen,' zei LuEllen.
We lieten de deken liggen en slopen in het donker naar het clubhuis. Twintig meter voor de voordeur, aan de zijkant van de golfbaan, stond een rij manshoge struiken. Als we die eenmaal voorbij waren, bevonden we ons op open terrein. We bleven staan, keken nog een laatste keer in het rond, LuEllen raakte mijn arm aan en we kwamen in beweging.
Langzaam, arm in arm, liepen we naar de deur van het clubhuis en gingen naar binnen. Afgezien van het gesputter van een van de frisdrankautomaten hoorden we niets. We bleven nog even doodstil staan, toen haalde LuEllen het restaurantmes uit haar zak, liep naar de verbindingsdeur, maakte het slot open en konden we de trap op.
Het slot van Ralphs kantoor stelde evenmin iets voor. LuEllen haalde het mes op en neer langs de deurpost en ging me voor naar binnen. Ik deed de deur achter me dicht en LuEllen knipte haar zaklantaarn aan. De lage dossierkast was niet op slot; de laden hadden niet eens sloten. De bouwtekeningen van Poinsettia lagen waar ze hoorden te liggen: in de Poinsettia-la, tezamen met die van Wild Rose, Black-Eyed Susan en Hollyhock. Het was een dik pak met een oppervlakte van ongeveer honderd bij tachtig centimeter.
'Nemen we het hele ding mee?' vroeg LuEllen.
'Laten we dat maar doen. Hopelijk heeft niemand ze nodig.'
'Er ligt stof op, dus dat zal wel meevallen,' zei ze.
We brachten de kamer op orde en vertrokken. Toen we het pad bij het parkeerterrein op liepen, kwam er een ander stel aanlopen, ook met een deken, maar niet de onze. We kwamen niet dichterbij dan vijftig meter, maar ze zwaaiden naar ons. LuEllen zwaaide terug en zei: 'Jezus, Kidd, die golfbaan is het plaatselijke vrijerslaantje. We hebben geluk dat we over niemand zijn gestruikeld.'
'Wat voor ons ook een goede dekmantel is,' zei ik.
Op de golfbaan zelf kwamen we niemand tegen. We klommen over het hek, wandelden terug naar de auto en weg waren we.

16

LuEllen heeft de neiging zich om haar kussens te rollen en in de meest vreemde houdingen in bed te liggen. Toen ik de volgende ochtend opstond, staken haar blote billen boven de dekens uit, en wat een aangename aanblik was dat, als een verse perzik, rond en stevig en zachtroze. Ik moet bekennen dat ik een onbedwingbare voorkeur heb voor dat deel van de vrouwelijke anatomie, en na een paar minuten stak ik mijn hand uit, gaf er een zacht tikje op en liet mijn hand liggen.

'Raak me niet aan of ik ruk je hart uit je lijf,' kreunde ze.

'Maar ze zijn zo mooi.'

'Hou je kop.'

'Uitgesloten. Tijd om op te staan.'

Ze drukte zich omhoog op haar ellebogen en keek op de klok op het nachtkastje. 'Onzin,' zei ze, en ze liet zich weer vallen. 'Laat me met rust. Ik wil nog een uur slapen.'

Ik liep naar het raam, stak mijn hoofd in de kier tussen de gordijnen en keek naar buiten. 'Het is een mooie dag. Blauwe lucht, geen wolken.'

'Dit is Dallas, idioot. Zo hoort het er hier uit te zien,' zei ze. 'Nou, ga weg.'

Ze was geen ochtendmens. Ik ging me wassen en neuriede er een liedje bij. Ik dacht aan LuEllens billen – ik ben er niet alleen gek op, ik denk er ook echt over na – en toen moest ik aan Clancy denken.

Clancy is mijn vriendin in St. Paul, met wie ik samen een computer aan het bouwen was. Een heel aardige, mooie vrouw. Slim, interessant en sexy. Te jong voor mij – ik was acht jaar ouder dan zij – en dat leeftijdsverschil baarde me zorgen, hoewel zij zich er weinig van leek aan te trekken. En we waren nog lang niet klaar met elkaar, hadden elkaar nog veel meer te vertellen.

Clancy in St. Paul en LuEllen in Dallas. Hmm.

Als we hier klaar waren, zou LuEllen waarschijnlijk vertrekken. Ze bracht de winter meestal in warme landen door: in Mexico, Venezuela of

op de Bahama's, tussen de walgelijk rijken. Maar ik zou weer teruggaan naar St. Paul, waar twee meter sneeuw lag en de wolven waren, en waar ik dus behoefte zou hebben aan de troost van een vrouw als Clancy.
Ik zou waarschijnlijk proberen deze momenten met LuEllen voor haar te verzwijgen, en gezien mijn vroegere escapades zou ik daar wel in slagen. Want ik had met LuEllen niet alleen seks; ze was een vriendin van me en als we met elkaar naar bed gingen, was dat een uiting van onze vriendschap. Ik dacht daarover na terwijl ik me schoor. Om dat hele seksgedoe met LuEllen te rechtvaardigen was een hoop hypocriet rationalisme nodig, bedacht ik, maar ik wilde 's winters wel graag mijn voeten warm houden.

LuEllen lag nog steeds in bed toen ik me gewassen en aangekleed had, dus ging ik naar beneden, naar het restaurant, waar ik eieren met bacon en brood at terwijl ik de krant las. Firewall was nog steeds in de aanval en de belastingdienst had nog steeds geen idee hoe ze Firewall buitenspel moest zetten zonder miljarden dollars te verliezen. In Duitsland was de politie het huis binnengevallen van een jongen wiens internetnaam vertaald kon worden als Cheese – aldus USA *Today* – maar Cheese bevond zich op dat moment op de wc, wat berechting moeilijk maakte aangezien hij niet aan het hacken was op het moment dat ze door de voordeur naar binnen kwamen. USA *Today* beschreef Cheese als 'de muis in de DoS-aanval'.
Toen ik weer boven kwam, had LuEllen zich aangekleed. 'Green heeft gebeld,' zei ze. 'Lane en hij hebben kamers genomen in het Radissonhotel in Denton, wat bijna vijfendertig kilometer hiervandaan is.'
'Waarom daar?'
'Omdat Green golf speelt en het daar een soort golfparadijs is.'
'Stomme rotsport,' zei ik.
'Je weet geen bal van golf,' zei ze.
'Door een soort weiland achter een wit balletje aan rennen...'
'Kijk naar de lijst van mensen die golf spelen en zeg dat dan nog eens. Als je hersens in je hoofd hebt, moet je op z'n minst vermoeden dat er meer in zit, ook al speel je het zelf niet.'
Mijn wenkbrauwen gingen omhoog. Ze toonde echt enig fanatisme als ze over het onderwerp praatte, en dat was niets voor LuEllen, de eeuwige cynicus. 'Goh,' zei ik.
'Krijg de pest.'

LuEllen reed. Ik zat naast haar en bestudeerde de bouwtekeningen ter-

wijl ik mijn best deed niet wagenziek te worden. Uiteindelijk gaf ik het op, maar inmiddels had ik al één interessant detail gevonden.
'Corbeils appartement heeft een stil alarm. Het paneel zit in een kast.'
'Kun je de lijnen naar buiten zien?'
'Nee. Alle lijnen vanuit de andere kamers lopen naar een verdeelkast en van daaruit loopt er een lijn naar de begane grond.'
'Of naar een externe beveiligingsdienst, óf naar de receptie van het clubhuis. Of allebei.'
'Het clubhuis zou de snelste reactie opleveren,' zei ik.
'Ja, maar als hij wat meer toeters en bellen wil, een stel profs die met wapens zwaaien, loopt er een lijn naar buiten.'

Het Radisson stond boven op een heuvel, aan de westkant van de snelweg. Het duurde een tijd voordat we de ingang hadden gevonden, maar uiteindelijk lukte het en werden we doorgestuurd naar Lanes kamer. Green deed open. Hij was gekleed in een golfshirt en een beige bandplooibroek. Hij had zijn hand in zijn broekzak, maar haalde hem eruit toen hij ons zag. 'Daar zijn jullie dan.'
Lane lag op het bed naar een film op HBO te kijken. LuEllen, die achter me was binnengekomen, keek over mijn schouder en zei: 'Hé, *Emma*. Ik wist niet dat die op tv was.'
Ze liep langs me heen en liet zich naast Lane op het bed vallen.
'Ik denk dat we in Corbeils appartement gaan inbreken,' zei ik tegen Green en Lane. 'We hebben...'
'Stil,' zei Lane. 'Ze gaan zoenen. Dit duurt maar even.' Emma en haar vriend stonden onder een grote eik. Lane en LuEllen waren een en al aandacht.
'Ik denk dat we...'
'Hou je mond nou even.' LuEllen legde haar vinger over haar lippen.
Ik keek naar het scherm. 'Jezus, wat heeft die vrouw een lange nek.'
'Dat hadden ze in die tijd allemaal,' zei Lane.
'Die film is niet in die tijd gemaakt, die is...'
'Koppen dicht!' riep LuEllen.
Ik keek Green aan, die zijn schouders ophaalde, we liepen naar de andere kant van de kamer, gingen aan tafel zitten en hielden onze mond dicht.

Toen Emma en haar vriend waren getrouwd en de film doorging met hoe het met de anderen was afgelopen, slaakte Lane een zucht en zette ze de tv uit. 'Mijn god, wat ben ik gek op die film.'

'Ik ook,' zei LuEllen. 'Maar weet je wat ik vind? Ze hebben het met Frank niet helemaal goed aangepakt. Ze hadden hem in het begin knapper moeten maken en aan het eind lelijker, om aan te tonen dat Emma zich tot hem aangetrokken voelde.'
'Ik vond hem helemaal niet aantrekkelijk,' zei Lane. 'Ik snap niet hoe hij zelfs maar kon concurreren met...'
'Kunnen we het nu hebben over wat we gaan doen?' vroeg ik.
'Ja, laten we dat doen,' zei Green. 'Want we zijn hier wel in de thuishaven van die jongens.'

We vertelden wat we hadden gedaan, zonder details te geven die later in een rechtszaal tegen ons gebruikt konden worden. Maar op een bepaald punt zouden we hen in vertrouwen moeten nemen.
'We overwegen serieus om in Corbeils appartement te gaan kijken,' zei ik. 'Hij heeft een T-1-aansluiting en we vermoeden dat hij die gebruikt om een snelle verbinding met de computers van AmMath te hebben. Er is een goede kans dat ik die verbinding kan aftappen, wat ons toegang zou verschaffen tot hun mainframe.'
'We hebben de foto's bekeken die je ons hebt gestuurd,' zei Lane, 'maar ik kan er niets bijzonders op ontdekken. Als we nu wisten wie die mensen waren...'
'Die foto's zijn een blinde muur,' zei ik. 'Jack moet iets uit hun computer hebben gehaald wat bij die foto's hoort, en dát moeten we zien te vinden.'
'Ik... eh... heb vroeger, in mijn woonplaats, een paar probleempjes gehad en als ik daar word gepakt, kan ik een lange straf tegemoetzien,' zei Green op bijna verontschuldigende toon.
'Nee, jij kunt daar niet naar binnen,' zei ik. 'Het is geen omgeving waar een zwarte jongen als jij onopgemerkt kan rondlopen. Maar we kunnen wel een extra paar ogen gebruiken.'
'Dat kan ik wel doen,' zei Green. 'Weten we iets over het huis?'
'We hebben dit gevonden,' zei ik, en ik legde mijn hand op de tekeningen. 'Ik heb er al iets op gevonden, maar als we ze allemaal eens goed bekijken, vinden we misschien meer.'

We spreidden de tekeningen uit op de twee bedden alsof het de zondageditie van de *New York Times* was en bekeken ze aandachtig. Ten slotte zei LuEllen: 'Moet je dit zien.' Ze wees op een blanco kubus.
'Een kaal vierkant,' zei Green.
'Een kluis.'
'O, ja?'

'Zeker weten,' zei ze. 'Laat me de detailtekening van die muur zien, en van die ertegenover. Waar is de lijst van de gebruikte materialen trouwens?'

Na een tijdje gingen Lane en LuEllen een paar blikjes cola kopen terwijl Green en ik de tekeningen nog steeds bestudeerden.
'Je bent hier heel goed in,' zei Green na een tijdje. Het klonk als een mededeling, maar er zat ook een vraag in opgesloten.
'Ik doe dit al een tijdje. Niet precies dit, maar dingen die erop lijken.'
'Ik weet het een en ander over Longstreet,' zei hij.
Ik keek hem aan. Longstreet was iets wat in de vergetelheid had moeten raken: een politieke coup in een klein stadje in de delta van de Mississippi, in gang gezet door een aantal smaakvolle, goedgekozen inbraken en een paar slechte momenten op het slagveld, om nog maar te zwijgen van de paar weken ziekenhuis en het lichamelijke herstel die daarop volgden.
'Ik had gehoopt dat de mensen het vergeten zouden zijn,' zei ik ten slotte.
'De meesten zijn het ook vergeten, maar niet iedereen,' zei Green. 'Wat ik wil zeggen, is dat mijn vrienden hebben gezegd dat ik met jou tot het eind moet doorgaan. Dat het belangrijk is.'
'Ik weet niet zeker of het buiten ons kleine groepje ook zo belangrijk is,' zei ik. 'Ik zou niet willen dat je misleid werd.'
'Maak je daar maar geen zorgen over,' zei Green. Hij stond op, rekte zich uit en keek door de glazen schuifdeuren naar de golfbaan. 'Waar ik me zorgen om maak is dat ik me verveel. Het is moeilijk om scherp te blijven als je vastzit op hotelkamers en je verveelt.'
'Speel je golf?'
'Poept een beer in het bos?'
'Waarom ga je niet een partijtje met LuEllen spelen? Zij begint ook wat onrustig te worden. Ondertussen kijk ik nog even naar de tekeningen en hou ik een oogje op Lane.'
'Oké.' Hij beet even op zijn lip en zei toen: 'Volgens mij heeft Lane een oogje op jou.'
'O, ja?'
'Een klein oogje.'
'Ik dacht... nou, omdat jullie al week of zo met elkaar optrekken...'
Green schudde zijn hoofd. 'Ik schijn niet de juiste sociaal-educatieve achtergrond te hebben.'
'Ze discrimineert?'
'Nee, nee, absoluut niet. Maar ze heeft wel een doctorsgraad, terwijl ik

nooit verder dan de middelbare school ben gekomen. Zij heeft iets met... diploma's en doctorstitels.'
'Tja, wat moet ik daarop zeggen?' Ik zei ook niets.

We bleven nog enige tijd naar de bouwtekeningen kijken en toen LuEllen terugkwam zei ik: 'We gaan via de garage naar binnen. Ik kan zorgen dat we tot Corbeils verdieping komen, maar daarna kan ik niets garanderen. Als we geruisloos binnen willen komen, weet ik het niet. Je zult je slothaakjes nodig hebben. Ik denk niet dat we de elektrische kunnen gebruiken. Er zijn daar nog drie appartementen.'
'Hoe wilde je ons naar boven krijgen? Als we niet weten hoe lang we boven blijven, lijkt het me geen goed idee om de lift onklaar te maken.'
Ik legde het uit en LuEllen zei: 'Dat betekent dat we nog een verkenningstochtje en meer gereedschap nodig hebben.'
'Ik dacht aan zaterdagavond,' zei ik. 'In dat artikel dat Bobby heeft gevonden stond dat Corbeil veel uitging. Ik weet niet hoe de zaterdagavonden in Dallas eruitzien...'
'Om een uur of tien?'
'Als het mogelijk is,' zei ik.
'Ik wilde dat ik zijn voordeur kon bekijken,' zei LuEllen.

De daaropvolgende drie dagen speelden Green en LuEllen elke dag zesendertig holes op de golfbaan van het Radisson terwijl Lane en ik rondhingen, soms samen en soms apart. Ik tekende veel en zij zat veel on line met haar bedrijf in Palo Alto.
LuEllen bleek een uitstekend golfer. 'Ik ben goed,' zei Green op een avond, 'maar zij is beter. Als ze wat jonger was en eraan werkte, denk ik dat ze zou kunnen meedraaien in het damescircuit.'
'Ik kan niet putten,' zei LuEllen.
'Je zou kunnen putten als je wat meer geduld had,' zei hij. 'Je kijkt niet goed...' Waarna ze terechtkwamen in het zoveelste ellenlange meningsverschil over putten – of clippen of pitchen of hoe dat ook heet – en Lane en ik ons schouderophalend afwendden.
De avonden en nachten waren interessanter. LuEllen en ik observeerden Corbeils appartement vanaf de golfbaan terwijl Green en Lane rondjes om het perceel reden, naar de politieradio luisterden en op patrouillewagens letten. We hadden Motorola-walkietalkies gekocht – die blijkbaar door jagers werden gebruikt, want ze waren uitgevoerd in camouflagekleuren – zodat ze ons onmiddellijk konden waarschuwen als er iets mis was. We hadden een betere plek gevonden om over het hek te komen,

twee ongelijke stukken die samenkwamen op een straathoek. Vanaf de ene kant bleef je helemaal uit het zicht en vanaf de andere leek het net alsof we de hoek om liepen. Vanaf de overige twee kanten waren we wel te zien, maar er was weinig verkeer en we konden wachten tot er niemand aankwam.
Op woensdagavond namen we een kijkje bij de garage. De ingang bevond zich aan het uiteinde van het gebouw en was in het landschap verwerkt, wat voor ons een voordeel was. Vanaf de golfbaan konden we er vlakbij komen zonder gezien te worden. De garage werd afgesloten door een stalen roldeur die geopend werd met een pasje. Als ik zo'n pasje vijftien seconden in handen zou hebben, was de toegangscode gemakkelijk genoeg te dupliceren – je kon de onderdelen ervoor bij Radio Shack kopen – maar die vijftien seconden konden een probleem zijn. Geen onoverkomelijk probleem, maar er bleek een eenvoudiger manier te zijn.
Wanneer de deur openging, bleef hij open totdat de auto de garage in of uit was gereden en daarna nog een paar seconden. De deur reageerde op een eenvoudige foto-elektrische cel; het pasje opende de deur en zolang de auto een van de twee cellen blokkeerde, bleef hij open. Het enige wat we hoefden te doen, was de cel afdekken als er een auto naar buiten kwam. De deur zou omhoog blijven totdat de blokkade werd opgeheven. Eenmaal binnen konden we de dienstlift naar boven nemen.

Op donderdag kregen we van Bobby een stel foto's van Corbeil. We prentten zijn gezicht in ons geheugen en wisten de foto's van de harde schijf van de computer. Diezelfde avond vond LuEllen een boom waar ze in kon klimmen en door de grote ramen van een appartement op de eerste verdieping kon kijken.
'Als zijn deur hetzelfde is, is het een gewone houten deur met stalen posten,' zei ze toen ze weer beneden was. 'Ik kon geen sloten zien, maar we kunnen ervan uitgaan dat die goed zijn.'
Op vrijdagavond lagen we in het gras voor het appartementengebouw en luisterden we naar een stel dat twintig meter verderop op een deken lag te vrijen. Dat duurde langer dan we voor mogelijk hielden, waarna het tweetal in gesprek raakte over twee mensen die Rhonda en Dave heetten en die hun respectievelijke echtgenoten bleken te zijn, waarna ze vervolgens de vrijpartij nog eens dunnetjes overdeden.
'Ze zijn vast een stuk jonger dan wij,' fluisterde ik naar LuEllen.
'Jonger dan jij, zul je bedoelen,' fluisterde ze terug. 'Tenzij je je natuurlijk de hele middag, als ik aan het golfen ben, aan Lane vergrijpt.'

'Wat krijgen we nou verdomme?' vroeg ik. 'Hoe kun je zoiets van me denken?'
Enzovoort.
Om negen uur stopte er een witte limousine voor het appartementengebouw, waar een jonge vrouw uit stapte. Het was een blonde, heel aantrekkelijke vrouw met een lange nek, zoals de vrouw in *Emma*. Ze was echter niet gekleed als Emma, maar als een topmodel. Haar zwarte minirokje kostte waarschijnlijk net zoveel als een vakantiehuisje op het platteland, en als het korter was geweest, had ze de staatsgrens niet kunnen oversteken zonder gearresteerd te worden.
Acht minuten later gingen er in Corbeils appartement een paar lichten uit en twee minuten daarna, op het moment dat het stel naast ons kreunend en hijgend het zoveelste orgasme naderde, kwam ze weer naar buiten, met St. John Corbeil twee passen achter haar. Corbeil liep op die kenmerkende stijve, kaarsrechte militaire-academiemanier, alsof hij onder het lopen een golfbal tussen zijn dijen probeerde te klemmen. Hij was niet bijzonder groot; meer zo'n gedrongen type met een klein hoofd en brede schouders dat op de middelbare school aan worstelen had gedaan.
LuEllen, die de verrekijker had, concentreerde zich op hem met de zwijgende intensiteit die aantrekkelijke vrouwen krijgen als ze het gevoel hebben dat ze opstijgen van de aarde en er als een satelliet omheen beginnen te draaien. Tenminste, dat dacht ik op dat moment.
Toen Corbeil en zijn vriendin vertrokken waren, wachtten we nog een tijd totdat het overspelige stel naast ons besloot dat het eindelijk genoeg had gehad. Na een laatste omhelzing en haastige kus gingen ze ieder hun eigen weg en zodra ze uit het zicht verdwenen waren, staken we de golfbaan over. We waren halverwege, in het duister, toen LuEllen zei: 'Ik moet vannacht even weg.'
We meldden ons af bij Green en Lane en terug in het motel begon LuEllen onmiddellijk uit het hoofd een paar telefoonnummers te bellen. Ze was op zoek naar speciaal gereedschap en een leverancier die zo dicht mogelijk in de buurt woonde. Even voor middernacht had ze de juiste man aan de lijn, praatte een paar minuten met hem en legde ten slotte de hoorn op de haak.
'Gevonden?' vroeg ik.
'Ja. En er komt een lichte wijziging in de plannen. We gaan niet stilletjes en onopvallend naar binnen; we gaan keihard naar binnen. We gaan zijn kluis eruit halen.'
'Dat zullen ze horen.'

'Misschien wel, maar misschien ook niet...'
Ze vertelde me wat ze van plan was, terwijl ze zich omkleedde en een zwarte spijkerbroek en een zwart jasje aantrok. 'Ik heb de auto nodig.'
'Waar ga je naartoe?'
'De stad uit,' zei ze. 'Naar een vriend van me.'
'Hoe laat ben je terug?'
'Heel laat of morgenochtend vroeg,' zei ze. 'Trouwens, je mag best weten waar ik naartoe ga. Ik ga naar Shreveport.'
'Ik kan je brengen.'
'Nee, ik kan beter alleen gaan. Die jongen is wat nerveus aangelegd, maar meestal is hij wel oké.'
'Meestal?'
'Je kent dat wel. Zolang hij zijn medicijnen inneemt.'

17

Ik bleef die nacht op LuEllens kamer en besteedde zevenentwintig dollar aan *pay-tv* terwijl ik op haar wachtte, want ik kon onmogelijk slapen voordat ze terug was. Ze kent veel mensen die duistere zaken doen en die niet allemaal vrienden van haar zijn, en ze komt op plekken waar vrouwen na het invallen van het duister beter niet kunnen komen. Dat heeft niets met seksisme te maken; het is de simpele realiteit van de ongure getto's waar zij haar gereedschap koopt.
Toen ik genoeg had van de films, boog ik me weer over de bouwtekeningen en volgde ik elke leiding en buis die door het appartement liep, en vooral alles wat naar buiten kwam. Twee leidingen zagen er bijzonder problematisch uit: de ene kon zijn – en was dat waarschijnlijk ook – van de camera die het interieur van de parkeergarage in de gaten hield. Het was onmogelijk te zeggen hoe hij gericht stond, of hij livebeelden leverde en of er voortdurend een band meeliep. Een andere leiding eindigde in een verticaal schakelbord in de schacht van de dienstlift, en ik wist bijna zeker dat het om vloersensors ging. En als ze iets anders waren, infrarode bewegingssensors, hadden we een nog groter probleem. LuEllen had een nachtkijker in de tas waarin ze ook haar camera's bewaarde, en als we eenmaal in de liftschacht waren, kon ik de kijker gebruiken om te zien of er andere beveiligingsapparatuur was.
En als we in de schacht waren, zouden we met behulp van een klimuitrusting via de kabels naar boven gaan. Dat is gemakkelijker dan het klinkt, als je over de juiste uitrusting beschikt. De enige andere mogelijkheid met een lift met een pasjesslot was een pasje stelen of de lift onklaar maken door de bedrading achter het slot te vernielen. Dat zou tijd kosten, herrie veroorzaken en iedereen die de lift na ons wilde gebruiken argwanend maken. Klimmen was gemakkelijker en niemand zou het zien.

LuEllen bleef meer dan zeven uur weg en ik stond bij de deur toen ze binnenkwam. Ze had een tas bij zich, hetzelfde soort tas dat ik meenam

als ik een weekje ging vissen. De tas rinkelde toen ze hem op de grond zette.
'Dat klinkt als bouwgereedschap,' zei ik.
'Sloopgereedschap,' zei ze. 'Er kan maar beter iets in die kluis zitten, want dit spul was niet goedkoop.' Ze klonk scherp en elk woord kwam duidelijk en als machinegeweervuur haar mond uit. Ze was gretig, opgewonden, klaar om te gaan en haar ogen fonkelden...
'O nee, je hebt toch niets gesnoven, hè?'
'Een klein beetje. En een beetje voor morgen. Vandaag.'
'Verdomme.' Ik draaide me om.
'Hé...'

Oké, ik liet het gaan, zoals ik altijd deed. LuEllen snuift van tijd tot tijd een beetje coke, en soms wel meer dan een beetje. Ik haat die troep. Soms, na een lange dag op het water, rook ik een joint. Ik gebruik zelfs wel eens een beetje amfetamine, als er een reden voor is. Maar cocaïne en heroïne... je gaat dood aan die troep. En als de drugs daar niet voor zorgen, doen de dealers het wel.

We bleven tot ruim na twaalf uur in bed. LuEllen had de hele nacht liggen stuiteren als gevolg van de cocaïne. Later op de dag zou ze slaap krijgen. Om twee uur in de middag stond ik op, niet uitgeslapen, en keek ik uit het raam. Het was weer een prachtige dag. Ik ging me opfrissen en toen ik onder de douche vandaan stapte, kwam LuEllen eindelijk uit bed kruipen.
'Gaat het?' vroeg ik.
'Nee.' Ze zat nog steeds in de neergaande lijn.
'Ga onder de douche staan.'
'Ja.'
Toen ze onder de douche vandaan kwam, maar nog steeds wat versuft was, zette ik haar in de auto, met de tas gereedschap op de achterbank, en gingen we op zoek naar eten. Daarna begon ze op te leven. We reden naar de golfbaan, parkeerden aan de overkant en gingen de receptie zitten observeren. Die beschikte – zoals we al op LuEllens video-opnames hadden gezien – over maar één bewakingsmonitor.
'Kijk,' zei ze. 'Zie je waar hij staat?' We zaten er tweehonderd meter vandaan, maar we konden hem door de glazen voorpui in de receptie zien staan.
'Ja.'
'De monitor staat links van die vent. Moet je opletten.' Ze haalde

haar mobiele telefoon tevoorschijn en toetste een nummer in. De bewaker strekte zich, deed een paar passen naar rechts en nam de telefoon op.
LuEllen zei in de telefoon: 'Hebben jullie Prince Albert-bier in blik?' En ze zette de telefoon weer uit.
De man hing hoofdschuddend op en liep weer naar de plek waar hij daarvoor had gestaan. Het leek erop dat hij iets stond te lezen.
'Dus?'
'Dus als hij de telefoon opneemt, kan hij de monitor niet zien,' zei ze. 'Trouwens, als de monitor wisselt tussen de beelden van de verschillende camera's, is er een goede kans dat hij ons helemaal niet ziet.'
'Het kost ons tien seconden om naar binnen te gaan en door te lopen naar de dienstlift,' zei ik.
'Hmm.'
'Maar dan weten we niet of we gezien zijn of niet.'
'Dat is het leuke,' zei ze. 'Die onzekerheid.'

We reden weg bij het appartement van Corbeil en gingen terug naar het Radisson, waar LuEllen en Green weer een paar ballen gingen slaan terwijl ik me opnieuw over de tekeningen boog. Lane, die meekeek over mijn schouder en op een rauwe wortel stond te knagen, kwam met het idee dat een paar kamers in Corbeils appartement mogelijk van een inwonend dienstmeisje konden zijn. Op de tekening werden ze 'gastenverblijf' genoemd, maar ze konden beide zijn. We praatten er nog even over door en ten slotte haalde ik het bedradings- en leidingenschema voor de dag. We zagen dat er geen gasleiding voor een fornuis of geaarde elektriciteitsleiding voor een wasdroger naartoe liep, dus vermoedelijk was het een logeerkamer.
'We moeten bellen,' zei ik. 'Om het kwartier.'

Kort nadat het donker werd, begonnen we te bellen. De telefoon ging vier keer over en toen kregen we Corbeils antwoorddienst aan de lijn. Ik begon de adrenaline te voelen en LuEllen liep de tuin in om nog een lijntje coke te snuiven. Om tien uur vertrokken we, LuEllen en ik in de ene auto en Green en Lane in de andere.
Ik zette LuEllen af op de hoek waar ze over het hek zou gaan en onmiddellijk daarna was ze verdwenen. Ik reed de hoek om, zette de auto weg en ging vijf minuten later over het hek. LuEllen wachtte op me. We hadden al het gereedschap in handdoeken gewikkeld en waren redelijk geruisloos toen we ons behoedzaam tussen de bomen door in de rich-

ting van Corbeils appartement bewogen. Halverwege bleef ik staan om het radiocontact met Green te checken.
'Hoor je me?'
'Yep.'

We kwamen weer in beweging. Die manier van bewegen vereiste een techniek die jagers de 'stille jacht' noemen en waarvoor enige discipline nodig is. LuEllen en ik hadden het onafhankelijk van elkaar geleerd, vooral om uit de gevangenis te blijven. Je deed drie stappen vooruit en bleef staan om te luisteren. Dan deed je vijf stappen en bleef je weer staan om te luisteren. Je schoot op deze manier sneller op dan je zou vermoeden, geruisloos, zodat je bijna altijd de anderen eerder hoorde dan zij jou hoorden.
Het kostte ons een kwartier om bij Corbeils appartementengebouw te komen, maar het was het waard, al was het alleen maar voor ons zelfvertrouwen. Want als we werden gepakt met LuEllens zwarte tas voor gereedschap, zou er geen uitleggen meer aan zijn.

Aan de rand van de golfbaan bleven we staan onder de beschutting van de laaghangende takken van een pijnboom, en luisterden we. Twintig minuten bleven we zo staan, en we hoorden niets en zagen evenmin iets bewegen. Afgezien van de infrarode gloed van de nachtkijker was het donker in Corbeils appartement.
'Oké, we doen het,' zei ik.
'Ik pak de molen.'
Ze had het handvat van een oude Penn-werphengel meegebracht, met een molen vol vislijn. Aan het uiteinde van de lijn hadden we een zwarte 3,5-inch diskette gebonden.
Wat ik ging doen was niet zo moeilijk, maar ik begaf me wel op open terrein en dat was altijd een risico. Nadat ik een laatste keer om me heen had gekeken, kwam ik achter de boom vandaan en sloop ik naar de ingang van de garage terwijl ik de vislijn achter me aan sleepte.
Twee meter voor de ingang stond het paaltje met de foto-elektrische cel die keek naar een tweede foto-elektrische cel aan de overkant van de afrit. Ik plakte de diskette op het metalen kastje, alleen aan de bovenkant, zodat hij kon scharnieren en omhoog kon blijven staan of neergelaten kon worden. Daarna wandelde ik langs de zijkant van het gebouw terug alsof ik op weg was naar de golfbaan. Een minuut later hurkte ik weer neer naast LuEllen.
Normaal gesproken, als iemand zijn auto uit de garage zou rijden, zou

hij of zij de deur vanaf de binnenkant openen met behulp van een afstandsbediening, waarna de foto-elektrische cellen aan de binnen- en buitenkant ervoor zorgden dat de deur omhoog bleef en niet op de auto terechtkwam, mocht deze om de een of andere reden stoppen. Zolang een van de twee foto-elektrische cellen werd geblokkeerd, zou de deur omhoog blijven. De tijd die de deur nodig had om omhoog en weer omlaag te gaan was eigenlijk voldoende voor ons om naar binnen te glippen, maar we wilden niet gezien worden door de bestuurder van de vertrekkende auto. Als de buitenste foto-elektrische cel echter geblokkeerd werd, zou de deur omhoog blijven totdat we die blokkade ophieven.

We konden het oog niet gewoon afdekken, want wanneer er een auto naar binnen wilde en het oog was geblokkeerd, zou de garagedeur open blijven staan en zou degene die de garage was binnengereden dat waarschijnlijk zien. Daarom hadden we het scharnierende afdekplaatje nodig.

In feite stelde het allemaal niets voor en we hadden het beiden eerder gedaan, maar het wachten was moordend. In de afgelopen week, toen we ons verkenningswerk deden, was er eens in het kwartier een auto de garage in of uit gereden. Het langst wat we hadden moeten wachten was een halfuur geweest. Deze keer moesten we drie kwartier wachten en zelfs toen hadden we pech. Toen de deur eindelijk omhoogging en de auto de garage uit kwam, stopte hij en reed hij achteruit weer naar binnen.

Ik bracht de radio naar mijn mond en zei: ‘Laat je naaien.’

‘Goed idee,’ antwoordde Green.

Ik stak mijn armen door de hengsels van LuEllens zwarte tas, hees hem op mijn rug en kwam overeind. Een bruine Town Car kwam de garage uit en de deur bleef omhoog. De auto reed door en LuEllen drukte op de voorkeurtoets van haar mobiele telefoon. En toen de auto uit het zicht verdwenen was, fluisterde ze: ‘Kom op.’

We gingen op weg en toen we bij de oprit waren, zei LuEllen in de telefoon: ‘George? Ben jij het, George? Zeg me nou niet dat ik weer verkeerd verbonden ben, vriend...’

De bewaker op de receptie, die ze aan de lijn had, hing uiteindelijk op, maar tegen die tijd hadden we de dertig meter naar de garage al lang overbrugd en stonden we binnen bij de dienstlift achter een betonnen pilaar. De liftdeuren waren dicht maar toen ik op de knop drukte, gleden ze meteen open. Het plafondlicht ging aan en ik duwde de zwarte tas

ertegenaan totdat LuEllen de deuren had gesloten.
'Luik,' fluisterde ze.
Ik haakte mijn handen in elkaar en maakte een opstapje, zoals ik in Jacks huis voor Lane had gedaan. LuEllen zette haar voet erin en duwde het plafondluik een stukje omhoog. Ze stak de nachtkijker erdoorheen en controleerde de schacht op infrarode bewegingsdetectors en andere zaken die ons zouden kunnen verraden.
'We kunnen,' fluisterde ze, en ze duwde het luik verder omhoog. Ik duwde haar erdoorheen, gaf de tas aan en klom haar achterna. Bij de naalddunne lichtstraaltjes van onze zaklantaarns bevestigden we onze Jumar-klimijzers aan de kabels, legden het luik terug en begonnen in het duister omhoog te klimmen.
In vijf minuten klommen we acht verdiepingen omhoog. Toen we voor de liftdeuren van Corbeils verdieping hingen, haalde LuEllen eerst een stethoscoop uit haar zak, zette die op de deur en luisterde. Niets. Daarna drukte ze de volgende voorkeurtoets van haar mobiele telefoon in, die van Corbeils appartement. Opnieuw geen antwoord. Ze gaf me een tikje op de schouder, maar ik had de mechanische deuropener al klaar. Ik stak de bekken in de kier en samen wrongen we de deuren open. LuEllen keek even om de hoek met behulp van een spiegeltje en klauterde de hal in. Ik kwam haar na vijf seconden achterna met de tas.
De hal zag eruit zoals hallen van huizen van rijke mensen eruit horen te zien en was zo ontworpen dat Corbeil en zijn buren elkaar zo weinig mogelijk zouden tegenkomen. De hal bij de lift splitste zich in twee gangen, waarvan de ene naar Corbeils appartement en de andere naar dat van zijn buren liep.
Beide gangen maakten kort na het begin meteen een scherpe bocht. Toen we uit de liftschacht waren gekropen en de gang naar Corbeils appartement in liepen, waren we zijn deur al voorbij voordat we het in de gaten hadden.
We liepen terug en bij de deur nam LuEllen de opener van me over. Ze wrong de platte bekken tussen de deur en de stalen post, schoof een stalen wiel over de vierkante as boven aan het apparaat en deed een stap achteruit om mij eraan te laten draaien. De kracht die op de bekken werd overgebracht was enorm. Je moest het wiel vijf of zes keer ronddraaien voor elke centimeter dat de bekken uit elkaar schoven, maar er was niets tegen bestand. Even later bezweek de deur en sprong hij met een klik open.
LuEllen was achter me gaan staan met een zwaar jachtmes in haar hand en toen de deur opensprong, schoot ze onmiddellijk naar binnen en liep

ze rechtstreeks naar de kast waar – dachten we – de display van de alarminstallatie zat. Ondertussen haalde ik de bos van vijftig meter bergbeklimmerstouw uit de tas en begon deze af te rollen.
Terwijl ik dat deed, telde ik de seconden af. Er bestaan alarmsystemen die je tot twee minuten tijd geven om de code in te toetsen. Maar er zijn er ook die je veel minder geven. Zodra we het appartement waren binnengekomen, was er een zacht gepiep hoorbaar geworden. Het volgende moment zat ze in de kast en deed ik de deur achter ons dicht.
Twintig seconden. Ik hoorde gerommel gevolgd door een schavend geluid, daarna was het stil afgezien van het zachte *bliep-bliep-bliep*, en toen ineens *blieeeeeeeeeeeeeeep*! Dertig seconden. De tijd was om. Verdomme. De kortst mogelijke vertraging. Maar op dat moment verscheen het silhouet van LuEllen in de deuropening. 'Voor elkaar,' zei ze op bijna normale toon.
'Ik doe de lijn,' zei ik. Inmiddels droop ik van het zweet. Ik had aan bedrijfsspionage gedaan en was op talloze plekken geweest waar ik niet hoorde te zijn, maar inbreken in een appartement was mijn stijl niet.
'Moet je de vloerbedekking zien,' zei LuEllen.
Ik keek omlaag, bijgelicht door haar zaklantaarn, en zag dat we vieze, zwarte voetstappen hadden achtergelaten. 'Shit,' zei ik. De voetstappen liepen door tot in de gang en waarschijnlijk tot aan de lift toe, hoewel ze in het gedempte licht in de hal minder goed te zien waren. 'Laten we eerst de lijn zekeren. We zullen erop moeten gokken dat niemand ze ziet.'
Weer een onvoorzien risico.
We maakten een snelle ronde door het appartement om ons ervan te overtuigen dat er niemand was. In de gang bleef ik even staan om LuEllens werk met het alarm te bewonderen. Ze had het jachtmes gebruikt om een stuk uit de kunststof behuizing te snijden. Je kon niet zomaar de draden eruit trekken of doorsnijden, want dan zou de beveiligingsdienst gealarmeerd worden. Vervolgens had ze de draden gestript, er twee omgeleid en vervolgens de draad ertussen doorgeknipt. De ene omleiding had de display tot zwijgen gebracht en de andere hield het circuit in stand, zodat er geen alarm geslagen zou worden. Ze had er ongeveer vijfentwintig seconden voor nodig gehad.
De kamers waarover we ons zorgen hadden gemaakt, mogelijk die van een inwonend dienstmeisje, waren gewoon logeerkamers. De computer stond in een kleine, praktisch ingerichte werkkamer. 'Niet naar binnen gaan,' zei ik. 'Doorlopen.'
Het balkon liep over de hele breedte van het appartement. We namen

even tijd om met de nachtkijker de aangrenzende balkons te bekijken, deden toen voorzichtig de deur open en luisterden. Ik hoorde muziek, van een radio of cd-speler, maar die was gedempt, binnen. Ik sloeg het klimtouw met een lus om een van de steunpilaren van het balkon en legde het zo neer dat ik het in één beweging over de rand kon schoppen. Als er iemand door de voordeur naar binnen kwam, konden we in minder dan een minuut via de zijkant van het gebouw beneden zijn en het touw achter ons lostrekken.

Daarna gingen we op zoek naar de kluis, die mooi was weggewerkt achter houten panelen. 'Ik neem deze voor mijn rekening,' zei LuEllen. 'Doe jij jouw werk.'

Ik liep een paar keer heen en weer door de kamer en liep er nog een rondje doorheen, waarbij ik overal vuile voetstappen achterliet, terwijl LuEllen haar gereedschap uitpakte. Toen er voldoende op de vloerbedekking stonden, liep ik naar de gang, waar ik mijn schoenen, jack, broek en vuile keukenhandschoenen uittrok, waarna ik in mijn onderbroek en op mijn sokken doorliep naar Corbeils werkkamer.

LuEllen maakte veel minder herrie dan ik had verwacht. Ze was hier goed in en wat ze deed, was meer een afleidingsmanoeuvre dan een serieuze poging om de kluis te kraken. Zolang Corbeil zich zorgen maakte om zijn kluis en niet om zijn computer, zaten wij goed.

In zijn werkkamer deed ik de deur achter me dicht en het licht aan. Wat ik ging doen, was heel simpel: ik ging een programmaatje laden dat alles wat hij op zijn toetsenbord typte, opsloeg in een bestandje op zijn harde schijf. Een tweede programmaatje – dat ik zelf had geschreven – stuurde het bestandje door naar een nieuw postbakje op het Net, waarna het alle sporen zou uitwissen. De enige vraag was of Corbeil zijn computer op de een of andere manier met hardware of software tegen inbraak had beveiligd.

Ik nam twintig minuten om dat uit te zoeken en kwam ten slotte tot de conclusie dat dat niet het geval was. Ik had het ook niet verwacht, maar je kunt het nooit zeker weten, ook niet na twintig minuten.

Toen ik mijn software geïnstalleerd had, bekeek ik de rest van zijn werktafel en vond ik een paar Zip-disks die ik naar mijn eigen Zip-disks kopieerde.

Ik was er net mee klaar toen ik LuEllen op de deur hoorde kloppen. Ik deed het licht uit en opende de deur op een kier. 'Ik ben bijna klaar,' zei ik.

'Ga je aankleden. Ik heb je hulp nodig.'

In de werkkamer had LuEllen twee dingen gedaan: met een zwaar breekijzer, dat was voorzien van een vlijmscherpe rand, had ze de muur rondom de cilindervormige kluis weggestoken. De kluis zat verankerd in beton, in een stalen frame dat vermoedelijk met bouten aan de stalen steunbalken van het appartement zat bevestigd. Rondom de kluis zelf had ze een vijfkantige stalen kraag aangebracht.

Vervolgens had ze in de muur ertegenover een tweede gat gemaakt, op dezelfde hoogte, en had ze de andere steunbalk blootgelegd. De muren bestonden uit zandsteen met een stuclaag, dus het wegsteken had weinig problemen opgeleverd. Ze had een stalen kabel om de steunbalk geslagen, aan de kraag om de kluis bevestigd en vervolgens door een treklier geleid.

De treklier had een rolstang met een breedte van negentig centimeter en een trekstang van één meter twintig. De stalen kabel stond al zo strak dat je eroverheen kon lopen.

'Kijk,' zei ze. 'De kluis komt in beweging. Het beton begint af te brokkelen; ik kan het horen. Maar er staat zo veel spanning op de kabel, dat de kluis, als hij loskomt, de kamer in zal vliegen.'

'Jezus.'

'Hij zal niet ver vliegen, maar het zal wel een rotklap geven die ze in het hele gebouw zullen horen. Dus ga ik erbij staan terwijl jij pompt.'

Aldus pompte ik de hendel op en neer terwijl zij naast de kluis stond en naar de betonnen bewapening keek. 'Het begint te breken... Het brokkelt af... Stop.'

Ik stopte en zij keek weer langs de kluis.

'Nog één duwtje.' Ik deed het en opeens brak de kluis los.

'Oké, oké...'

We werkten hard en zo geruisloos mogelijk, en het kostte nog eens tien minuten om de laatste restjes los te steken. Toen de kluis uiteindelijk naar buiten kwam, ving ik hem op, wankelde ermee achteruit en liet hem op de bank vallen.

'Die krijgen we nooit langs de kabels in de liftschacht naar beneden,' zei ik. 'Dat ding is loodzwaar. Ik zou van de kabels vallen door het gewicht.'

'We kunnen hem hier niet achterlaten,' drong ze aan. 'Hij is al bijna van ons.'

'LuEllen, dat verdomde ding is als een autoaccu van honderd kilo. Ik kan hem van de ene plek naar de andere sjouwen, maar hij is gewoon te zwaar voor zo'n klein ding.'

'Nou, verdomme, Kidd...' Ze liep een rondje door de kamer. 'Wacht,' zei ze, en ze liep de kamer uit, naar het achterste deel van het appartement.

Even later was ze weer terug en had ze een zwart satijnen laken in haar hand. 'We nemen de kluis mee. Ik help je.'
'Wat ben je van plan?'
'Help me nou maar.'
We vouwden het laken dubbel en zetten de kluis in het midden, zodat we het aan de hoeken konden optillen. LuEllen is zo sterk als een paard. Ze knoopte de twee hoeken aan elkaar, gebaarde mij hetzelfde te doen, stak haar arm erdoorheen en hees de provisorische draagband op haar schouder, waarna ze me voorging door de kamer en het balkon op liep.
'Wat gaan we doen?' fluisterde ik.
'Via deze weg.'
'O, nee.'
'Jawel, het kan. We kiepen hem over de reling, hij valt recht naar beneden en komt op de zachte bodem terecht.'
'Ah, jezus.' Ik liet mijn blik over de donkere golfbaan gaan. 'Iemand zal ons zien.'
'Weinig kans.' Ze grijsde naar me. Dit was waar ze voor leefde, en waardoor ze op een dag misschien in de gevangenis terecht zou komen. 'Kom op, Kidd, wees een vent.'
'Ah, shit.'
Voordat ik besloot een vent te zijn, nam ik contact op met Green. 'Iets te zien?'
'Geen kip.'
'Rij een rondje en kijk wat je ziet.'
'Momentje,' zei Green.
Ik wachtte totdat hij zich weer meldde. 'De man leest een tijdschrift.'
'Oké, smeer hem,' zei ik.
'Roger.' Hij lachte nog net niet.
Ik tilde de kluis op, kreunde, boog me over de reling, hield hem zover mogelijk van me af en liet hem los. Twee seconden later kwam hij met een doffe klap acht verdiepingen lager op de grond terecht. Het klonk als een kleine auto die tegen een houten telefoonpaal reed.
We bleven doodstil staan en luisterden. Hapte er iemand naar adem? Slaakte iemand een kreet van verbazing? Nee. In de verte reed een auto weg, dat was alles.
'Zie je?' zei LuEllen. 'Niks aan.'

Het zou waarschijnlijk veiliger zijn om weer via de kabels in de liftschacht naar beneden te gaan, maar LuEllen overtuigde me ervan dat

we beter langs de zijkant van het gebouw konden gaan. 'Er is niemand op de balkons,' fluisterde ze. 'Er kan ons niets gebeuren.'
'Jezus.'
'Over tien seconden zijn we beneden.'
Het duurde iets langer. Ik stond erop nog een paar keer door het appartement te lopen, uit de buurt van de computer te blijven maar verder overal vuile voetstappen te maken. We pakten de tas in, klommen over de reling en lieten ons omlaag glijden. Beneden trok LuEllen het touw los en nam zij de tas voor haar rekening terwijl ik probeerde de kluis op te tillen. Ik kon er ongeveer honderd meter mee lopen voordat ik moest stoppen. We tilden hem op een van de dekens die we hadden meegebracht, knoopten de hoeken aan elkaar en brachten hem zo in tien minuten naar de rand van de golfbaan.
Ik stuurde LuEllen met de dekens vooruit naar de auto. Ze spreidde ze uit op de achterbank, reed de auto tot vlak naast het hek, ik gooide de kluis eroverheen, klom er zelf achteraan, pakte de kluis op en tilde hem op de achterbank.
Niks aan.

18

LuEllen raakt altijd opgefokt als ze ergens binnen is geweest waar ze niet had mogen zijn. Het was dan net alsof je met een hyperactief kind te maken had, en je moest haar kalmeren en afremmen. Vanavond wilde ze de auto, de kluis en het gereedschap.
'Waar ga je naartoe?'
'Naar Shreveport,' zei ze. 'Als ik het gereedschap teruggeef, maakt hij gratis de kluis open.'
'Hij blaast hem toch niet op?'
Ze rolde met haar ogen. 'Jezus, Kidd, sinds Bonny en Clyde blaast niemand nog kluizen op. Hij snijdt hem gewoon open met een thermische lans.'
Ze zette me af bij het motel en toen ik uitstapte, zei ik: 'Cruise control.'
'Reken maar.'
Wanneer je op de vlucht bent, moet je altijd je cruise control gebruiken. Als je op de snelweg vijf kilometer boven de maximumsnelheid zit, schenkt geen motoragent ter wereld enige aandacht aan je. Als je de cruise control niet gebruikt, zal de adrenaline in je bloed er uiteindelijk voor zorgen dat je met honderdtachtig langs een motoragent vliegt, terwijl je denkt dat je negentig rijdt.

Toen LuEllen uit het zicht was verdwenen, wandelde ik zes blokken naar een telefooncel bij een benzinestation. Toen ik haar had gebeld, ging ik on line om in mijn nieuwe postbakje te kijken.
Lane was bijna net zo opgefokt als LuEllen.
'Wat hebben jullie gevonden? Waarom ben je niet hiernaartoe gekomen?'
'We weten nog niet wat we hebben gevonden. Het is een kluis en die moet opengemaakt worden. LuEllen zorgt daarvoor, maar ze zal niet voor morgenochtend terug zijn.'
'En zijn computer?'
'Die kunnen we on line nagaan. Ik ga dat zo meteen doen.'
'Verdomme, Kidd, ik sta stijf van de zenuwen, zelfs al waren we er niet

bij. Ik heb het niet meer. Dit is echt iets voor mijn memoires.'
'Als je het maar laat,' zei ik. 'Dit is niet eens iets voor je geheugen.'
Het nieuwe postbakje was speciaal geïnstalleerd om alles op te vangen wat Corbeil met zijn toetsenbord in zijn computer voerde. Het was leeg. Ik had ook niets anders verwacht. Corbeil, het sociale gezelligheidsdier, de stapper, zou pas laat thuiskomen, áls hij thuiskwam, tenzij iemand zijn opengebroken voordeur ontdekte.

Ten slotte ging ik on line met Bobby. Hij had niets nieuws te melden over Jacks Jaz-disks, maar hij was ervan overtuigd dat de aanval op de belastingdienst uit Europa afkomstig was.

Ik heb een paar computers in Duitsland gevonden, plus een paar zombiecomputers in de VS, die de aanval doorsturen. Zend info door naar NSA-contact om aandacht van eerdergenoemde namen af te leiden.
Ze is geen licht. Misschien vestig je te veel hoop op domme mensen.
Moet aandacht afleiden. Oude namen worden nog steeds onder vuur genomen.
Pas goed op jezelf.
Jij ook.

Een paar uur voor zonsopgang ging ik naar bed, maar ik maakte me nog steeds zorgen over LuEllen. Ik sliep drie uur, kon mijn ogen toen niet meer dichthouden, stond net zo moe weer op en viel bijna op mijn gezicht. Ik had de afgelopen nacht al wat gevoeld, maar nu schreeuwde elke spier in mijn lichaam het uit van de pijn. Die verdomde kluis. Ik wist wat spierpijn was, had daar al last van als ik 's morgens mijn stoep sneeuwvrij maakte, maar dit was ongeveer honderd keer zo erg.
Ik strompelde naar de badkamer, nam zes ibuprofens in, schoor me en ging een kwartier onder een gloeiend hete douche staan. Spierpijn moest je met ijs bewerken, niet met warmte, maar dit was overmacht, want ik zou mezelf in een hoop sneeuw moeten ingraven als ik alle spieren die zeer deden wilde afkoelen. Door de warmte was de pijn in elk geval draaglijk.
Ik stond me af te drogen, heel langzaam, toen ik opeens voelde – een

voorgevoel zonder negatieve vibratie – dat LuEllen terug was. Ik liep naar het raam, deed de gordijnen op een kier en keek neer op het parkeerterrein van het hotel. Het was weer een prachtige dag met zo'n droge, vroege ochtend die we in Minnesota niet kenden. Van LuEllen was geen spoor te bekennen.

Tot zover dit voorgevoel. Maar toen ik me had afgedroogd, had ik weer een voorgevoel. Ik had net iets belangrijks gezien, maar ik wist niet wat. Wat was het? Ik liep een rondje door de kamer, keek weer uit het raam, bekeek mezelf in de spiegel en keek naar mijn handdoek. Wat was het, verdomme?

Ik had geen idee, gaf het op en kleedde me langzaam aan. Mijn rug en onderarmen deden het meest pijn, en ook de binnenkant van mijn dijen was niet in orde. Het enige wat geen pijn deed, was mijn haar. Ik liep de kamer uit, wilde naar beneden om te ontbijten en beleefde een derde voorgevoel, deze keer weer over LuEllen. Ik liep terug naar het raam, keek naar buiten en zag LuEllens zwarte Pontiac GrandAm het parkeerterrein op rijden. Dit voorgevoel kwam wel uit. Zolang je er maar genoeg had, zat er altijd wel een tussen dat uitkwam. Ze kwam naar het hotel lopen en even later, toen ze de gang in kwam, deed ik de deur open.

'Ik zag je op het parkeerterrein,' zei ik. 'Hoe is het gegaan?'

'Als je een zware thermische lans hebt, ga je door die brandkast als door een pakje boter,' zei ze terwijl ze de deur achter zich dichtdeed. 'Als je ermee kunt omgaan, krijg je alles open.' Ze kwam naar me toe om me een kus te geven, en ik kromp ineen.

'Wat is er mis?'

'Die verdomde kluis. Ik heb elke spier in mijn lijf verrekt.'

'De penis is ook een spier.'

'Die heb ik ook verrekt,' zei ik. En toen: 'Je lijkt wel blij, vrolijk zelfs.'

Ze stak haar hand in haar zak, haalde er iets glimmends uit en hield me haar vuist voor. Ik hield mijn hand eronder en ze liet het platina met diamanten collier erin vallen. 'Herinner je je die fotomodelgriet die we naar binnen zagen gaan? Toen ze naar binnen ging, had ze het collier niet om. Toen ze naar buiten kwam wel en kon ze er niet afblijven. Het zag er te mooi uit om een cadeautje te zijn. Ik dacht wel dat het in de kluis zou zitten.'

'Hoeveel is het waard?'

'Veel. Ik heb mijn vriend in Georgia gebeld en hij zei dat hij er waarschijnlijk honderdvijftig voor kan maken. Het zijn allemaal kleine, één karaats diamantjes, maar van topkwaliteit, alsof het collier bedoeld was voor de verkoop. Een soort spaarpot.'

'En dat was het? Alleen een collier?'
'Nee.' Ze grijnsde. 'Hij had er veertigduizend in contant geld liggen, in honderdjes.'
'Computerprints, diskettes...'
Ze schudde haar hoofd. 'Nee, dat soort dingen niet. Nog wat privépapieren: een hypotheekovereenkomst, een geboortecertificaat, zijn paspoort. Ik heb alles meegebracht maar ik denk niet dat er iets voor jou bij zit. Maar er was wel genoeg voor iemand als ik om dat ding mee te nemen.'
'Dus nu vermoedt hij misschien niet dat ik in zijn computer ben geweest.'
'Misschien niet. Ik zal je dit zeggen, Kidd, je mag me in de afgelopen jaren regelmatig in de problemen hebben gebracht, maar we hebben altijd geld verdiend, nietwaar? Elke keer.'
'We hebben gewoon geluk gehad.'
Ze ging mee ontbijten en daarna zei ze dat ze een dutje ging doen. Toen ik haar slaperige gezicht zag, kreeg ik zelf ook slaap, dus gingen we naar haar kamer, waar ik het bordje NIET STOREN aan de deurknop hing en we tot ver in de middag sliepen. Om drie uur belde Green om te vragen waar we verdomme bleven.

We aten met z'n vieren. Green bekeek Corbeils paspoort terwijl we wachtten tot het eten werd opgediend. 'Hij reist veel. Extra pagina's,' zei hij, en hij trok ze als een harmonica uit het boekje. 'Het Midden-Oosten, India...'
'Misschien is hij een van die knapen die overal is geweest, maar niets heeft gezien,' zei LuEllen.
Het eten werd gebracht en Green bekeek de hypotheekovereenkomst, die dat volgens hem helemaal niet was. Het was een overdrachtsakte, wat volgens mij hetzelfde was, maar LuEllen zei: 'Niet helemaal.'
Uiteindelijk, tijdens het dessert, vouwde Green de akte dicht, gooide hem op tafel en zei: 'Hij is iets vreemds aan het doen met een ranch.'
'Een ranch?'
'Ja. Een particuliere aankoop, zo te zien. Hij heeft zevenhonderdvijftigduizend vooruitbetaald, heeft tien jaar de tijd om duizend per jaar te betalen en kan die laatste tienduizend aflossen wanneer hij wil.'
'Dat klinkt inderdaad vreemd,' zei ik. 'Hij betaalt driekwart miljoen vooruit maar de laatste tienduizend kan hij niet ophoesten?'
'Slaat nergens op,' zei Green.
'Het slaat wél ergens op,' zei LuEllen. Ze had een bol ijs op haar lepel

en likte eraan alsof ze een demonstratie in fellatio gaf.
'Nou, vertel op dan, ijskoningin,' zei Lane.
'Als je een overdrachtsakte hebt, wordt het genoemde pas je eigendom als je de laatste betaling hebt gedaan.'
'Nou, en?'
'Nou, dat betekent dat de ranch nog steeds op naam van de verkoper staat. Hoe heet hij?'
Green pakte het document weer op, keek erin en zei: 'Fred Lord.'
'Kijk, Fred Lord verkoopt zijn ranch aan Corbeil en Corbeil moet nog steeds een bedragje betalen voordat hij officieel de eigenaar is van de ranch en het land. Hij mag beide al wel gebruiken, maar het is Lords naam die op de papieren van de belasting, het kadaster en de rest staat. Het is een rookgordijn.'
'Hij wil niet dat iemand weet dat hij een ranch heeft?' vroeg ik. 'Dan moeten we er zeker een kijkje gaan nemen. Waar is het?'
'McLennan County, waar dat ook mag zijn,' zei Green. 'Vijfduizend hectare, tweeënhalve vierkante kilometer Corbeil-land.'

Lane wilde meteen gaan kijken. 'Wat kunnen we anders doen?'
'In mijn dumpbakje kijken,' zei ik. 'Zijn computer is belangrijker dan die ranch.'
'Hoe weten we dat?' hield Lane vol. 'Ik heb het gevoel dat we op een zijspoor gerangeerd zijn. Het is drie weken geleden dat Jack is vermoord en het kan niemand nog iets schelen, behalve ons.'
'En de mensen die achter Firewall aan zitten,' zei ik.
'Ah, Firewall,' zei Lane. Ze duwde de gedachte weg alsof het een irritante vlieg was. 'Dan vinden ze een paar kwajongens en is de zaak afgedaan.'
'Ik wilde dat het waar was,' zei ik, 'maar ik denk het niet.'
We praatten nog een paar minuten over Firewall, over de aanpak van de aanval op de belastingdienst en het gebruik van zombiecomputers. We praatten ook over het gesprek dat ze met de politie zou hebben, op maandagochtend, over zestien uur.
Ze zou proberen hen meer in de richting van AmMath te sturen. Hoe meer druk we uitoefenden, des te nieuwsgieriger de politie, de FBI en de NSA naar AmMath zouden worden en des te groter de kans dat er iets zou loskomen. Als we konden zorgen dat de media hier lucht van kregen en die er een politiek probleem van konden maken, was er een goede kans dat we de aanzet zouden geven tot een officieel onderzoek.
'Ik zie het logische verband niet,' zei Lane.

'Er is geen logisch verband. We blijven gewoon de naam AmMath noemen en die in verband brengen met Firewall, de moord op Jack, de brandstichting in Jacks huis en de inbraak in jouw huis. We hoeven niet met verklaringen te komen, alleen maar het verband te blijven leggen.'

We spraken af dat we elkaar de volgende middag, nadat Lane met de politie had gepraat, weer zouden ontmoeten. Toen we uiteengingen, had ik nog steeds een slecht gevoel over Lane. Voor haar draaide alles om Jack, maar dat gold niet voor LuEllen en mij.
'Ik begin me een beetje zorgen om haar te maken,' zei LuEllen. 'Wat gaat er gebeuren als ze besluit over ons te praten, en over Firewall en de NSA en al het andere, als een laatste redmiddel, om de politie zover te krijgen dat ze iets aan Jack gaat doen?'
'Zoveel weet ze niet,' zei ik.
'Ze weet dat *wij* degenen zijn die bij Corbeil hebben ingebroken. Dat is al heel wat.'
'Dat is waar.' We reden enige tijd zwijgend verder, en ten slotte slaakte ik een zucht en zei: 'Het is nog niet te laat. We kunnen met haar praten over de schade die het zou aanrichten als ze een boekje over ons opendoet. Ze zou naar ons luisteren.'
'Ik hoop het,' zei LuEllen. 'Maar we moeten een paar veiligheidsopties voor onszelf inbouwen.' Ze dacht er even over na en voegde eraan toe: 'Pech dat ze weet waar je woont.'

Corbeil ging die avond on line. Het was niet te zeggen op welk moment was ontdekt dat er was ingebroken in zijn appartement, maar ik had de hele dag, elk uur, het dumpbakje gecheckt en ten slotte, 's avonds om tien uur, vond ik de data van een on line contact tussen Corbeils pc en de computer van AmMath.
De software die ik gebruikte was heel simpel; je kunt de basis ervan voor 99 dollar in een computerwinkel kopen. Het enige wat de software doet, is toetsenbordaanslagen registreren en doorsturen naar een vergaarbakje. Soms, als degene die typt veel fouten maakt, kan het wat moeilijk te volgen zijn, maar ik had het vaak genoeg gedaan om de data te kunnen lezen als een brief.
'Wat heb je gevonden?' vroeg LuEllen, die meekeek over mijn schouder.
'Om te beginnen het telefoonnummer, de aanmeldprocedure en Corbeils wachtwoord om in de AmMath-computer te komen,' zei ik. 'Daarna niet veel meer.'

Corbeil had een e-mail gestuurd naar een van zijn beveiligingsmensen, om hem in te lichten over de inbraak.

> Waar zit je? Ik kan je nergens vinden. Er is ingebroken in mijn appartement. Ze hebben de kluis uit de muur getrokken, moeten de beschikking hebben gehad over zwaar materieel, want ze hebben de halve muur gesloopt. Ze hebben geld en sieraden gestolen. We moeten iedereen inlichten en iemand moet de ranch in de gaten houden. Ik wil dag en nacht bewaking op kantoor. Ik heb Nasmith Security gebeld maar kon ze niet bereiken. Ik wil vanavond mensen ter plekke hebben! Ik kom zelf zodra ik hier klaar ben. Ik moest de politie bellen omdat de inbraak is ontdekt door de beheerder van het gebouw. Daar kon ik niet omheen. Ze zijn nu onderweg hiernaartoe. Misschien ging het alleen om het geld en de sierraden. Marian had het collier vrijdag om en iedereen heeft het gezien. Ik weet het niet zeker en we moeten met alles rekening houden. We kunnen ons beter een paar weken gedeisd houden. Ik zal morgenmiddag de paki's bellen en de boot afhouden. Wis dit bericht als je het hebt gelezen en bel me.

Hij had ook een bestand geopend. We konden niet zien wat het was, omdat de software alleen toetsenbordaanslagen vastlegde, maar we kregen wel een naam: OMS2. Hij deed er niet meer mee dan het lezen en na enige tijd werd het weer gesloten en ging hij off line.
'Kom op, we gaan,' zei hij. 'Hij is off line en heeft voorlopig zijn handen vol.'

We reden naar een Red Roof Inn – namen een kamer op de valse legitimatie die ik in San Francisco had gekocht, maar betaalden contant – en gingen on line. Het vergaarbakje was nog steeds off line, wat inhield dat Corbeils computer niet aanstond. Ik voerde het AmMath-nummer en Corbeils wachtwoord in en was binnen.
Het OMS2-bestand was kort maar krachtig: een paar zakelijke memo's en een lijst namen met telefoonnummers. Vervolgens zocht ik naar een OMS3-bestand, vond het niet, zocht door naar een OMS1-bestand, vond dat evenmin en zocht uiteindelijk naar een OMS-bestand maar vond

opnieuw niets. Dat was vreemd, want de bestanden die we van Jack hadden gekregen, waren wel benoemd als OMS. Misschien bevonden ze zich in een ander deel van de computer, of op een heel andere computer, ergens waar ik niet binnen kon komen.
Ik vond wel een groot tekstbestand dat CLPR heette en waarin alle interne memo's over het Clipper II-programma zaten. Ik kopieerde het naar mijn Jaz-disk, wat een hoop tijd kostte. Te veel tijd. Toen ik klaar was, verbrak ik de verbinding.
We hadden ervoor gezorgd in de kamer geen harde oppervlakken aan te raken zolang dat niet nodig was en toen we klaar waren, veegden we alles af wat we wel hadden aangeraakt. We zeiden tegen de receptionist dat er thuis problemen waren en we plotseling weg moesten. Ja, ja, dat zal wel, kon ik hem zien denken, met zijn blik op LuEllen gericht. Toen reden we terug naar het motel.
'We hadden nog even tijd moeten nemen om een beetje te rotzooien,' zei ik. 'Voor de schijn, want je hebt niet dat leuke, roze postorgastische kleurtje dat je normaliter hebt.'
'We kunnen teruggaan en het alsnog doen,' stelde ze voor.
'Het is nu te laat om de receptionist te imponeren,' zei ik.

Het OMS2-bestand was vooral interessant vanwege de namen. Die waren van hooggeplaatste militairen over de hele wereld, maar vooral van de strook islamitische staten die zich uitstrekte van Syrië tot aan Indonesië. In Noord-Afrika alleen Egypte, en Turkije ontbrak.
'Waarom is dat vreemd?' vroeg LuEllen toen ik erover begon.
'Die verzameling namen is vreemd. Als je met Clipper bezig bent, kunnen deze landen allemaal klanten zijn, maar je zou als belangrijkste klanten de grotere landen verwachten: Groot-Brittannië, Frankrijk, Duitsland, Rusland, Japan, China, India, dat soort landen. In plaats daarvan hebben we Syrië, Irak, Iran, Koeweit, Pakistan, Indonesië en Kazachstan, maar Afghanistan, Saoedi-Arabië en Turkije ontbreken.'
'Dit is maar één bestand. Als het OMS2 heet, geeft dat aan dat er meer moeten zijn, ook al kunnen we die niet vinden. Misschien zijn ze ergens anders opgeslagen of zijn ze gewist.'
'Ja, dat is mogelijk...'
Het CLPR-bestand bevatte een paar duizend memo's over alledaagse technische, personele en financiële zaken. Het kostte ons vier uur om ze allemaal door te lezen – te checken op namen en feiten – maar we vonden niets waaraan we iets hadden.
'Zal ik je eens iets zeggen?' zei LuEllen. 'Als ik daar administrateur

was, zou ik mijn polsen doorsnijden. Ik kan me niet voorstellen dat iemand deze onzin opschrijft, laat staan dat iemand zich er zorgen om maakt.'

'Niks,' zuchtte ik. 'Geen ene mallemoer.'

'Nou, misschien één klein dingetje,' zei ze. 'Geen feit... en helemaal zeker weet ik het niet, maar we zouden nog even naar de datums kunnen kijken.'

We keken naar de datums op de memo's en LuEllen rekende uit dat er twee jaar daarvoor wekelijks tien tot twintig memo's waren verstuurd. Een jaar geleden waren dat er nog hooguit tien. En de afgelopen zes tot acht maanden waren er nog maar vier of vijf per week verstuurd.

'Het lijkt erop dat het project doodbloedde,' zei ze.

'Misschien waren ze door hun tijd of geld heen, of hebben ze zelf het geld achterovergedrukt en proberen ze dat te camoufleren,' probeerde ik.

'Maar waarom zouden ze moorden plegen voor een foto van drie mannen op een parkeerterrein? Als zij het hebben gedaan?'

'Daar zouden we achter kunnen komen als we wisten wie die mannen waren,' zei ik.

'Hoe wilde je daarachter komen?'

'Ik denk niet dat we dat kunnen. We zijn de FBI niet. We zijn maar gewone mensen.'

19

St. John Corbeil

Corbeil was woedend. Zijn collier was gestolen en zijn handen jeukten van verlangen. Ze waren zijn territorium binnengedrongen. Hij had zich zo boos gemaakt over het collier, dat hij niet had gezien dat het een afleidingsmanoeuvre was geweest. En ze hadden het heel behendig gedaan.
Ze hadden hem prachtig om de tuin geleid. Die vieze voetstappen overal in de woonkamer, met maar één paar dat langs de computer liep. Hij kon ze in gedachten nog voor zich zien en wist hoe opgelucht hij zich had gevoeld toen hij besefte dat ze zijn computer niet hadden aangeraakt.
Goed, hij was boos over het collier, maar ja, dat was nu eenmaal het werk van inbrekers. God wist dat hij lang genoeg met zijn collier had lopen pronken en dat de halve modellenwereld van Dallas het al eens om de nek had gehad. En ze hadden hem gebruikt, hadden geweten hoe hij zou denken.
Maar diezelfde avond hadden ze ingebroken in zijn computer. Niemand zou er iets van gemerkt hebben als Woods de volgende ochtend niet had gezien dat de volgorde van de bestanden niet meer klopte. Hij was ernaar komen informeren en Corbeil had onmiddellijk begrepen hoe het in elkaar zat.
Hij was besodemieterd.
'Lane Ward,' zei Corbeil.
'Die heeft daar de middelen niet voor,' protesteerde Hart. 'De mensen die in uw appartement zijn geweest, waren professionals. Uw kluis is niet uit de muur gehaald door een stel hackers. Daar was speciaal gereedschap voor nodig. Ze hebben verdomme uw halve appartement gesloopt en niemand in het gebouw heeft iets gehoord.'

'Wie dan? Een illegale inkijkoperatie van de FBI? Dat kan niet; die doen dat niet meer. De CIA dan? De meest bescheiden – als het op wapens aankomt – inlichtingendienst van het Westen? De NSA? Die hebben nog minder illegale connecties dan wij. Wie? Het moet op de een of andere manier met Ward te maken hebben. En als het Ward niet was, kan zij ons vertellen wie het wel was. Kijk maar naar wat ze in San Francisco met dat zendertje hebben gedaan. Ze moet hulp hebben gehad.' Hij draaide zich om en keek Hart aan. 'Ga haar opzoeken en breng haar naar de ranch. Ik wil met haar praten.'
'Meneer Corbeil, als Ward verdwijnt, breekt de hel los. Ze hebben me al in verband gebracht met de moord op Morrison.'
'Luister, we zeggen gewoon dat ze lid is van Firewall. We hebben er de basis al voor gelegd. Ik zal Woods hun computer laten identificeren als ze weer in de mijne inbreken, en zodra ze in de Clipper-bestanden zitten, roepen we de NSA en de FBI erbij. We moeten ze op de een of andere manier haar kant op sturen.'
'Wat? En zij laat zeker haar rijbewijs in het motel achter?' zei Hart sceptisch. 'Bovendien is er iemand bij haar.'
'Ja, en dat is ook iemand met wie we gaan praten. Ik durf te wedden dat het zo'n Stanford-computergriezel is die overal in weet te komen. Zo'n bleke puistenkop met een IQ van honderdzestig, die misschien zelfs weet hoe hij een kluis uit de muur moet halen.'
Hart schudde zijn hoofd en Corbeil zei: 'Vingerafdrukken, dan.'
'Wat?'
'Een computerinbraak vanuit een motelkamer. Als de FBI het onderzoekt, vinden ze overal in de kamer haar vingerafdrukken.'
'Hoe krijgen we haar zover dat ze die achterlaat?'
'We nemen haar eerst mee naar een motelkamer om met haar te praten. Huur een kamer, praat daar met haar, zorg ervoor dat ze genoeg vingerafdrukken achterlaat en breng haar dan naar de ranch. Zodra ze daar weg is, laten we Woods vanuit de motelkamer de inbraak doen. De NSA is nog steeds in staat dat soort dingen na te gaan.'
'Klinkt veel te riskant. Als ze ervandoor probeert te gaan, of het op een gillen zet...'
'Als je het te moeilijk vindt, breng je haar meteen naar de ranch,' snauwde Corbeil.
'Maar dan hebben we geen vinger...'
'Dan hebben we haar handen,' zei Corbeil. 'Die zal zij niet meer nodig hebben. Niet nadat we met haar hebben gepraat.'
'Jezus,' zei Hart.

‘Nee, die is hier niet,’ antwoordde Corbeil.
‘Ik geloof... ik begin de indruk te krijgen...’
‘Wat?’
‘Dat de zaak uit de hand loopt.’
‘William, je hebt gelijk. Je hebt helemaal gelijk. Daarom moeten we de zaak weer ín de hand zien te krijgen, anders zijn we er geweest. Je hebt een jaar in de meest softe gevangenis van Texas gezeten. Hoe zou je het vinden om naar een echte, harde te gaan, zo een die ze voor verraders hebben gereserveerd? Want zo zullen we dan worden gezien, als verraders. William, we zouden de rest van ons leven tot aan onze nek in de stront zitten.’
‘Maar als we...’
‘Niets doen? Dat hebben we geprobeerd, William. Niets doen werkt niet. We moeten weten wat er gebeurt. Als het te link wordt, moeten we in elk geval de tijd hebben om ervandoor te gaan.’
‘Ervandoor te gaan.’ Hart bracht zijn handen naar zijn hoofd. ‘Jezus, ervandoor gaan...’
‘Daarom ga je Lane Ward opzoeken. En die grapjas die bij haar is, wie dat ook is. En ondertussen ben ik hier, zit ik achter dit bureau...’ Hij wees naar het kersenhouten bureau in de hoek. ‘... en probeer ik een manier te bedenken om alles in de schoenen van Firewall te schuiven. Zo ver te schuiven, dat wij er niet meer aan onderdoor kunnen gaan.’
‘Ik vind dat we de *Old Man of the Sea* moeten sluiten.’
Corbeil haalde zijn schouders op. ‘Als je erop staat, maar het is niet echt nodig. Ze hebben geen idee, komen niet eens in de buurt.’
‘Ik zou me toch een stuk prettiger voelen,’ zei Hart.
‘Ik zal er met Woods over praten,’ zei Corbeil.

20

We sliepen de volgende ochtend uit, LuEllen langer dan ik. Om tien uur stond ik op, rekte me uit en ging douchen. Toen ik de kamer weer in kwam, was LuEllen nog half in slaap. Ze had de deken van zich af gegooid en vanuit de hoek waar ik stond, bij de badkamerdeur, werd haar gezicht mooi omlijst door haar ene arm, die ze had opgetrokken, terwijl hij maar net uitstak boven haar dij en haar voet op de voorgrond. Voeten zijn altijd leuk om te tekenen, vooral als je ze vanaf de onderkant ziet. Ik liep op mijn tenen naar mijn koffertje, haalde mijn schetsboek eruit, zette een stoel bij de badkamerdeur en zat ruim een uur te tekenen.

Ten slotte, toen ze zich bewust werd van de absolute stilte, duwde ze zich half overeind en keek ze om zich heen. ‘Kidd?’

‘Hier.’

‘Ben je mijn billen weer aan het tekenen?’ Ze richtte zich op, geeuwde en rekte zich uit.

‘Ze staan erop, maar voor een deel; ze zijn vandaag niet het hoofdonderwerp.’

Ze kwam kijken terwijl ik wat schaduw bij haar tenen aanbracht. ‘Ik heb niet van die grote voeten,’ zei ze.

‘Dat komt door het perspectief.’

‘Ze zijn niet zo groot. Ik heb maat 37!’

‘Vanuit deze hoek wel.’

‘Onzin. Zo groot zijn ze niet. En mijn teen staat niet zo krom.’

‘Je hebt gelijk. Sorry, ik bied je mijn excuses aan.’

‘Nee, dat doe je niet,’ zei ze. Ze rekte zich nog eens uit. ‘Het kan je niets schelen dat je mijn tere ego kwetst. Alle kunstenaars zijn zo.’

‘Iemand heeft ooit gezegd dat een portret een afbeelding is waarop iets niet helemaal goed zit met de mond,’ zei ik. ‘Ik dacht dat het Sargent was. Hoe dan ook, niemand heeft ooit zoiets over voeten gezegd.’

‘Dan ben ik de eerste.’

‘Ga douchen,’ zei ik.

Ze liep de badkamer in en ik deed nog een poging om haar been en voet minder massief te krijgen door meer nadruk te leggen op haar gezicht en het kussen die erboven uitstaken. Toen ik klaar was, scheurde ik de bladzijde uit mijn schetsboek, maakte er een prop van en gooide die in de prullenmand. Er was nog steeds iets mis met die voet. Terwijl ik daarover nadacht en wachtte totdat LuEllen de badkamer uit kwam, ging ik bij het raam staan en keek ik neer op het parkeerterrein.

En ik begreep wat me daarvoor was ontgaan.

Waarom ik had gedacht dat ik iets belangrijks had gemist toen ik de vorige keer naar het parkeerterrein keek.

Ik begreep de AmMath-foto's, of wat daar niet aan klopte. En dat allemaal dankzij LuEllens voet...

De douche liep nog steeds en ik hoorde LuEllen neuriën in de badkamer toen ik mijn laptop startte en een van de foto's opende.

'Jezus.' Ik had gelijk. Ik staarde enige tijd naar de foto en riep toen een andere op. Ik scheurde een vel papier uit mijn schetsboek, pakte een pen en begon snel een paar berekeningen te maken. Daar was ik nog mee bezig toen LuEllen met een handdoek om haar hoofd de badkamer uit kwam. Ik keek even naar haar op en richtte mijn aandacht weer op het scherm.

'Je wordt bedankt,' zei ze. 'En ik ben nog wel zo mooi roze...'

'Hou je kop. Ik moet on line met Bobby. Ga je aankleden.'

'Wat is er?'

'Moet je die foto zien.'

Ze keek over mijn schouder. 'Wat is er?' vroeg ze weer.

'Zie je de schaduw die deze lantaarnpaal werpt? De schaduw van de zon?'

'Ja?'

'Kijk nu naar de schaduw die déze lantaarnpaal werpt,' zei ik.

'Oké.'

'En deze.'

'Ik zie alle schaduwen van alle lantaarnpalen, Kidd. En nu?'

'Alle schaduwen hebben hetzelfde perspectief. Ze vallen precies dezelfde kant op, zonder een millimeter verschil. Vind je dat niet vreemd?'

'Nee, wat is daarmee?'

'Het kan niet, dát is ermee. Nou, het kan wel, als de camera ver genoeg weg is.'

'We dachten aan een beveiligingscamera op het dak. Zoiets moet het zijn, met dat hoge standpunt.'

'Dat is niet hoog genoeg,' zei ik. 'Ik moet Bobby spreken. Hij kan betere berekeningen maken.'
'Als het niet hoog genoeg is, denk je dan dat ze uit een vliegtuig zijn gemaakt?'
'Dat is nog niet hoog genoeg,' zei ik. 'Ik denk dat het satellietfoto's zijn.'

Ze was nog steeds niet erg onder de indruk en ik moest mijn best doen om haar van het belang te doordringen. 'Probeer je eens voor te stellen hoe een gezicht eruitziet als je het van drie blokken afstand fotografeert met je Nikon en dan vergroot tot dit formaat,' zei ik. 'Dan krijg je een soort duimafdruk. Moet je die gezichten zien. Ze zijn niet echt te herkennen, maar het scheelt niet veel. Als die camera zich in de ruimte bevindt, heeft hij een resolutie die echt ongelofelijk is.'
LuEllen boog zich over me heen en zag iets wat ons niet eerder was opgevallen. 'Weet je, die auto's...' Er stond maar een zestal auto's op het parkeerterrein. 'Er is er niet één bij van Amerikaanse makelij. Moet je deze zien...' Ze tikte met haar nagel op het scherm. 'Ik geloof niet dat ik dat model ooit heb gezien. Hij lijkt op een kruising tussen een pick-up en een sedan.'
'Die kom je in het Midden-Oosten tegen,' zei ik. 'Bij bosjes.'
Ze ging rechtop staan. 'Dus het is een satellietfoto. En nu?'
'Dat weet ik nog niet,' zei ik, 'maar het lijkt me onmogelijk dat een satelliet een foto maakt van drie mannen, drie belangrijke mannen blijkbaar. Ik bedoel, hoe time je zoiets?'
'Misschien met radio's...'
Ik schudde mijn hoofd. 'Ik durf te wedden dat het niet om die drie mannen gaat. Ik wed dat het om de foto zelf gaat. Niet wat erop staat, maar het feit dat ze hem hebben en kunnen maken. Iedereen denkt dat ze met de Clipper-chip bezig zijn, maar ondertussen werken ze hieraan. Dit moet een of andere onaardse, supergeheime techniek zijn. Je kunt er niet alleen munitiedepots mee zien, maar ook wat erin en eruit gaat. Als ze in staat zijn de resolutie verder op te voeren – met een of ander computerprogramma – zijn ze in staat om te zien wie er in welke auto stapt en die misschien door het verkeer te volgen... Dat soort dingen.'
'NSA-werk dus? Zij doen dat soort dingen toch?'
'Nee, nee, dat is een andere groep, de NRO, de National Reconnaissance Office. Die houden zich met het satellietenspul bezig.'
'Laten we Bobby inlichten en kijken wat hij ervan denkt.'
We gingen on line vanuit een telefooncel in een winkelcentrum. Bobby

dacht dat hij de hoogte van de camera kon berekenen door delen van de oorspronkelijke foto's uit te vergroten en de schaduwpartijen op te meten.

Griezelig dat het een satellietfoto is. Heb nog nooit zoiets gezien.
Misschien is dit wat ze te verbergen hebben.
Maar wat heeft het met Firewall te maken?

Zo waren we weer terug bij de keerzijde van Lanes vraag. Lane was geïnteresseerd in wat er met Jack was gebeurd en Bobby was geïnteresseerd in hoe zijn naam in verband was gebracht met Firewall. Op de een of andere manier had AmMath iets te maken met beide, maar hoe, en waarom hielden die twee zaken verband met elkaar? Deden ze dat eigenlijk wel?
LuEllen en ik hadden het erover toen we wegreden van het winkelcentrum, en we kwamen tot de conclusie dat het zo moest zijn. Jack was naar Maryland gegaan, waar de computer was die de geruchten over Firewall was begonnen. De man die hij daar had opgezocht, en die later was vermoord, was een klant van dezelfde server. Het zat allemaal met touwtjes aan elkaar. We wisten alleen nog niet waar de knoop zat.

Lane, bleek later, had de hele nacht over hetzelfde liggen nadenken. We ontbeten met z'n vieren en ze boog zich over de tafel, pakte mijn colaglas en tikte ermee op tafel. Ze had een theorie, zei ze.
'Laten we zeggen dat die foto's om de een of andere reden vreselijk belangrijk zijn. We weten niet waarom, maar laten we aannemen dat het zo is. Jack steelt de foto's. Ze weten dat Jack dat heeft gedaan, maar niet waarom of aan wie hij ze heeft gegeven. Dus komen ze met een plan. Ze bedenken de Firewall-groep en gebruiken daarvoor namen die ze van het Net hebben geplukt. Namen van beroemde hackers. Er gaan zoveel geruchten op het Net. Iedereen kan aan zo'n lijst komen. Vervolgens maken ze Jack tot lid van die groep zodat, als de namen uiteindelijk bekend worden, de politie zal zeggen: "Aha, hij was lid van die radicale Firewall-groep en daarom heeft hij ingebroken bij AmMath, behalve dat hij de pech had dat hij gepakt werd..."'
'Waarom zouden ze daar per se de server in Maryland voor gebruiken?' vroeg ik. 'Dezelfde waar Lighter toevallig ook klant is.'
'Je zei dat hun klantenkring voornamelijk uit NSA-mensen bestond,' zei

Lane. 'Misschien was het een server die ze allemaal kenden en waar ze allemaal terechtkonden.'
'Klinkt zwak,' zei LuEllen.
'Maar de rest klinkt heel goed,' zei Green. 'Het verbindt het een met het ander.'
'En de aanval op de belastingdienst? Die is weken geleden opgezet.'
'Maar weken geleden deed de naam Firewall nog niet de ronde,' zei ik. 'Die kunnen ze op het allerlaatste moment bedacht hebben. Die hackers staan klaar om de aanval op de belastingdienst te openen en op dat moment komt er iemand op de proppen met een naam die wel spannend klinkt. Dus zeggen ze: "Oké, wij horen ook bij Firewall."'
'Godverdomme,' zei LuEllen. 'Ik kan het toch maar moeilijk geloven.'
'Maar ik zal jullie dít zeggen,' zei Lane. 'Als we weer inbreken in de AmMath-computer, moeten we zoeken naar dingen over Firewall en satellieten. Dat Clipper-gedoe is een dood spoor. Wat er gaande is, heeft niets te maken met Clipper.'
'Als wé weer inbreken?' vroeg ik.
'Precies; ik weet de weg in mainframes net zo goed als ieder ander,' zei ze. 'Als we vanavond weer gaan inbreken, wil ik erbij zijn.'
'We moeten een nieuw motel opzoeken,' zei ik.
'Er zit er een aan de overkant van waar wij zitten,' zei Green. 'Eighty-Eight heet het.'
'Dan doen we het vanavond daar,' zei ik. 'We gebruiken een van Lu-Ellens valse legitimaties en bellen jullie als we er zijn.'

Over haar gesprek met de politie had Lane weinig te zeggen. 'Ze zeiden dat ze niet geloofden dat AmMath ergens bij betrokken was. Volgens mij denken ze dat er een of andere overheidsdeal gaande is en dat ze daar niets van willen weten. Ze denken dat wíj de slechteriken zijn, Jack en ik.'
'Heb je hun verteld over de inbraak in je huis?'
'Natuurlijk,' zei Lane. 'We hebben alles tot in de details verteld. En we hebben gezegd dat we denken dat er in Jacks huis ook is ingebroken.'
'Ze stoppen het in de doofpot,' zei Green. 'Ik heb ooit meegewerkt aan een project in Oakland, dat het politieonderzoek naar schietpartijen onderzocht. De meeste daarvan waren een duidelijke zaak. Maar af en toe zat er een tussen waarmee iets mis was. Geen bewijs, geen getuigen, maar er was wel iets mis. We probeerden de politie dan zover te krijgen dat ze zich dieper in de zaak groeven en een paar extra vragen stelden, en dan zeiden ze dat ze dat zouden doen, maar je kon in hun ogen zien

dat ze het zouden laten zitten. Of ze wisten wat er gebeurd was, óf ze wilden er gewoon niets meer over horen. Dat is wat hier ook gebeurt. Ik merk het; ze zijn klaar en hebben zich teruggetrokken. Ze willen er niets meer over horen.'
'Verdomme, niemand doet iets,' zei ik.
We dachten hierover na en Lane zei: 'Trouwens, ik heb McLennan County, waar Corbeil zijn ranch heeft, op de kaart opgezocht, Het ligt zo'n honderdzestig kilometer ten zuiden van hier, bij Waco.'
We spraken af dat we elkaar die avond in Denton zouden ontmoeten, waarna LuEllen en ik de rest van de dag vrij namen. We hadden alweer te lang stilgezeten, in motelkamers en restaurants rondgehangen. We waren allebei doeners: we moeten iets om handen hebben. Ik pakte mijn laptop, schetsboek, verfdoos en een plastic fles water in en reed met LuEllen naar een golfbaan waar LuEllen een uur lang ballen sloeg en ik de overkapping goed in beeld probeerde te brengen. Het hele gedoe met de satellietfoto's – als ze dat waren – had me aan het denken gezet over perspectief. De overkapping bestond uit een vijftig meter breed golfplaten dak dat rustte op een aantal ijzeren palen, en het geheel was vanaf de zijkant een leuke oefening in het toepassen van de driepuntsperspectief. Toen LuEllen genoeg ballen had geslagen, reden we terug naar het motel en praatten we met de receptionist, die een kaart van de omgeving had en voor ons het joggingparcours uittekende dat hij zelf elke ochtend liep. We reden naar het beginpunt en deden de tien kilometer in drie kwartier, rustig joggend door woonwijken waar het verkeer uitsluitend uit pick-ups leek te bestaan.
'Niet slecht,' zei LuEllen toen we weer in de auto zaten. 'Laten we laarzen gaan kopen.'
Ze kocht twee paar cowboylaarzen en betaalde er zeshonderd dollar voor. Ik had haar nooit echt op een paard zien zitten, maar ze hield wel van paarden, en ook van cowboylaarzen. Ze maakten haar bijna vijf centimeter langer, en dat beviel haar ook.

Om negen uur schreef LuEllen ons in in het Eighty-Eight-motel in Denton. We gingen on line en ik keek in mijn verzamelbakje. Corbeil was die ochtend op het Net geweest, heel vroeg, voordat wij waren opgestaan – slechte mensen sliepen blijkbaar nooit – maar daarna had hij zijn computer niet meer gebruikt. 'Misschien zijn ze zijn appartement aan het repareren en logeert hij ondertussen ergens anders,' opperde LuEllen.
'Ik hoop het niet,' zei ik. 'Ik zou er graag zeker van zijn dat hij thuis is

en er voor die dag een punt achter heeft gezet voordat ik me met zijn codes aanmeld. Als we in zijn computer zitten en hij wil ook nog een keer inloggen, ziet hij misschien dat het fout zit.'
LuEllen belde Lane met haar mobiele telefoon en vertelde haar waar we waren. We wilden de telefoon op onze kamer niet gebruiken voor gesprekken met een nummer dat eventueel met een van ons in verband gebracht kon worden, en we spraken af dat we de mobiele telefoon in de komende dagen ergens zouden dumpen. Lane en Green stonden tien minuten later voor de deur; ze waren komen wandelen vanaf het Radisson.
Ik vertelde hun over het vergaarbakje, hoe we het wilden gebruiken en waarom we niet onmiddellijk on line konden gaan. 'Klinkt redelijk,' zei Lane. 'Ik zou de bestanden die je hebt gevonden wel eens willen zien...'
De daaropvolgende twee uur hield ze zich bezig met de tekstbestanden terwijl ze om het kwartier het vergaarbakje checkte. Green, LuEllen en ik zaten een tijdje te babbelen, waarna LuEllen op pay-tv een film bestelde, een supergewelddadige sciencefictionfilm met de intellectuele diepte van een stripverhaal. Maar de *special effects* waren indrukwekkend.
Tien minuten voor het eind van de film ging Lane weer on line om het bakje te checken en merkte ze dat Corbeil aan het werk was. De inlogprocedure en wachtwoorden waren dezelfde als die van de vorige avond. Hij verstuurde een paar korte memo's, waarvan een aan een man die John McNeal heette, over een probleem met de productie van cd's die blijkbaar commerciële coderingsprogramma's bevatten. Daarna logde hij uit. We wachtten een halfuur, waarin Lane steeds ongeduldiger werd, om er zeker van te zijn dat hij niet opnieuw zou inloggen, en toen braken we in in de AmMath-computer.
We bekeken alles wat met satellieten, foto's, landen in het Midden-Oosten, de NSA, de CIA, en de NRO te maken kon hebben en probeerden er alle mogelijke wachtwoorden op uit, ook die waarvan we geen enkel resultaat verwachtten, zoals 'dampkring', 'surveillance' en 'resolutie'.
Na een halfuur stelde ik voor de zaak af te sluiten. 'We moeten eerst uitzoeken waarnaar we precies op zoek zijn,' zei ik. 'Misschien moeten we naar de bibliotheek gaan en kijken of we daar bedrijfsgegevens over AmMath kunnen vinden. Zoiets in een computer opzoeken is net zoiets als tien jaargangen kranten doorbladeren op zoek naar een artikeltje van één kolom.'
Lane wilde doorgaan. 'Nog een kwartiertje,' zei ze. 'Twintig minuten. We zijn nu binnen en hoe weten we dat ze straks niet het wachtwoord veranderen?'

LuEllen, die niets te doen had en zich verveelde, zei: 'Ik ga naar die Randy's verderop in de straat voor een kop koffie en een donut. Heeft iemand zin om mee te gaan?'
'Ja, ik ga mee,' zei ik, en tegen Lane: 'Een kwartier. Niet langer.'
'Oké, oké...'

Randy's was een combinatie van een cafetaria en een bakkerij die beide niet al te fris oogden. We kochten donuts en koffie en een blikje cola en zeiden weinig toen we met een paar witte papieren zakken in de hand terugliepen langs de snelweg. We waren honderd meter van het motel toen we de lichtflitsen zagen. 'Zag je dat?' vroeg LuEllen.
Ik rende al. Lichtflitsen uit de loop van een vuurwapen bij nacht waren gemakkelijk te herkennen en zelfs met het achtergrondrumoer van de snelweg konden we het rappe *pop-pop-pop* van een geweersalvo horen. We waren halverwege toen we twee mannen ter hoogte van onze kamer bij het motel zagen wegrennen. Nog twee gedaantes, schoolkinderen zo te zien, beiden met een boekentas in de hand, bleven staan toen de mannen over het parkeerterrein naar een wachtende auto renden. De kleinste van de twee hinkte. Een van de twee kinderen rende naar het motel en even daarna ook het andere kind. Ik liet de papieren zakken achter een auto vallen toen de auto met de twee mannen met piepende banden wegreed, een halve draai maakte en in het verkeer verdween.
We renden de hoek om en zagen een oudere man met wit haar en een windjack naar onze kamer rennen, waar de twee schoolkinderen net waren aangekomen. Ik volgde op tien passen afstand, met LuEllen een paar meter achter me, toen de schooljongen naar binnen rende, bijna onmiddellijk weer naar buiten kwam en gilde: 'Bel een ambulance, bel een ambulance...'
Ik wrong me langs de doodsbleke jongen en zag Lane op het bed liggen. Ze was dood, en haar gezicht was door kogels weggeslagen. Green zag ik niet, maar de badkamerdeur, die op een kier stond, zat vol gaten. Ik liep naar de deur en schopte hem open. Green lag in het ligbad, met zijn pistool in de hand, en keek naar me op.
'Er is een ambulance onderweg,' zei ik. 'Ben je zwaar gewond?'
'Twee keer geraakt,' kreunde hij. 'En Lane?'
'Dood.'
'Jullie moeten hier weg,' zei Green.
Ik liep terug naar de woonkamer. Het meisje stond bij LuEllen en ik riep: 'Loop naar de straat en wijs de ambulance de weg.'
'Wat is er gebeurd?'

'Ik weet het niet,' riep ik naar haar. Ze deinsde achteruit, was bang van me, draaide zich toen om en rende naar buiten. 'Hou de ambulance aan,' riep ik haar na. Naar de oude man met het windjack riep ik: 'Er zijn twee mensen neergeschoten. Ren naar het kantoor en overtuig je ervan dat de jongen een ambulance heeft gebeld.'
Hij draaide zich om en verdween. Zodra hij weg was, liep ik naar het bed, probeerde niet naar Lane te kijken en rukte het telefoonsnoer uit de muur. Ik wikkelde het om mijn laptop, die op de grond was gevallen, en stak die achter mijn broekband, onder mijn jack.
LuEllen was blijven staan om naar Lane te kijken. Lane was minstens twee keer in de zijkant van haar hoofd geraakt en lag met haar gezicht omhoog en de ogen iets geopend op de gele beddensprei. LuEllen schudde haar hoofd en draaide zich om. Lanes tas lag op de grond. LuEllen wipte hem rechtop met haar voet, haalde de revolver eruit en liet hem in de zak van haar jack glijden. Zonder verder een woord te zeggen liepen we de kamer uit. Twee mensen van het motel kwamen ons tegemoet en ik zwaaide naar hen. 'Hier! Hierbinnen! Schiet op, laat een ambulance komen.'
Er kwamen meer mensen aanrennen, maar LuEllen en ik maakten ons van hen los, draaiden ons om en liepen de hoek om, naar de auto. We reden langzaam weg, via de achteruitgang van het parkeerterrein, over een onverharde weg, tot we op een blok afstand en buiten het zicht van de eerste arriverende politiewagen waren.
'Ze had geen enkele kans,' zei LuEllen verbitterd. 'Ze is geëxecuteerd.'
'Green leeft nog, maar hij is een paar keer geraakt,' zei ik. 'Hij lag in bad en kon nog goed nadenken. Hij zei dat we hem moesten smeren, dus hij zal ons dekken.'
'Vingerafdrukken?'
'Niet van mij,' zei ik.
'Het enige wat ik heb aangeraakt, is de afstandsbediening van de tv, en Green heeft hem daarna gebruikt, dus mij kan niets gebeuren.'
'Je bent in de badkamer geweest.'
'Ik ben voorzichtig geweest. Jij hebt de telefoon gebruikt...'
'Ik heb alleen de stekker ingeplugd; ik heb de hoorn en het toestel niet aangeraakt. Ik geloof niet dat ik iets anders met mijn vingertoppen heb aangeraakt.'
'Die kerels van AmMath,' zei ze.
'Moet wel.'
'Maar waarom?'
'Ik weet het niet, maar ze moeten gisteravond hebben gemerkt dat ik in

hun computer zat en afgelopen nacht een opsporingsprogramma heb geïnstalleerd. Het heeft ze hooguit een uur gekost om ons op te sporen en naar ons toe te rijden. Jezus, Lane en Green dachten waarschijnlijk dat wij voor de deur stonden, met de koffie...’

21

LuEllen en ik hadden eerder in dit soort situaties gezeten. Ik weet niet of het alleen de ervaring was of een essentieel gebrek in onze respectievelijke persoonlijkheden dat ons in staat stelde zo efficiënt te handelen als we hadden gedaan. Om de laptop te pakken en ervandoor te gaan. Zonder iets te zeggen of een seconde te aarzelen.
Als ik in mijn volwassen leven ooit aan iemand gehecht ben geweest, was dat LuEllen. Maar als zij in die motelkamer was achtergebleven en ik had haar dood aangetroffen op de gele beddensprei, had ik – moge God me vergeven – hetzelfde gedaan, denk ik. En als ik het slachtoffer was geweest en zij vond me, was het net zo geweest. Geen woede, geen afschuw, geen angst en zelfs geen verdriet. Efficiency. Pak de laptop, pak het wapen en smeer hem. Beperk de schade.
De woede en het verdriet komen later.
Maar ze komen wel.

Op de terugweg, in de auto, bleef LuEllen maar terugkomen op de vingerafdrukken, want die konden fataal voor ons zijn. Als ik er ergens een had achtergelaten, konden ze er een gezicht aan plakken – in het leger waren mijn vingerafdrukken en pasfoto's meer dan eens genomen – en er waren getuigen in het motel om mijn aanwezigheid te bevestigen.
Maar ik geloofde niet dat ik afdrukken had achtergelaten. LuEllen en ik hadden dit vaker gedaan, opereren vanuit motelkamers, en als je er naar binnen ging, was dat met de gedachte dat je nergens afdrukken moest achterlaten. Als je slordig werd, liet je er altijd wel een paar achter. De enige harde oppervlakken die ik had aangeraakt waren de telefoon en het pasje om de deur te openen, en dat zat nog in de borstzak van mijn overhemd. Toch namen we in gedachten de hele avond nog eens door: alles wat we hadden gedaan, elke beweging die we hadden gemaakt. Na een tijdje zuchtte ik en zei: 'Ik zit goed.'
'Ik ook, behalve dat de receptionist me heeft gezien toen ik me inschreef.'
'Ja, maar Lane ziet er een beetje Latijns-Amerikaans uit en dat doet de

helft van de vrouwen hier. Ik durf te wedden dat de receptionist háár herkent als de vrouw die zich heeft ingeschreven, en haar gezicht is nu onherkenbaar. Het is maar goed dat ik het niet heb gedaan, of Green. Dan zouden ze het zich zeker herinneren.'
'Misschien dekt Green ons niet.'
'Veel kan hij ze niet vertellen. Hij weet niet echt wie we zijn.'
'Daar kan hij achter komen. Of hij kan de politie zo veel informatie geven dat zij erachter kunnen komen.'
'Ik vraag het me af. Volgens mij is medeplichtigheid strafbaar in Texas. Als hij zegt dat hij niet wist wat er aan de hand was en alleen was ingehuurd om Lane te beschermen, die iets met computers aan het doen was... als hij dat zegt, kan hem niets gebeuren. Maar als hij zegt dat hij wist waar Lane mee bezig was en dat ze is omgebracht terwijl ze een misdaad aan het plegen was, kunnen ze hem pakken op medeplichtigheid.'
'Dus hij kán niets zeggen.'
'Hij zál niets zeggen, als hij dat weet.'
'Laten we Bobby inseinen; misschien kan hij iets te weten komen.'

Ik zocht contact met Bobby met behulp van een munttelefoon. Toen hij zich op mijn laptop meldde, typte ik:

BEL ME NU OP DIT NUMMER. NOODSITUATIE.

Hij belde vijf seconden nadat ik had uitgelogd. Ik had hem pas een paar keer over de telefoon gesproken. Het enige wat ik van hem wist was dat hij zwart was en ergens in de Mississippi-delta woonde. Hij had zo'n zacht delta-accent en had connecties met een heleboel interessante zwarte mensen die in de jaren zestig 'activisten' werden genoemd, of 'relschoppers', in die omgeving.
'Wat is er aan de hand?' vroeg hij zonder inleiding.
Ik gaf hem een zo objectief mogelijk verslag en zei: 'Iemand moet contact leggen met Green. Een advocaat, die hem zegt dat hij bij zijn argeloze lijfwachtverhaal moet blijven. Als hij laat doorschemeren dat hij wist dat Lane een misdaad pleegde...'
'Medeplichtigheid,' zei Bobby. 'Slecht voor jou, slecht voor mij.'
'Ja, iemand moet hem inseinen.'
'Dat kan ik regelen,' zei Bobby zacht. 'Hoe gaat het met jullie?'

'Goed, maar we zijn hier weg. Ik denk niet dat ze al te hard naar ons zullen zoeken, maar je weet nooit. We smeren hem naar... eh... Austin.'
'Meld je als je daar bent.'
'Oké, ik spreek je,' zei ik, en ik hing op.
'Austin?' vroeg LuEllen.
'Austin is een grote stad met een komen en gaan van mensen,' zei ik. 'Anders dan Dallas, en het ligt het dichtst bij Waco.'
'Corbeils ranch.' Ze zweeg even en zei toen: 'Dus je gaat wraak nemen. Jack is vergeten en je gaat ze te grazen nemen omdat ze Lane hebben vermoord.'
'Nee. Als het kon, zou ik rechtstreeks naar huis gaan. Maar ik moet mijn naam zuiveren, en dat gaat niet. De FBI heeft een lijst met namen en ze hebben een paar moorden, bewijs van een samenzwering, een aanval op de belastingdienst en misschien iets wat lijkt op een aanval op AmMath. Uiteindelijk zullen ze al die namen afwerken. Ik moet uitzoeken wat er aan de hand is en ze die kant op sturen, anders ga ik eraan.'
LuEllen bleef zwijgen, dus zei ik ten slotte: 'Ik weet niet of het echt nodig is dat je blijft. Van nu af aan zal het voornamelijk om computers draaien.'
'Ach, hou toch op, Kidd,' zei ze geïrriteerd. 'Je weet dat ik nergens naartoe ga.'
'Misschien als je...'
'Hou je kop.'
Dus hield ik mijn kop, want ik wilde graag dat ze bleef.

We bleven die nacht in Dallas. Het schieten had te laat plaatsgevonden om het gewone tv-nieuws te halen. En als de kranten erop wilden duiken, zou de politie niet meer dan een paar algemene feiten prijsgeven. Dus besloten we te blijven en de volgende dag tijdens de spits te vertrekken. En zo gebeurde het: het late nieuws had er niets over te melden en in de ochtendkranten stond evenmin iets. Om acht uur zaten we op de I-35 richting Austin.
'Ik hoop dat Bobby iemand naar Green heeft kunnen sturen,' zei LuEllen onderweg. Verder zeiden we geen van beiden veel. De beelden van het motel stonden ons nog te duidelijk voor de geest, en ze lieten zich niet naar de achtergrond duwen.
'Hij zei dat hij het zou doen, en hij heeft goede contacten,' zei ik.
'Ik hoop het.'

Austin was ooit een leuk provinciestadje. Als je de warmte wegdacht,

leek het meer op Minnesota dan op Texas. Twintig jaar geleden had ik me kunnen indenken dat ik me er zou vestigen, hoewel de kleuren van het landschap niet de mijne waren. Nu zijn er veel te veel mensen en is het leuke provinciestadje een drukke rotstad geworden.
Dat was niet mijn probleem. We namen een kamer in het Holiday Inn en gingen meteen on line.

Wat is er gebeurd?
Advocaat heeft vanochtend met Green gepraat. Green ligt op intensive care, wonden in onder- en bovenbenen. Hij redt het wel. Green kent wet medeplichtigheid. Heeft politie verteld dat hij niet wist wat er gaande was, alleen dat cliënt diverse keren was bedreigd, dat er bij haar was ingebroken en dat broer was gedood. Hij was ingehuurd om haar te beschermen. Green zei dat hij in badkamer was toen op deur werd geklopt. Ze zijn terug, zei zij. Ga weg bij die deur, zei hij. Maar ze deed open en toen begon het schieten. Green zei dat hij er een heeft geraakt. Politie heeft bloedspoor gevonden.
Hij heeft het goed gedaan; moet zich van de domme houden.
Doet hij. Politie heeft hem flink onder druk gezet, maar hij houdt vol dat hij is ingehuurd op advies van vriend. Vriend dekt hem. Vriend zegt dat hij LW niet kent, niets van computers weet en geen problemen zag totdat schieten begon.
Oké.
Je bent nog aan het werk?
Ja. Duurt aanval belastingdienst nog voort?
Ja, maar wordt minder. Gerucht: FBI jaagt op namen Firewall, hebben een paar invallen gedaan, geen woord in de kranten. Washington Post zegt FBI en NSA in conflict over Firewall. Gerucht: dader Duits, heet Copernix.
Oké, blijf volgen. We houden dagelijks contact.
Oké. Nog één ding. De vijf datamappen die bij foto's horen bevatten diverse bestanden van (ongeveer) 125 tot 200 bytes, gevolgd door enkele opvallende 512 bytes/4096 bitbestanden, gevolgd door bestanden van 350 tot 600 bytes. de 4096-bestanden zijn waarschijnlijk beveiligde sleutels, maar ik heb slot niet gevonden. Foto's mogelijk gecodeerd en gedecodeerd met sleutels?

Zal kijken.
Oké. Dag.

'Wat?' wilde LuEllen weten.
'Die verdomde bestanden. Zodra we ze hebben, moeten we ons ergens ingraven, in Mexico of zo, en ze uitpluizen. Als ze er moorden voor plegen, moet er een reden voor zijn. Ze moeten denken dat wij er iets mee kunnen.'
'Waarom mail je ze niet gewoon naar de NSA en laat je het hen uitzoeken?'
'Niet voordat ik weet wat ze zijn. Als ze belangrijk genoeg zijn om een paar moorden voor te plegen, zijn ze misschien ook belangrijk genoeg om de NSA of de CIA ervan te weerhouden om ze achterna te komen. Hoe dan ook, ik heb een nieuwe theorie.'
'Lane had ook een theorie.'
'Maar ik heb een andere. Die is dat AmMath iets zo ernstig heeft verprutst, dat ze het nodig vonden zichzelf in te dekken, en dat de hele zaak uit de hand is gelopen toen Jack werd vermoord. Nu plegen ze moorden om de moord op Jack te camoufleren.'
'Klinkt als een derderangs film.'
'Meer heb ik op het ogenblik niet te bieden,' zei ik.
Die middag vonden we nog iets anders. Nadat ik me zonder veel hoop door de bestanden had geploegd en had gezien hoe Bobby het 4096-bitbestand had gevonden tussen de rest – er bestond geen twijfel over dat het zich onderscheidde van de troep die ervoor en erna kwam – viel me opnieuw de verwijzing naar OMS op. *The Old Man and the Sea.* Nee, dat was het niet. Elke keer als ik die naam was tegengekomen, was het *The Old Man óf the Sea* geweest. Dat was een vergissing, of het had niets met Hemingway te maken.
'Kom op, we gaan,' zei ik.
'Waarheen?'
'De bibliotheek van de universiteit. Kijken of iemand ons iets kan vertellen over *The Old Man of the Sea*.'
'Kidd, we zijn hier in Texas.'
'En ze hebben hier een verdomd goede universiteit,' zei ik.
'O, ja?'
'Ja.'
'Maar als het iets belangrijks blijkt te zijn, zullen ze zich misschien je gezicht herinneren.'

'Dat is een risico dat we moeten nemen.'
'Kun je het niet gewoon op het Net opzoeken?'
'Nou...' Ik krabde op mijn hoofd. Dat kon ik natuurlijk proberen. Ik was zo gewend geraakt aan het Net als een riool vol troep, dat de mogelijkheid niet bij me was opgekomen. 'Dat kunnen we proberen.'
Ik zocht de Alta Vista-zoekmachine op, typte *Old Man of the Sea* in en kreeg 756 webpagina's. Voor het merendeel was het rotzooi, maar het werd me in elk geval duidelijk dat de oorspronkelijke *Old Man of the Sea* een van de personages in *De Reizen van Sinbad de Zeeman* was.
Volgens het verhaal was Sinbad gestrand op een eiland – hij leerde het ook nooit – waar hij stuitte op een oude man die kreupel was, tenminste, die indruk wekte hij. De oude man vroeg Sinbad of hij hem naar een meertje wilde dragen, maar toen ze daar aankwamen, wilde de man niet meer van Sinbads rug.
Het was zelfs zo dat de oude man klauwen en tentakels kreeg, die hij in Sinbads nek en rug groef. Dagenlang was Sinbad verplicht hem over het eiland te dragen en eten te geven. Sinbad, die veel pijn had, holde een stuk boomschors uit en deed er druiven in. Na een paar dagen was het druivensap gegist en veranderd in een sterke wijn, die hij dronk om de pijn te verzachten.
De oude man had alles gezien en eiste ook wijn. Sinbad gaf hem wijn. De oude man werd dronken, zijn greep verslapte en Sinbad was in staat hem van zijn schouders te gooien, waarna Sinbad – die zich niet zo druk maakte om ethiek – hem doodsloeg. Toen het Sinbad was gelukt om zich door een boot te laten oppikken, werd hem verteld dat de oude man een beruchte duivel was die mensen overhaalde hem op de rug te nemen en hem over het eiland te dragen totdat ze onder hem bezweken, waarna hij zijn slachtoffers opat.
'Leuk verhaal,' zei LuEllen.
'Ik had het me moeten herinneren,' zei ik. 'Ik heb alle verhalen van Sinbad gelezen, hoewel dat lang geleden is.'
'Maar wat betekent het?'
'Er zitten een paar heel interessante sociale en psychologische kanten aan.'
'Je hebt dus geen flauw idee wat het betekent,' zei ze.
'Waarom denk je dat we steeds de duivel uit mijn tarotspel trekken?'
Ze opende haar mond om een bijdehante opmerking te maken, maar deed hem toen weer dicht. En ze hield hem dicht.

Het Net leverde me ook nog iets anders op. Ik typte een paar sleutel-

woorden in en klikte even later *www.dallasnews.com* aan. *The Dallas Morning News* is een van de betere krantensites op het Net en op de voorpagina stond de link: 'Eén dode en één gewonde tijdens schietpartij in Denton.'
Ik klikte de link aan en het artikel verscheen op het scherm van mijn laptop.

Tijdens de schietpartij van afgelopen zaterdagavond in het Eighty-Eight-motel in Denton is een vrouw uit Californië omgekomen en een man die zich aan de politie bekendmaakte als haar 'lijfwacht' gewond geraakt. De politie van Denton vermoedt dat er drugs in het spel zijn.
Lane Ward, docente computerwetenschappen aan de Stanford-universiteit in Palo Alto, was op slag dood en haar 'lijfwacht', door de politie geïdentificeerd als Letheridge Green uit Oakland, Californië, is opgenomen in het Mount of Olives-ziekenhuis. Zijn toestand is stabiel.
De politie heeft verklaard dat zowel Ward als Green eerder is veroordeeld op grond van de narcoticawet: Ward in 1986 in San Francisco voor het in bezit hebben van marihuana, en Green in 1977 in Oakland voor het in bezit hebben van cocaïne.
Getuigen hebben verklaard dat de schutters twee blanke mannen waren van wie er een tijdens de schietpartij gewond is geraakt. Geen van de schutters is gevonden.
De politie zal Green in het ziekenhuis aan een verhoor onderwerpen.

'O-o, onze kleine Lane rookte stickies,' zei LuEllen.
'In 1986,' zei ik. 'Toen ze zelf studente was.'
'Maar het klinkt niet best.'
'Het valt mee, tenzij de politie een pakje drugs in de motelkamer heeft verstopt en de krant er melding van maakt,' zei ik. 'Er bestaat natuurlijk een andere mogelijkheid.'
'O, ja?'
'Dat het van het begin tot het eind onzin is. Dat de FBI of weet ik veel wie zich naast de politie heeft geschaard en journalisten heeft verboden meer vragen te stellen. Ik bedoel, op dit moment is het niet meer dan

een drugsoorlogje en zal niemand er nog enige aandacht aan schenken.'
'Wat goed is voor Green...'
'Ik denk het,' zei ik.

We gingen niet naar de bibliotheek. We gingen evenmin naar Waco, die dag niet en de dag daarna ook niet. Als er op de ranch iets gaande was, zouden ze de eerstkomende dagen op de uitkijk staan voor auto's die niet van ranchers waren.

Dus lummelden we de zondag en maandag wat rond in Austin. We kochten een basketbal bij een WalMart, speelden partijtjes één tegen één op een speelplaats, LuEllen sloeg nog wat ballen op de plaatselijke golfbaan en ik maakte nog een stel tekeningen. We checkten de website van *The Dallas Morning News* nog een paar keer, maar het verhaal was al doodgebloed.

Ik ging weer on line met Bobby. De FBI had met Green gepraat en de plaatselijke politie was min of meer buitenspel gezet. Green had hen ervan overtuigd dat hij niet meer dan ingehuurde spierkracht was, waar hij de achtergrond en het postuur voor had. De FBI had een paar dreigementen geuit, maar zowel Green als zijn advocaat was ervan overtuigd dat ze het daarbij zouden laten.

Ik wandelde wat door Austin en vond een bedrijf waar ik een pick-up kon huren. 'Ik moet mijn dochter helpen met het verhuizen van een paar meubels,' zei ik tegen de man bij Access Car Rental, alsof dat hem iets kon schelen. Ik nam de auto meteen mee. Op maandagavond keken we films op pay-tv en de volgende ochtend om acht uur vertrokken we naar Waco. Of 'Whacko', zoals LuEllen het uitsprak.

22

Toen we onze tijd verdeden in Austin, spraken we nauwelijks een woord over Lane. We deden ons best om het beeld van haar, dood op het bed in het motel, weg te drukken. In plaats van over haar na te denken, dachten we aan de technische aspecten van wat er gebeurd was. Hoe hadden ze ons zo snel gevonden? Wanneer hadden ze ontdekt dat we in hun computer waren geweest?

LuEllen had die ochtend nog weinig gezegd, maar op weg naar Waco vroeg ze: 'Wie zal er voor haar zorgen?'

'Wat?'

'Wie gaat er voor Lane zorgen? Voor de begrafenis en de spullen in haar huis? Wat gaat daarmee gebeuren? Of worden die gewoon op een of andere vuilnisbelt gedumpt?'

'Begin nou niet,' zei ik.

'Ik kan het niet helpen. Ik moest eraan denken toen ik vanochtend wakker werd. Ik bedoel, ze was van mijn leeftijd, ze heeft geen kinderen en haar ouders zijn dood, net als de mijne. Dan wordt ze opeens vermoord en vraag ik me af: wie gaat er nu voor haar zorgen? De staat? Wordt ze gewoon gecremeerd en strooien ze haar as ergens uit? Trekken ze al haar boeken uit de kast en gooien ze die weg, of houden ze een uitverkoop? Wat?'

'Als ze een testament heeft gemaakt... Ik bedoel, daarmee zou het correct afgehandeld worden.'

'De wettelijke kant,' zei LuEllen. 'Wat ik me afvraag, is: kan het iemand iets schelen dat ze er niet meer is?'

Ze bleef eraan denken, de hele weg naar Waco, en ik deed niets om er een eind aan te maken. Dat was niet echt nodig, want ze praatte er niet meer over.

Waco heeft een stadhuis dat eruitziet als dat van een wereldstad. Ik liep er naar binnen voor een kaart van de omgeving en werd doorgestuurd naar de winkel aan de overkant. Ik kocht er een kaart en bleef een paar minuten met de eigenaar praten, die me een kavelboek liet zien. Het duurde enige tijd, maar uiteindelijk vond ik Corbeils ranch, even buiten een stadje dat Crawford heette en ten noordwesten van Waco lag. We stopten bij een Barnes & Noble, waar LuEllen naar binnen rende en even later met een paar beschuitbollen en blikjes met een soort gezondheidsvruchtensap weer naar buiten kwam. Daarna gingen we op weg naar Corbeils ranch.

Bij Waco is een groot meer en er stromen een paar rivieren, wat niet strookt met mijn herinnering van de omgeving, maar ze waren er. Het land glooide onder de novemberzon en werd doorsneden door stroompjes en kreken toen we Crawford dichter naderden. Er werd wat maïs verbouwd en er waren hooistapels te zien, maar over het algemeen werd er meer aan veehouderij dan aan landbouw gedaan. We reden Crawford door en kwamen terecht bij een kruising waar ik een splitsing had verwacht en bijna vol werd geraakt door een Chevy pick-up. LuEllen zat uit het raampje te staren en zei na een tijdje: 'Het heeft me zestien jaar gekost om aan een stadje als dit te ontsnappen.'
'Echt? Zo'n soort stadje?'
'In Minnesota,' zei ze.
Ik had nooit geweten dat ze uit een klein stadje afkomstig was, hoewel ik het had kunnen raden als ik er echt over had nagedacht. En ik wachtte af. Iemand die in een klein stadje was opgegroeid, reed nooit door een ander klein stadje zonder een opmerking te maken over een tekortkoming ervan.
'Maar waar ik woonde, hadden we tenminste een Dairy Queen.'
Ja, dus.

Corbeils ranch lag op een heuvel boven de Texas Highway 185. Het ranchhuis zelf, van geel geverfd hout en gebouwd in plattelandsstijl, was niet nieuw en niet oud, maar herkenbaar als het soort dat stadsmensen zouden bouwen. Het was vanaf de weg niet allemaal te zien, maar het bestond uit een hoofdgebouw en een stuk of zes bijgebouwen die waren verspreid over het terrein: een hooischuur met stalen hoekbinten, een tractorschuur, een garage groot genoeg voor zes auto's, iets wat leek op een knechtenverblijf of kantoorgebouw, met twee deuren en een rij ramen met geopende luiken in vrolijke kleuren, een lange, lage stal met een oefenkraal ernaast, en iets wat een pomphuisje kon zijn.
Op een van de weiden, afgezet met prikkeldraad en met gras in het cirkelvormige groeipatroon dat wees op een centraal besproeiingssysteem, graasde een zestal Brahman-koeien. Het gras eromheen was van een

grijsachtig groen dat aangaf dat de winter naderde. Op de overige weiden, die achter het ranchhuis lagen en stapsgewijs opliepen tegen de heuvel, graasden een paar honderd koeien met witte koppen.

Volgens het kavelboek was Corbeil eigenaar van vijfduizend hectare land, anderhalve kilometer breed en ruim drie kilometer diep. Aan beide kanten ervan waren wegen: Highway 185, die in de breedterichting voor de ranch langsliep, en Beulah Drive, die links van de ranch van het zuiden naar het noorden liep.

Toen we via Beulah langs de ranch waren gereden, stond anderhalve kilometer ten noorden van Highway 185, op enige afstand van de weg, en verscholen tussen een groepje bomen, aan het eind van een met onkruid overgroeide oprit, een vervallen schuur. De schuur zag er onbewoond uit, maar op het dak stond een redelijk nieuwe, pizzablikvormige satellietantenne en achter het huis, op het gazon stond er nog een, die er ouder uitzag, zodat het erop leek dat er toch mensen woonden.

We reden door over de landweg tot het eind van Corbeils landerijen en nog een paar kilometer verder, waar we de restanten van een oude boerderij vonden, eveneens tussen een groepje bomen en aan het eind van een overwoekerde oprit. Ik draaide de oprit op, stapte uit en liep in de absolute stilte naar de bomen, waar ik een ingestorte bakstenen schoorsteen vond en een beschutte parkeerplek vol verroeste bierblikjes. Zo te zien het plaatselijke vrijersplekje.

Op de terugweg, toen we vanuit het noorden Corbeils land naderden, wees ik op de afrastering van het perceel.

'Zie je die bomen daar?' zei ik. 'Ik stap uit met de verrekijker en jij rijdt acht tot tien kilometer door, keert dan om en komt me weer halen. Geef me een kwartier.'

'Waar ga je naartoe?'

'Ik loop door langs het hek om te zien wat er aan de andere kant van de heuvel is.'

'Waarschijnlijk een rancher die niet wil dat je over zijn land loopt.'

'Dan zeg ik dat ik schilder ben,' zei ik. 'Ik neem mijn tas met schilderspullen mee.'

Bij de bomen wipte ik uit de pick-up met mijn tas en verrekijker, en toen LuEllen doorreed, drong ik door het groen, klom over de afrastering waar die overging in die van zijn buurman en liep de heuvel op. Zoals ik al zei, was het een erg stille streek: wegen, velden met afrasteringen en nauwelijks mensen. Ik liep door een soort klaverveld, dat

eruitzag als gras dat regelmatig werd gemaaid en weinig leek op de alfalfavelden zoals ik die kende.
Ik volgde de afrastering vierhonderd meter heuvelopwaarts en kwam ten slotte bij een vlak stuk van waaraf ik naar Corbeils ranch kon kijken. Ik zag nog veel meer koeien en een grote watertank met een drinkplaats voor het vee. Maar waar ik veel meer in geïnteresseerd was, was de satellietschotel die ernaast stond. Het was zo'n grote, ouderwetse, maar hij zag er goed onderhouden uit, en er was daar niemand om naar een tv te kijken. Toch bewoog de schotel terwijl ik ernaar keek. Ik kon hem niet echt zien bewegen, maar toen ik mijn blik afwendde en er even later weer naar keek, leek hij van plaats te zijn veranderd. Ik hurkte neer bij de afrastering, keek langs een van de draden naar de schotel en bleef doodstil zitten. En inderdaad, de schotel bewoog, vijf à zes minuten lang, en toen stopte hij.
Voorzover ik het kon beoordelen, wees de schotel vanaf de weg langs de heuvel in noordoostelijke richting toen hij stil bleef staan. Met de verrekijker kon ik achter de vervallen schuur, anderhalve kilometer naar het zuiden, nog een satellietschotel zien staan, die ook in noordoostelijke richting wees.
Aha.
Stonden die twee schotels met elkaar in verbinding? Stonden ze in verbinding met een satelliet? En als dat zo was, wat betekende dat dan? Het wemelde in het land van de satellietschotels; zelfs sportkantines hadden er een. Maar sportkantines hadden geen twee satellietschotels die over een afstand van anderhalve kilometer met elkaar in verbinding stonden. Want als dat zo was, zouden ze samen het effect hebben van een grotere, veel gevoeliger schotel. En met die foto's...
We waren op iets gestuit. Maar wat? Een of andere geheime operatie? En voor wie werd er dan iets verborgen gehouden? Als ze samenwerkten met de FBI, hadden ze die moeite niet hoeven nemen. Dan hadden ze die schotels gewoon ergens neergezet, en niet stiekem weggestopt op een afgelegen ranch in Waco, Texas.

Ik stond tussen de bomen te wachten, toen LuEllen kwam aanrijden.
'Iets gevonden?'
'Ja, ik denk dat we inderdaad iets hebben. Heb jij een satellietschotel op Corbeils land zien staan? Een van die grote jongens?'
'Ik geloof het niet. Ik heb er niet op gelet.'
We reden weer voor de ranch langs, maar vanaf Highway 185 was er

geen satellietschotel te zien. 'Misschien hebben ze hem uit het zicht geplaatst,' zei LuEllen.
'Misschien zijn er maar twee. Of er zijn er meer, en die staan ergens weggestopt, zoals die ene achter die watertank.'
'Waar denk je aan?' vroeg ze.
'Ik laat mijn gedachten de vrije loop,' zei ik. 'Ze waren bereid voor die foto's een moord te plegen, en het kan zijn dat we een code in huis hebben. En we hebben die lijst met landen in het Midden-Oosten en Verre Oosten... Het zou kunnen dat ze foto's van verkenningssatellieten roven en die verkopen.'
'Hoe bedoel je?'
'Ze verkopen de foto's van Pakistan aan India en die van India aan Pakistan. Die van Irak aan Iran en die van Iran aan Syrië en Irak, en die van Israël aan Syrië. Die van Taiwan aan China en die van China aan Taiwan, enzovoort.'
'Zouden ze dan niet gepakt worden?'
'Ik kan tien manieren bedenken waarop ze nooit gepakt zouden kunnen worden. Tien manieren waarop de kopers de verkopers nooit te zien krijgen. Daar is internet voor. Als een koper op die manier zijn spullen kan afnemen, is er echt sprake van linke handel.'
'Oké. En wat doen we nu?'
'We gaan terug naar Austin,' zei ik. 'Ik moet boodschappen doen.'
'Altijd weer boodschappen doen.'
'En vanavond komen we terug.'
'Voor een snuffel?'
'Precies.'

In Austin gingen we naar een winkel voor buitensporten, waar we een goed kompas, een satellietontvanger met kaartfunctie, topografische kaarten van de streek ten oosten van Waco – met daarop Corbeils ranch – en een goedkope zwarte rugzak kochten. Bij een gereedschapswinkel kocht ik een hoekmeter, een waterpas en een rol breed plakband. En in een fourniturenwinkel een kaartje met vijf meter elastiek. Op een parkeerterrein zat ik een uur in de auto om uit te vinden hoe de satellietontvanger werkte, waarbij ik vooral geïnteresseerd was in de tijd-, afstand- en opslagfunctie.
Toen kwam het onderwerp 'wapen' aan de orde.
'We hebben een beter wapen nodig,' zei LuEllen. 'Moet je zien wat ze met Lane en Jack hebben gedaan. Dat waren executies, dus het kan ze allemaal geen barst schelen. Als we daar gaan rondkijken en ze betrap-

pen ons... ik bedoel, dit is Texas, Kidd... als ze gewapend zijn, schieten ze ons neer als prairiehonden.'
'Elke keer als jij een wapen koopt...'
'Dat moet in Texas niet zo moeilijk zijn,' zei ze. 'Ik zal Weenie bellen.'
Het was niet moeilijk om in Texas aan wapens te komen. We hoefden alleen naar Houston te rijden, in iets meer dan twee uur, voor een ontmoeting met een knaap op een parkeerterrein bij George Bush Intercontinental Airport, en hem zeshonderd dollar te geven voor een aftandse Chinese AK met twee magazijnen, vijftig 7.65 x 39-patronen en een nylon draagband.
'In een winkel betaal je daar niet meer dan tweehonderd dollar voor,' zei ik tegen LuEllen toen we wegreden.
'Maar dit was geen winkel,' zei ze.
'Ik hoop dat hij het doet,' zei ik. 'Dat ding ziet eruit alsof hij tijdens een handenarbeidles in China is gemaakt.'
Om vijf uur waren we terug in Austin. In onze motelkamer stopte ik een paar patronen in de AK. Toen ik mijn middelvinger openhaalde aan de slagpen besloot ik dat er een kans was dat het ding werkte. We aten en om zeven uur waren we weer op weg.
Het gebied rondom Waco is vrij weelderig begroeid. Waco ligt maar iets onder Dallas en het echt droge land – het dorre stekelwerk – begint twee uur rijden naar het westen.
Maar net als het meeste land langs de snelwegen is het gebied net ten westen van Waco bijna compleet verlaten. Al het land was op de een of andere manier in gebruik, maar toen we er die ochtend doorheen waren gereden, waren we welgeteld één persoon tegengekomen, een vrouw die van haar huis naar de brievenbus liep. En in die streek, waar de lichtjes van de stad ontbreken, is het aardedonker.
We hadden een goede avond uitgekozen; het was windstil en de hemel stond vol sterren. De maan was al aan het klimmen toen we langs Corbeils ranch reden. Er brandde licht in het ranchhuis, het gebouw dat een knechtenverblijf of kantoor kon zijn, en in de tuin. Voor de garage stonden een paar auto's geparkeerd, maar we zagen niemand lopen. Links van de ranch reden we Beulah Drive op en reden door in noordelijke richting tot aan de overgroeide oprit en het ingestorte huis dat we die ochtend hadden gevonden. Daar aangekomen zetten we de pick-up neer, stapten uit en namen een paar minuten tijd om in het rond te kijken en vooral te luisteren.
We hoorden alleen insecten en de steentjes onder onze voeten. Na tien minuten haalde LuEllen onze dichtgeplakte zaklantaarns tevoorschijn

en begonnen we over de weg terug te lopen naar Corbeils ranch.
De wandeling duurde veertig minuten, want we liepen langzaam en bleven vaak staan om te luisteren en met de nachtkijker de omgeving af te zoeken. Al die tijd zagen of hoorden we geen enkele auto. Op de hoek van Corbeils land, waar ik die ochtend langs het hek was gelopen, gingen we tussen de bomen staan en peilde ik onze positie op de satellietontvanger.
'Klaar?'
'Ja,' zei ze.
We waren allebei van top tot teen in het zwart gekleed. In de stad hadden we donkerrode jacks aangehad. Die waren in het donker bijna net zo moeilijk te zien als zwarte, en als je een smeris tegenkwam, zag het er onschuldiger uit. Als we nu werden betrapt, hier op Corbeils land en met een AK in de hand, zou het weinig zin hebben om te zeggen dat we verdwaald waren.
We liepen langs het hek, ik voorop en LuEllen vlak achter me, onze voeten gleden ruisend door het gras en de sterren en halfvolle maan gaven net genoeg licht om elkaar als donkere schaduwen te zien bewegen. Toen we halverwege de heuvel waren, bleven we staan en richtten we de ragfijne lichtstraaltjes van onze zaklantaarns op de afrastering.
Dankzij de nachtkijker kon ik de satellietschotel duidelijk naast de watertank zien staan. Ik zag niemand, alleen koeien die zich in groepjes hadden neergevlijd voor de nacht.
'Zie je iets?' Ik voelde LuEllens warme adem in mijn oor.
'Nee. We steken het veld over. Gebruik je zaklantaarn en pas op het prikkeldraad.'
We klommen over het hek en begonnen de heuvel af te dalen. De schotel stond tweehonderd meter verderop en we deden rustig aan, bleven vaak staan om te luisteren. Toen we dichterbij kwamen, hoorde ik water kabbelen en daarna, nog dichterbij, een zacht, elektrisch gezoem. De schotel bewoog niet, maar hij stond wel aan.
Ik gaf de AK en de nachtkijker aan LuEllen en zoals we hadden afgesproken nam zij dertig meter lager positie in om als luisterpost te fungeren. Ik deed de rugzak af, haalde de apparatuur eruit en stelde onze positie vast met de satellietontvanger. Toen zette ik het apparaat in de tijdfunctie en begon metingen te verrichten.
De schotel leek in een soort ruststand te staan. Met behulp van het kompas kon ik tot een paar graden nauwkeurig de richting van de schotel bepalen – ongeveer tweehonderdnegentig graden, of iets ten noorden van het westen – wat een heel andere richting was dan die van vanoch-

tend. Toen ik zeker wist dat ik het goed had gedaan, trok ik een strook tape van de rol en plakte het elastiek aan de bovenrand van de schotel, leidde het naar beneden, trok het strak en plakte het uiteinde vast aan de onderrand. Ik gebruikte de waterpas om de hoek van de bodem te bepalen en mat de hoek waarin het elastiek daarop stond, wat me een goede indruk gaf van het huidige azimut van de schotel. Ik schreef de uitkomst op en ging zitten wachten.

We hadden afgesproken dat we drie uur zouden wachten en als de schotel dan nog niet had bewogen, zouden we ermee ophouden. Want we zouden moe worden en onze alertheid zou afnemen. Nu het elastiek op de schotel zat geplakt, kon ik gaan zitten en het me gemakkelijk maken. De maan begon te zakken en de sterren stonden fonkelend aan de hemel. De lichtjes van Waco, in het oosten, waren nog fel genoeg om geen echt goed beeld van de Melkweg te krijgen, zoals je dat in de North Woods had, maar dat kon noordelijk chauvinisme zijn, want de sterren waren best mooi...

Ik had daar vijfentwintig minuten gezeten toen de motor van de satellietschotel een elektrische oprisping liet horen die overging in een zacht gezoem. Ik ging rechtop zitten, luisterde nog eens goed om mezelf te overtuigen, pakte snel de satellietontvanger en noteerde de tijd. Met de waterpas en hoekmeter in de hand ging ik voor de schotel staan om het azimut te checken. Maar dat was niet veranderd. Er gebeurde wel iets anders: de zoemtoon van de motor werd dieper.

Ik vroeg me af wat dat te betekenen had toen er een trilling door de schotel ging en deze heel langzaam achterover begon te kantelen. Ik keek naar de hemel, naar de plek waarop de schotel gericht werd, maar ik zag alleen maar sterren. Soms, tijdens inktzwarte nachten, kon je ze zien, de satellieten, die als piepkleine conservenblikjes langs de hemel schoven.

Ik mat het azimut, schreef het op en zette de tijd van de satellietontvanger erachter. Hetzelfde deed ik nog een paar keer. Daarna liep ik haastig terug, pakte het kompas en keek of de richting was veranderd. Dat was niet zo. Ik liep weer terug naar de schotel en checkte het azimut zo vaak als ik kon totdat de schotel recht naar de horizon achter de heuveltop wees en bleef stilstaan. Nadat ik het laatste azimut had opgeschreven, rende ik weer om de schotel heen om de richting te checken. Die was nog steeds dezelfde. Als ik deze cijfers aan Bobby wilde geven, had ik een regelmatige reeks nodig, ook al waren de berekeningen met de hoekmeter vrij grof, en moest ik hem een zo exact mogelijke reeks tijdstippen en azimut geven.

Op het hoogste punt van de baan die werd beschreven, was de schotel dertig seconden stil blijven staan, waarna hij weer langzaam in beweging kwam en aan zijn neerwaartse baan begon. Aan het eind van de baan wees de schotel naar de horizon op driehonderdtwintig graden, wat dertig graden meer naar het noorden was. Ik schreef dat ook op, zocht mijn spullen bij elkaar en trok het elastiek van de schotel. Daarna liep ik vijftien passen naar het zuiden en fluisterde: 'LuEllen?'
Even later stond ze naast me. 'Gebeurd?'
'Ja.'
'Ik hoorde je in het rond stampen.'
'Niet te hard, hoop ik?'
'Nee. Gaan we?'
'We gaan eerst nog een wandelingetje maken.'
'Jij bent de baas.'

We liepen langzaam en bleven vaak staan om met de nachtkijker de omgeving af te zoeken. Daarbij bleven we zo ver mogelijk uit de buurt van de koeien en bewogen ons in de richting van Corbeils ranchhuis. We rustten een kwartier uit en namen intussen de omgeving goed in ons op. Toen staken we een beekje over en begonnen de andere helling van de heuvel te beklimmen. Boven hadden we een goed uitzicht op Corbeils land.
'Geen schotels,' mompelde ik naar LuEllen.
'Laten we gaan. We zijn hier al te lang geweest.'
'Laten we eerst een paar honderd meter die kant op lopen en dan teruggaan,' zei ik.
'Die kant' was naar de oostelijke grens van Corbeils land. We liepen eerst terug naar de heuvel om enige afstand tussen ons en het ranchhuis te creëren, waarna we over een afstand van vier- à vijfhonderd meter de voet van de heuvel volgden. Toen de satellietontvanger aangaf dat we driekwart van de weg hadden afgelegd, keerden we ons weer naar de heuvel toe. We liepen naar boven, keken naar beneden en daar, in een kleine vallei, stond weer een satellietschotel.
'En dat is drie,' fluisterde ik.
We liepen ernaartoe, ik voerde de positie in de satellietontvanger en bepaalde de richting: driehonderdtwintig graden, net als de vorige. De schotel bewoog niet. Ik overwoog even om te wachten totdat hij dat wel zou doen, maar de tijd begon te dringen. 'Kom op,' zei ik, 'we gaan.'
Het duurde ruim een uur voordat we terug waren bij de pick-up. We liepen er langzaam naartoe, luisterden goed, stapten zo zachtjes mogelijk

n, reden achteruit de oprit af en zetten koers naar de snelweg. Toen we die op waren gereden, zei LuEllen: 'Mooie nacht voor een picknick.'
'Ik heb genoeg buitenlucht gehad,' zei ik. LuEllen reed en ik vervolgde: 'Als we bij die oude boerderij zijn en er brandt geen licht, stop dan even op de oprit, heel even maar.'
Er brandde geen licht en LuEllen stopte. Ik stak de satellietontvanger uit het raampje, noteerde de ligging en zei: 'Kom, we gaan naar huis.'

We reden de landweg in zuidelijke richting af, draaiden Highway 185 op en reden langs Corbeils ranchhuis. Er kwamen net twee mannen naar buiten die naar een auto op de oprit liepen. De ene man keek even op toen we langsreden.
'Die man...' zei LuEllen. 'Die aan de rechterkant.'
'Ja, hij hinkte.' We reden door, keken achterom en zagen dat de auto de oprit afreed en ons achternakwam. Een paar kilometer verderop, bij een kruising, sloegen we af naar Waco. De auto achter ons deed hetzelfde.
'Ze zitten nog steeds achter ons?'
'Ja, maar dat is niet zo gek. Je kunt hier nergens anders naartoe.' Ze wekten niet echt de indruk dat ze ons achternazaten. 'Ga wat langzamer rijden,' zei ik. 'Een kilometer of tachtig.'
LuEllen minderde vaart en de auto, een Buick, kwam dichterbij. Toen ze vlak achter ons zaten, bleven ze daar even hangen, maar op een vlak stuk stuurden ze om ons heen en gaven gas. Ik had de nachtkijker al klaar, richtte hem op de nummerplaat van de Buick en schreef het nummer op.
'Hij keek niet eens naar me,' zei LuEllen.
'Waarom zou hij? We zijn gewoon een pick-up op een snelweg. Zelfs paranoia heeft grenzen.'
'Voor amateurs,' zei LuEllen. 'Voor mij niet. We vegen deze auto schoon en brengen hem morgenochtend vroeg terug. Voordat DMV opengaat, voor het geval hij het kentekennummer wil checken.'
'Natuurlijk,' zei ik.

23

Later die avond ging ik on line met Bobby en gaf ik hem een opsomming van alles wat we hadden ontdekt. Met behulp van mijn satellietontvanger rekende ik de exacte locaties en de onderlinge afstanden van de drie satellietschotels uit, en ik gaf hem de richting, het azimut en de tijdstippen die ik had genoteerd.

Illegale contacten met satellieten?
Mogelijk. Klanten kunnen foto's van hoge resolutie bestellen via internet en geld storten op gefingeerde rekeningen. Namen in Jacks bestanden waren allemaal van islamitische landen in het Midden-oosten en Azië.
Er moet sprake zijn van sabotage. Hoe kunnen ze die schotels gebruiken zonder dat de NRO ervan weet?
Geen idee.
Wil data op disks aan twee vrienden laten zien, als je het goedvindt.
Moeten 'goede' vrienden zijn.
Heel 'goede' vrienden. Weten allebei een en ander over satellieten.
Oké. Nog nieuws over Green?
Ja, advocaat zegt politie waarschijnlijk klaar met Green.
Wordt zijn kamer bewaakt?
Zal ik nagaan.
Ga ook kentekennummer na...

Ik gaf hem het kentekennummer en hij zei dat hij zich zou melden. De volgende ochtend brachten we de pick-up terug nadat we heel zorgvuldig alle vingerafdrukken hadden verwijderd. De AK en alle andere apparatuur verstopten we in de kofferbak van de huurauto.
'Het zou niet best zijn als de politie die verzameling te zien kreeg,' zei

LuEllen toen ik alles in de kofferbak legde. 'Een nachtkijker, een kompas, een satellietontvanger, het geweer... Ze zouden denken dat we huurmoordenaars zijn.'
'Misschien zijn we dat ook wel,' zei ik. Terwijl ik het zei, probeerde ik het op het allerlaatste moment als een grapje te laten klinken, maar LuEllen bleef me aankijken met een merkwaardige blik in haar ogen. Ik moest een beetje op mijn woorden passen.

We moesten weer wachten. We hingen de hele dag rond en om de paar uur ging ik on line om te kijken of Bobby al iets te melden had. LuEllen had er genoeg van om in haar eentje te golfen.
'Waarom leer jij niet golfen? We moeten altijd wachten en onze tijd zien door te komen, en jij zit altijd maar te tekenen. Waarom leer je niet iets wat socialer is?'
'Golf is voor idioten,' zei ik.
'Hoe weet je dat? Jij hebt het nooit gedaan.'
'Als je je mond niet houdt, leg ik je over de knie.'
'Dan zijn we in elk geval een paar uur zoet,' zei ze.

Het enige wat Bobby die ochtend te melden had, was de naam van de eigenaar van de auto met de twee mannen bij Corbeils ranch. Ene William Hart, met een adres.
'Jack noemde die naam in het begin in zijn e-mail. Hij zei dat we voor hem moesten oppassen omdat hij een echte kwaaie was.'
'Laten we dat dan doen,' zei LuEllen.

Later die dag kwam er nieuws van Bobby.

> *Kun je naar Little Rock gaan?*
> Ja. Wanneer en waarom?
> *Morgen. Apparatuur ophalen. We moeten weten wat de schotel opvangt.*
> Oké.
> *Afgesproken. Heb met advocaat gepraat. Greens kamer (348) wordt niet officieel bewaakt. Man in kamer ernaast (350) heet Morris Kendall. Hij lijdt aan kanker, krijgt veel medicijnen en zal binnen een paar dagen overlijden. Voor als je een naam nodig hebt om bij Green te komen.*
> Bedankt.

We lieten ons uitschrijven in het motel in Austin, reden terug naar Dallas en namen een nieuwe kamer in een net zo anoniem motel. Ik belde het ziekenhuis, vroeg naar de bezoekuren en kreeg te horen dat we er tot negen uur terechtkonden.
'Wat gaan we proberen van Green los te krijgen?' vroeg LuEllen.
'Ik ga het met hem hebben over de voordelen van het zwijgen,' zei ik.
'Ik weet zeker dat hij die zelf al heeft ontdekt,' zei ze, en ze zette haar handen op haar heupen. 'Je bent iets anders van plan.'
Met tegenzin knikte ik. 'Ja, inderdaad. Maar ik ga je niet zeggen wat het is, want dan word je boos en ga je de hele dag aan mijn kop lopen zeuren en daar heb ik geen zin in. Hoe dan ook, ik ga vanavond alleen naar het ziekenhuis. Jij blijft in de auto zitten en houdt je klaar om weg te rijden, voor het geval er problemen komen.'
'Kidd, als jij denkt dat er problemen komen...'
'Ik dénk niet dat er problemen komen, maar ik ben meer paranoïde dan onze twee vrienden bij Corbeil, oké? En hou nu even je mond; ik probeer na te denken.'

Ik was inderdaad iets anders van plan en wilde niet dat LuEllen ervan wist. Nog niet, in elk geval. Ik had een manier ontdekt om AmMath en Corbeil en zijn twee apen in de val te lokken, maar ik wilde LuEllen niet in de buurt hebben als ik dat deed. Daar was Texas een te gevaarlijke staat voor...

Om halfnegen die avond liep ik het Mount of Olives-ziekenhuis binnen. LuEllen had de auto neergezet in een straat achter het parkeerterrein voor artsen. Als ik het op een lopen moest zetten, zou ik waarschijnlijk de uitgang niet halen, maar als ik daar wel in slaagde, kon ik het parkeerterrein over rennen en konden we binnen vijftien seconden in het verkeer verdwenen zijn.
Meteen achter de hoofdingang van het ziekenhuis was een winkeltje waar ik een boeket gele bloemen kocht. Ze leken op narcissen, maar hadden een plasticachtige glans. Daarbij verspreidden ze een doordringende geur en met de groene glazen vaas die je erbij kreeg, maakte het geheel een goedkope indruk die vreemd genoeg gepast leek. Bij de informatiebalie vroeg ik het nummer van Morris Kendalls kamer en ging naar boven.
De deur van Greens kamer stond open en op een stoel bij het bed aan de andere kant van de kamer zat een dikke vrouw met een nors gezicht. Er stonden twee bedden in de kamer. Van het bed dat het dichtst bij de deur stond, waarin Green zou moeten liggen, kon ik alleen het voeteneind

zien. Niemand had me verteld dat Green op een tweepersoonskamer lag. Verdomme.
Ik draaide me om en liep kamer 350 binnen. Morris Kendall lag zo te zien in coma; hij was daar in zijn eentje aan het sterven. Hij lag aan een infuus en zijn arm was bont en blauw van eerdere naaldprikken. Ik zette de bloemen op het nachtkastje en probeerde niet naar hem te kijken.
Na een paar minuten liep ik de gang op en wandelde daar een tijdje rond. De vrouw zat nog steeds naast het bed, zei niets en had haar beide handen om de tas in haar schoot geklemd. Ze wekte de indruk dat ze liever ergens anders zou zijn. Ik ging terug naar 350, bleef nog een paar minuten bij Morris zitten en besloot een dodelijke voorraad slaappillen aan te leggen voor als ik oud en ziek werd, want zo wilde ik niet aan mijn eind komen...

In de gang was het een komen en gaan van mensen, maar ik had alleen oog voor de dikke vrouw, en uiteindelijk, na een kwartier, werd mijn geduld beloond. De dikke vrouw liep voorbij met doelbewuste passen en haar tas in haar handen geklemd. Ik keek de gang in, en toen ik daar een man en twee kinderen zag die aan hun gezichten te zien tot dezelfde familie behoorden, stapte ik om de deurpost en glipte Greens kamer binnen.
Green lag in het voorste bed, dat van het andere was gescheiden door een gordijn. Tegenover de bedden, aan de muur, hing een tv die een romantische speelfilm liet zien. Green draaide zijn hoofd naar me toe toen ik binnenkwam. Ik hield vragend mijn handen op, fronste mijn wenkbrauwen en Green beantwoordde het gebaar door zijn vinger naar zijn lippen te brengen. Ik kwam naast zijn bed staan en bracht mijn gezicht vlak bij het zijne.
'Wat kom je hier doen?' vroeg Green.
'Ik moet met je praten. Hoe gaat het?'
'Het komt wel goed. Ik zal een paar weken fysiotherapie nodig hebben.'
'Het spijt me.'
'Het spijt mij nog veel meer. Ik had Lane moeten beschermen en nu is ze dood.' Hij keek heel bedroefd terwijl hij het zei.
'Ik moet meer weten over die twee mannen. Schoten ze allebei?'
'Ja, en niet zo'n beetje ook. Ze hadden niet eens de moeite genomen om geluiddempers op hun wapens te schroeven. Volgens mij wilden ze haar ontvoeren, maar toen ze mij zagen, begonnen ze te schieten. Heb je je laptop?'
'Ja. Ik moet weten hoe ze eruitzagen. Je hebt er een verwond.'

'Niet ernstig, denk ik. Het kan zelfs een afgeketste kogel zijn geweest. De kleinste van de twee begon meteen op me te schieten, dwars door de deur, waardoor ik in de badkuip viel. Ik kon verdomme niets anders bedenken dan de trekker te blijven overhalen.'
'Die badkuip is je redding geweest.'
'Zeg dat wel. Ik geloof niet...' Ik zag hem denken, misschien wel voor de duizendste keer. 'Ik geloof niet dat ik haar had kunnen redden.'
'Geen schijn van kans,' zei ik. 'Die twee mannen; hoe zagen ze eruit?'
'Twee blanke kerels met gemene koppen, maar ze hadden nylonkousen over hun hoofd, dus echt goed kon ik ze niet zien. Ze waren in goede conditie, slank en gespierd. Heel kort haar, geloof ik; ik kon het niet echt zien, maar die indruk had ik. De ene was ongeveer één meter vijfentachtig, of iets langer, de ander een centimeter of acht korter, maar hij was iets dikker. Je ziet het als je ze naast elkaar ziet staan. De korte heb ik geraakt.'
'Oké. Ga je terug naar Oakland?'
'Ik denk het. Ik zou graag blijven, maar ik denk niet dat je nog veel aan me hebt.'
'Nee, nee, je helpt ons het best als je teruggaat naar Oakland en precies doet wat je zou doen als het was gegaan zoals je hebt gezegd. Je bent een lijfwacht en wist niet wat er aan de hand was. Ga naar huis, doe je therapie, ga wandelen, achter de vrouwen aan... Als de FBI nog steeds in je geïnteresseerd is, moet je ze vervelen.'
Green knikte. 'Goed, dan doe ik dat.'
Vanachter het gordijn vroeg een krakende mannenstem: 'Hé, Leth, vind je het erg als ik hem op Cinemax zet? Volgens mij is er vanavond zo'n *carwash*-film met naakte wijven.'
'Ga je gang,' zei Green. 'Ik heb wel zin in een paar naakte wijven.'

Ik schudde Green de hand en liep naar de deur. Ik nam de lift naar beneden, stak het parkeerterrein van de artsen over en stapte in de auto.
'Hoe is het gegaan?' vroeg LuEllen.
'Prima. Green houdt zijn mond, dus we zitten goed.'
'Waarom kijk je dan zo sip?' Ze maakte een U-bocht en zette koers naar de snelweg.
Ik vertelde haar over Morris Kendall in de kamer naast die van Green. 'Voorzover ik kon zien was er niets in die kamer dat van hem was. Hij lag daar dood te gaan en het enige wat hij had was een goedkope bos gele bloemen van een onbekende.'
'Daar kun je een countryliedje over schrijven,' zei ze.

Dat was het gemakkelijkste deel van de dag. Ik ging on line met Bobby om te zien of hij nog nieuws had. Hij had een plek en een tijd in Little Rock: halfvier de volgende dag, in een restaurant bij Little Rock National Airport.

Toen dat was geregeld, besprong ik LuEllen. Niet langzaam en speels, zoals zij het graag heeft, maar recht voor zijn raap. Ik gooide haar op het bed en dook boven op haar. Toen we klaar waren, vroeg ze: 'Oké, Kidd, wat had dat te betekenen?'

'Ik ga je naar huis sturen,' zei ik. 'Ik wist dat je een tijdje de pest in zou hebben en wilde een portie seks om aan terug te denken als je weg bent.'

Ze kwam overeind. 'Vuile schoft.'

'LuEllen, je hebt altijd het recht geclaimd om je terug te trekken als het te link werd, nietwaar? Nou, het gaat nu een stuk linker worden en er is voor jou geen reden om erbij te zijn. Dan moet ik op je passen en dat wil ik niet. Ik zal al mijn tijd nodig hebben om op mezelf te passen.'

'Je hebt nooit op me hoeven passen,' zei ze op dreigende toon.

'Ik bedoel niet op je passen zoals op een baby. Ik bedoel dat ik op je moet letten.'

'Wat ga je doen?'

'Ik heb een plan. Ik ga je niet vertellen wat voor plan, want het is beter dat je dat niet weet. Misschien later. Maar wat jij moet doen, is ergens naartoe gaan waar mensen je kunnen zien. Je hebt je paspoort bij je, hè?'

'Godverdomme, Kidd...'

'Heb je je paspoort bij je?'

'Ja, ik heb mijn...'

'Morgenochtend vroeg zet ik je op het vliegtuig. New York zou een goede bestemming zijn met je legitimatie uit San Francisco. Daarna vlieg je naar Minneapolis met je eerste legitimatie – is die nog goed? – en ten slotte vlieg je op je eigen naam naar de Britse Maagdeneilanden of de Bahama's. Dat is veel vliegen, maar ik wil dat je hier en daar door de douane gaat en je de eerstkomende dagen onder de mensen begeeft. Mensen die zich zullen herinneren dat ze je hebben gezien.'

Nu werd ze nieuwsgierig. Ze was nog steeds boos, maar tegelijkertijd nieuwsgierig. 'Wat ga je opblazen?'

'Ik ga niets opblazen. Maar de zaak begint link te worden en je weet nooit waar de FBI en de CIA en al die andere organisaties met drie letters toe in staat zijn. Als ze jou in verband brengen met mij, loop je gevaar, en Bobby heeft gezegd dat ze alle namen aan het nagaan zijn.'

'Dat lukt me nooit, al die vluchten boeken...'

'Die zijn al geboekt,' zei ik. 'Dat heb ik vanochtend gedaan.'

'O, vanochtend,' zei ze. Ze dacht een ogenblik na en zei toen: 'Vanochtend? Vuile schoft...'

En zo bleven we de rest van de avond ruziemaken. We probeerden een paar uur te slapen, maar de volgende ochtend liep ze al vroeg met haar kleren te gooien. Toch stond ze om acht uur op DFW in de rij voor de vlucht naar New York. Normaliter was ze heel goed in staat me de rug toe te keren en weg te lopen, maar deze keer had ze er meer moeite mee. Na al die uren van ruzie gaf ze me een langdurige afscheidskus, fluisterde: 'Wees voorzichtig,' en stapte in het vliegtuig.
Ik was op mezelf aangewezen, en ging op weg naar Little Rock.

24

De rit naar Little Rock kostte me zes uur, inclusief het stoppen en uitstappen voor een hamburger en een paar bezoeken aan de wc. Ik was in een deel van het land waar ze hun friet zelf maakten. Zelfgemaakte frieten waren eigenlijk staafjes puur vet met een jasje in een aardappelpatroon, zodat je ze kon vastpakken en in je mond kon stoppen. Een serveerster in een uniform in de kleur van een twee dagen oude pompoentaart zette de hamburger met friet voor me neer. Toen ze haar blik over de tafel liet gaan, zei ze: 'Lieve help, iemand is de ketchup vergeten.' Even later was ze terug met een fles Heinz en zei: 'Zelfgemaakte frieten zijn niet te eten zonder ketchup.'
Ze had gelijk; ze waren niet te eten.

Ik was pas één keer in mijn leven in Little Rock geweest. Als je in St. Paul woont en ergens naartoe moet, is Little Rock nooit een tussenstop, alleen een doel op zichzelf. Ik kreeg trouwens weinig van het plaatsje te zien. De man die ik zou ontmoeten, zat in Shoney's. Ik herkende hem zodra ik binnenkwam.
'Hoe gaat het, John?' vroeg ik toen ik de box in schoof. Hij kwam overeind en we schudden elkaar de hand.
'Kan slechter. Ik heb het gehoord van Green en de dame. Je zit in de shit.' Hij keek me zijdelings aan en het tl-licht weerkaatste in zijn halfronde zonnebril.
'Het spijt me van Green,' zei ik.
'Het spijt mij van je vriendin,' zei hij.
John Smith was een zwarte man, oorspronkelijk afkomstig uit Memphis, maar hij reisde nu heen en weer tussen Memphis en een klein stadje in de Mississippi-delta, waar zijn vrouw woonde. Hij was zowel hard als intelligent, een politieke activist, een vriend van Bobby. En hij was kunstenaar: beeldhouwer. 'Ik ben er net,' zei hij. 'Ik heb een kalkoensandwich, zelfgemaakte friet, een stuk kokostaart met slagroom en een cola light besteld.'
'En daarna ga je ergens een hartscan laten maken,' zei ik.

Ik bestelde een salade en een cola en toen de serveerster wegliep, zei ik: 'Vergeet de ketchup niet, voor zijn zelfgemaakte friet.'
'Natuurlijk niet,' zei ze, me met een verbaasde blik aankijkend.

John zei dat het pakketje in zijn auto lag en dat hij het voor me zou pakken als we weggingen. 'Bobby zegt dat je het met plakband tegen de ontvanger midden in de schotel moet plakken. Dat zou voldoende moeten zijn. Er zitten een paar snoeren omheen gedraaid; die moet je eraf wikkelen en aan de steunlijnen van de schotel bevestigen. Ze doen dienst als antennes en maken de ontvanger wat gevoeliger. Oké?'
Hij tekende het voor me uit op zijn servet, maar het was me al duidelijk.
'Zodra de schotel in beweging komt, zet je onze ontvanger aan,' zei hij. 'Er zit één schakelaar aan de zijkant, dus het kan niet missen. Zolang de schotel beweegt, maak je dezelfde notities die je de vorige keer hebt gemaakt: richting, tijd en azimut. De ontvanger registreert zowel de inkomende als uitgaande signalen en slaat ze op. Bobby heeft wel een timer ingebouwd, maar hij had geen tijd voor een hoekmeter en kompasfunctie.'
'Ik begrijp het.'
'Is LuEllen bij je?'
'Ik heb haar weggestuurd,' zei ik.
'Jullie zouden een paar kinderen moeten nemen,' zei John. 'Straks zijn jullie oud en is er niemand om voor jullie te zorgen.'
'Bedankt voor het idee,' zei ik, en ik moest weer denken aan Morris Kendall, die op kamer 350 in zijn eentje lag dood te gaan. 'Heeft Bobby nog iets over Firewall gehoord?'
'Ik weet er het fijne niet van,' zei John, 'want dit is mijn terrein niet, maar Bobby zegt dat Firewall absoluut nep is. Hij zegt dat jij dat ook denkt.'
'Ik neig die kant op.'
'En hij zegt dat de FBI en de NSA de zaak opblazen tot een nationale dreiging om hun budget te rechtvaardigen. Hij zegt dat ze geen van beide iets beters te doen hadden – het zijn hopeloos verouderde instituten – en dat het hele Firewall-gedoe voor hen een geschenk uit de hemel was. Een cadeautje.'
'En de aanval op de belastingdienst?'
'Bobby had het over tien jonge jongens in Duitsland en Zwitserland. Hij heeft vier namen naar de FBI gestuurd, maar die besteedt er nauwelijks aandacht aan. Bobby zegt dat ze Firewall niet wíllen pakken. Nog niet.'

Johns eten en mijn salade werden gebracht en we zaten twintig minuten lang te praten over Johns vrouw, Marvel, de kinderen en de politieke toestand in Longstreet, waar Marvel en de kinderen woonden. Hij was nog niet helemaal klaar met eten toen ik op mijn horloge keek en zei: 'Er is een munttelefoon in de gang. Ik ga even on line met Bobby, kijken of er nog iets gebeurd is.'

'Ga je gang,' zei John.

Het was niet druk bij de telefoon; ik kon er meteen bij en draaide het 800-nummer. Maar het lukte me niet om de daaropvolgende tien cijfers te draaien, want al na zeven cijfers ging er een telefoon over en zei een vrouwenstem: 'Montana Genetics. Waarmee kan ik u van dienst zijn?'

'Eh... neem me niet kwalijk. Ik geloof dat ik een verkeerd nummer heb gedraaid.'

'O, nou, een prettige dag nog,' zei ze opgewekt, en ze hing op.

Ik draaide het nummer opnieuw.

'Montana...'

En ik hing weer op.

'We hebben een probleem,' zei ik tegen John toen ik weer in de box zat. 'Bobby is niet on line.'

John keek me aan met een verticaal plooitje tussen zijn ogen. 'Hij is niet...' Bobby was altijd on line. Heel zijn leven speelde zich af on line.

'Toen ik het 800-nummer draaide, kreeg ik een bedrijf dat Montana Genetics heet.'

John leunde achterover en legde zijn handen op tafel. 'O shit, hij heeft de stekker eruit getrokken.'

'Ik heb hem nodig, man,' zei ik.

'Wij ook,' zei John. Ik had nooit geweten wie "wij" waren, hoewel ik al jaren wist dat er een "wij" bestond. Hij keek op zijn horloge en zei: 'Ik moet terug. Ik moet bij mijn telefoon gaan zitten...'

De serveerster kwam naar ons toe met de rekening. Ze keek John aan en vroeg: 'Bent u meneer Smith?'

'Wat?'

'Bent u meneer...'

'Smith. Ja.'

'Eh... er is telefoon voor u. Meestal geven we geen gesprekken door aan klanten, maar de man zei dat het dringend was...'

John schoof de box uit en liep met haar mee naar achteren. Twee minuten later was hij terug. 'Ik moet gaan.'

'Bobby?'

'Ja. Hij wist dat we hier waren.' Hij legde vijf dollar op tafel en liep naar de uitgang. Buiten, in de openlucht, zei hij: 'Ik moest tegen je zeggen dat Ladyfingers is opgepakt en dat zij hun het 800-nummer heeft gegeven. De FBI en de NSA zijn het nummer gevolgd en heel dicht in zijn buurt gekomen. Hij zei dat er nog maar drie links tussen hem en de feds zaten voordat ze hem bij zijn kladden zouden hebben. Hij heeft alles afgesloten. Hij zei dat je het nieuwe nummer zou vinden zoals je dat de vorige keer hebt gedaan – hij heeft me niet verteld hoe, want hij is zo paranoïde als de pest – en dat je dan direct met hem in contact zou zijn. Het is de enige link die hij paraat zal houden totdat hij al zijn nummers heeft vernieuwd.'
'Slecht moment,' zei ik. 'Een heel slecht moment.'
Bij de auto gaf John me een sporttas met de ontvanger. 'Zodra je een volledige beweging hebt opgenomen, stuur je hem terug, per expresse naar mijn huis in Memphis.'
'Oké.'
'Succes,' zei hij. 'En kijk goed uit je doppen.'

Bij Texarkana vond ik een benzinestation met een munttelefoon en sloot ik mijn laptop aan. Ik bekeek mijn twee postbakjes en vond twee delen van een telefoonnummer, precies zoals Bobby had beloofd. Ik belde het nummer, typte een 'k' in en kreeg contact met Bobby.

> *Ze waren heel dichtbij. Dichterbij dan ooit. Heb zeven kleuren gescheten. Ik heb de tent gesloten, behalve voor jou. Heb je het pakje ontvangen?*
> Ja.
> *Kun je het vanavond monteren?*
> Ja.
> *Wat kunnen we nog meer doen?*

Ik vertelde het en kreeg een lange stilte als antwoord. Ten slotte:

> *Wees voorzichtig. Wees heel voorzichtig.*

De Interstate tussen Texarkana en Dallas loopt door een gebied waar je nauwelijks mensen tegenkomt. Ik keek op de kaart, zocht een van de grote, lichte stukken uit en sloeg een doodstille zijweg in. Ik zette de auto dwars aan de kant van de weg, pakte een lege plastic colafles en liep tweehonderd meter terug. Ik durf te wedden dat ik er niet meer dan een paar meter naast zat. Een van de dingen die je in het inbrekersvak moet leren, is afstanden inschatten. Ik wist dat mijn normale pas ongeveer negentig centimeter was en had geleerd hoe ik die, door mijn voet een fractie later neer te zetten, tot vrijwel exact een meter kon verlengen.

Ik zette de colafles neer, liep terug naar de auto, keek weer om me heen en haalde de AK uit de kofferbak. Daarna stapte ik weer in, laadde het geweer en draaide het raampje aan de passagierskant open. Toen ik zeker wist dat er geen verkeer aankwam, scheurde ik een paar stroken krantenpapier af, maakte er propjes van, stopte ze in mijn oren en richtte het geweer door het open raampje op de colafles.

De weg liep licht op. Ik leunde achterover tegen het portier, steunde de loop met mijn linkerhand, drukte mijn elleboog tegen de binnenkant van mijn knie, nam de colafles in het vizier en haalde de trekker over.

De fles sprong op en toen ik uit het raampje keek naar de plek waar hij had moeten staan, zag ik hem niet meer. Ik keerde de auto, deed de AK weer in de kofferbak en gooide de lege huls in het onkruid langs de weg. Heel langzaam reed ik terug naar de Interstate totdat ik de fles zag. Iets rechts van het midden, vijf centimeter onder het begin van de hals, zat een keurig gaatje met een diameter van .30 inch. Goed genoeg, dacht ik, meer dan goed zelfs.

Aangekomen in Dallas reed ik terug naar het motel om me op te frissen, om te kleden en het pakje te bekijken. Het was een plastic doos, ongeveer zo groot als een VHS-videocassette maar een stuk zwaarder, met een schakelaar aan de zijkant en een paar stukken antennedraad die uit de bovenkant staken. Ik stopte het apparaat in mijn rugzak en pakte de rest van mijn spullen in.

Hoewel ik meteen doorging, was het al negen uur geweest voordat ik in Waco bij Corbeils ranch was. Er brandde maar één lamp in het ranchhuis en er stonden geen auto's voor de deur. Ik reed door tot de ruïne van het oude huis, reed de auto tussen de bomen, stapte uit en ging op de oprit zitten.

En ik luisterde.

Oren kunnen je altijd meer vertellen dan ogen, zeker als je je in het donker bevindt en er misschien mensen zijn die jacht op je maken. Sommi-

gen raken dan gespannen, proberen iets te zien, weten niet hoe ze zich moeten bewegen, halen te luidruchtig adem of struikelen. Als je ontspannen blijft, zo rustig mogelijk ademhaalt en je ogen dichtdoet, kun je alles horen. Alles behalve uilen. Andere vogels kun je 's nachts horen vliegen, maar uilen niet. Dat zijn net geesten.
Na een halfuur was ik ervan overtuigd dat ik alleen was. Ik stond op, keek om me heen met de nachtkijker, pakte mijn spullen en de AK en liep terug over de weg. Ik was halverwege toen er een pick-up kwam aanrijden. Ik liep van de weg af, liet de pick-up passeren en wachtte totdat hij voorbij de plek was waar ik mijn auto had neergezet. Toen hij uit het zicht was verdwenen, luisterde ik nog eens goed en vervolgde mijn weg. Met dit trage tempo was het bijna middernacht voordat ik over de afrastering klom en aan het laatste stuk naar de schotel kon beginnen. Toen ik me recht voor de schotel bevond, keek ik er tien minuten naar voordat ik ernaartoe liep. Ik kon het zachte, elektrische gezoem horen, wachtte weer, maar deze keer maar twee minuten, voordat ik de ontvanger in het midden vastplakte en de antennedraden uitrolde. Ik plakte ze vast en spande het elastiek weer over de schotel, zodat ik straks het azimut kon bepalen. Toen ik dat had gedaan, liep ik tien meter achteruit en ging ik in het gras liggen om nu eens te luisteren en dan weer de omgeving af te speuren met mijn nachtkijker.
Zo ging er een uur voorbij, en daarna nog een uur. Halverwege het derde uur veranderde het gezoem ineens van klank. Ik dacht eerst dat ik het me verbeeldde, omdat ik zo lang had liggen wachten. Ik kwam overeind, luisterde nog eens en wist het toen zeker.
Ik legde mijn hand op de rand van de schotel, voelde een lichte trilling en zette snel de schakelaar op de ontvanger om. De schotel kwam in beweging, ik deed mijn metingen en een halfuur later klom ik weer over de afrastering, met de ontvanger in mijn rugzak.
Wat Bobby met het resultaat ging doen, wist ik niet precies. Dat was Bobby's afdeling. Ik zou de ontvanger opsturen zodra ik terug was in Dallas. Bij DFW was een postkantoor dat de hele nacht open was, had ik gehoord. Daarna zou ik er zelf vandoor gaan.

De moord op Lane had me aan het denken gezet. Mijn boosheid en frustratie waren alleen maar toegenomen sinds deze mensen ons naar het leven stonden om redenen die we niet kenden en waarin we – afgezien van die van Jacks dood – ook nauwelijks geïnteresseerd waren. En de onverschilligheid van degenen die ons behoorden te helpen – de FBI en andere overheidsdiensten – was bijna net zo erg.

Die avond, op de terugweg naar Dallas, zag ik een WalMart en ging ik er naar binnen om een doos te kopen. Het duurde even voordat ik er een had gevonden die groot genoeg was. In de doos zaten de zijpanelen en planken van een boekenkast die je zelf in elkaar moest zetten. Ik kocht hem en gooide hem achter in de auto.
Vervolgens vroeg ik de weg naar het postkantoor en stuurde ik de ontvanger terug naar John in Memphis. Daarna reed ik naar het huis van William Hart in Noord-Dallas. Ik zag een heel zwak licht achter de gordijnen, alsof er een nachtlampje brandde, maar verder zag ik geen teken van leven. Het was geen straat waar je te lang kon rondhangen. Ik reed een paar keer voor het huis langs, vormde me een indruk van de buurt en besloot het voor die dag voor gezien te houden.

Maar de volgende ochtend om halfzeven stond ik er weer, met zere ogen van de nauwelijks vier uur slaap die ik had gehad. Er waren maar een paar korte, logische routes van Harts huis naar hun kantoor in de stad. Ik kon niet in zijn straat blijven staan, maar wel op de parkeerplaats van een McDonald's, waar ik de straat kon zien waaruit hij waarschijnlijk zou komen rijden terwijl ik McMuffins met ei en worst at. Ik zat er iets meer dan een uur toen de Buick de straat uit kwam.
Ik ging hem achterna, met steeds zes of zeven auto's tussen ons. Halverwege ging hij de snelweg af en begon hij zijn weg te zoeken door de straten van een woonwijk. Ik bleef achter hem, liet me één keer te ver terugzakken zodat ik hem bijna kwijt was, maar gelukkig vond ik hem weer. Hij stopte voor een appartementengebouw en bleef daar wachten. Even later kwam er een man naar buiten hobbelen. Kort haar, één meter tachtig, brede borstkas. Benson, vermoedde ik. De man die we in San Jose hadden gezien. Met voorzichtige bewegingen stapte hij in. Ik wachtte totdat ze weg waren en begon de buurt te verkennen.
Het was een andere buurt dan die van Hart. Veel appartementengebouwen en oudere huizen, met buurtwinkels, kapsalons en videotheken, dat soort werk. Na een halfuur had ik een geschikte plek gevonden. Die had een paar nadelen, want er keken te veel ramen op uit. Maar dat risico moest ik nemen. Bovendien kon ik geen betere plek vinden. Na mijn verkenningswerk reed ik naar de historische wijk om te zien of ik daar een beter plan kon bedenken.

AmMath was gevestigd in het voorlaatste blok van de historische wijk. Die eindigde in een parkeerterrein waarachter diverse opritten richting snelweg liepen. Ik was van plan er een tijdje rond te rijden in de hoop

dat ik hun auto zou tegenkomen, en na een paar minuten zag ik hem al op een parkeerterrein naast het gebouw staan. Als de man met de schotwond erg moeilijk liep, zou het waarschijnlijk zijn dat ze zo dicht mogelijk bij de ingang van het gebouw zouden parkeren.
Goed, ik had de auto gevonden. Toen ik erlangs reed, zag ik verderop op het parkeerterrein een truck staan. De auto's op het parkeerterrein stonden in een ruitvorm, vanuit het AmMath-gebouw gezien. Ik reed het parkeerterrein op, kocht een kaartje, reed naar het uiteinde en ging naast de truck staan. Vanaf die plek kon ik in de Buick kijken en de passagiersplaats en een deel van de bestuurdersplaats zien.
Ik ging zitten en wachtte.

Als detectives in films op een slechterik wachten, komt hij altijd binnen redelijke tijd opdraven. Deze slechteriken deden dat niet. Ik wachtte twee uur toen ik er genoeg van had. Ik stapte uit en ging een wandelingetje maken. Ik kocht een broodje in een zaak waar ik de voorkant van het AmMath-gebouw kon zien. Er liepen diverse mensen in en uit, maar Hart was er niet bij.
Ik ging weer in de auto zitten, het geweer lag vlak achter de voorstoelen en het was bijna kwart voor twaalf. Misschien zouden ze naar buiten komen om te lunchen, dacht ik, maar lunchtijd kwam en ging en de twee lieten zich niet zien. Ik stapte uit, liep weer een rondje maar zorgde er steeds voor dat ik zowel de auto als de ingang van het gebouw bleef zien. Weer terug pakte ik mijn schetsblok en tekende een tijdje, maar ik was niet in de stemming en bovendien was de omgeving niet erg inspirerend.
In de loop van de dag had ik al diverse keren besloten dat ik er genoeg van had, maar weggaan deed ik niet. Ik was er zeker van dat als ik dat zou doen, ze een minuut later naar buiten zouden komen. Dus bleef ik en keek ik naar de Texanen die in en uit liepen: vrouwen met getoupeerd haar en mannen met cowboylaarzen; niet allemaal, maar genoeg om op te vallen.
Om vijf uur wist ik dat het niet echt lang meer kon duren. Om halfzes zou het wachten praktisch voorbij moeten zijn, meende ik, en ik vroeg me af of ik het geweer al op de voorstoel moest leggen. Ik deed het niet. En om kwart voor zes kwam Hart uiteindelijk naar buiten. Hij liep naar de auto, stapte in en reed achteruit, maar Hart was niet degene op wie ik wachtte. Desondanks startte ik de auto en was ik nog net op tijd om Benson hinkend om de auto te zien lopen en te zien instappen.
Ik reed ze achterna, de oprit naar de Interstate op. Ze gingen naar Ben-

sons huis, vermoedde ik. Het enige waar ik behoefte aan had, was dat hij even naast de auto zou staan. Ik reed ze voorbij op de snelweg, reed te hard door de buurt waar Benson woonde en zette de auto op de oprit van een wasserij die haar deuren voor de avond had gesloten.
Het geweer zat in de doos van de boekenkast die ik de vorige avond bij de WalMart had gekocht. Ik was op zoek geweest naar een grote, platte doos die er niet uitzag alsof er een geweer in zou zitten. De doos van de boekenkast voldeed aan die beschrijving. De boekenkast zelf lag in de container achter het motel.
Ik haalde de doos tevoorschijn, liep de hoek bij de wasserij om en installeerde mezelf tussen een garage en de heg van het eerste huis in Bensons straat. Tweehonderd meter verderop kon ik zijn voordeur, de parkeerhaven voor het appartementengebouw en een stukje van de straat zien. Ik wachtte in het vallende duister en hoopte dat het licht van de straatlantaarns voldoende zou zijn om hem goed te zien.
Een minuut of zes later kwamen ze de straat in rijden. Toen de auto voor het appartementengebouw stopte, haalde ik het geweer uit de doos, zette me schrap tegen de muur van de garage en nam ik de auto op de korrel. Er was nog genoeg licht. Benson stapte uit, wankelde op zijn gewonde been en boog zich naar voren om nog iets tegen Hart te zeggen. Even stond hij doodstil.
Ik richtte en haalde de trekker over.

LuEllen zegt altijd dat een hard geluid – een schot, of een harde klap van metaal op metaal – je niet per se hoeft te verraden. Het eerste harde geluid zorgt ervoor dat mensen gaan nadenken over wat ze hebben gehoord, en als het geluid niet wordt herhaald, houden ze op met nadenken. Dat is de theorie.
Ik keek niet naar Benson nadat ik had geschoten. Ik bewoog me achteruit, deed het geweer terug in de doos en zorgde ervoor dat de garage tussen mij en de plek voor Bensons appartement bleef.
Bij de wasserij deed ik de doos in de kofferbak, reed achteruit de oprit af, schakelde en gaf gas. Toen ik het uiteinde van Bensons straat passeerde, keek ik opzij en zag ik op de stoep voor het appartementengebouw twee mensen die neerkeken op wat Bensons lichaam moest zijn terwijl een derde persoon, een vrouw, achter een grote, lichtbruine hond aan een lijn, zo te zien, naar de plek des onheils kwam rennen.
Ik reed door, de Interstate op en terug naar het motel. Ik nam de doos mee naar binnen, haalde het geweer eruit, veegde het zorgvuldig schoon, deed het weer in de doos en bracht de doos terug naar de auto.

Zolang ik het geweer in mijn bezit had, kon ik in de problemen raken. Ik reed Dallas uit, aan de noordkant, niet te hard, en stopte onderweg om een schop te kopen. Een halfuur ten noorden van de stad sloeg ik een landweg in, reed door totdat ik een geschikt, door bomen omringd plekje vond. Ik groef een gat, gooide de doos met de AK erin, schepte de aarde er weer in en schopte er wat dode bladeren overheen. Op de terugweg, een kilometer of vijf van het graf van het geweer, veegde ik de schop schoon en gooide hem in een greppel naast de weg.

Iemand neerschieten vanuit een hinderlaag was niet bepaald de Amerikaanse manier om dit soort zaken op te lossen, maar ik was meer geïnteresseerd in overleven dan in etiquette. Toen ik terug was in Dallas, belde ik het politiebureau in Denton. Een vrouw nam op. 'Denton Police, wat kan ik voor u doen?'
'Hallo, met Jack Hersh van *Morning News*,' zei ik. 'Kunt u me zeggen wie het onderzoek van de schietpartij van een paar dagen geleden in het Eighty-Eight-motel afhandelt?'
'Eh... ik geloof dat rechercheur Frederick het onderzoek leidt. Hij is er op dit moment niet...'
'Ik zal hem bellen,' zei ik. 'Wat is de voornaam van rechercheur Frederick?'
'Hal.'
'Dank u wel.'

Ik ging on line met Bobby.

Nog meer problemen?
Ja, Curtis Meany is opgepakt. Ze zeggen dat hij over veel namen van hackers beschikt. Ik heb nog nooit van hem gehoord. Jij?
Nee. Hebben ze iemand gepakt die we kennen?
Niet sinds Ladyfingers.
Ik heb het privé-nummer van rechercheur Hal Frederick van de politie van Denton nodig.
Wacht even.

Even later was hij terug met het geheime nummer. Bobby kan heel diep in het telefoonsysteem komen.

Wat is er aan de hand?
Ik ben nog bezig. Nog iets over satellieten gevonden?
Ja, maar misschien mis ik essentiële info. Mogelijk kan ik het reconstrueren. Heb je toegang tot de AmMath-documenten?
Nee.
Ik zal proberen van hieruit in hun computer te komen.
Pas op. Ze kijken mee.
Pas jij ook op.

Voordat ik terugreed naar het motel, maakte ik nog een laatste tussenstop. Vanuit een telefooncel belde ik Hal Frederick. Na vier keer overgaan nam hij op, en hij klonk geërgerd. 'Ja?'
'Rechercheur Frederick? Ik heb een tip voor u.'
'Met wie spreek ik?' Nu klonk hij ronduit geïrriteerd.
'Met een bezorgde burger. U doet onderzoek naar de schietpartij in het Eighty-Eight-motel. Ongeveer twee uur geleden is er in Dallas een man neergeschoten, ene Lester Benson. Hij is met een wond in zijn dijbeen naar het ziekenhuis gebracht. Als u hem opzoekt, zult u zien dat hij in zijn ene been nog een schotwond heeft, van nog niet zo lang geleden. Hij is de man die is geraakt toen hij wegrende na de moord in het Eighty-Eight. Als u zijn bloedgroep en DNA vergelijkt met die van het bloed dat u op het parkeerterrein hebt gevonden, zult u zien dat ze overeenkomen.'
'Met wie spreek ik?'
'Onthoud de naam. Lester Benson. Hij is een paar uur geleden naar het ziekenhuis gebracht. De politie van Dallas heeft de details,' zei ik, en ik legde de hoorn op de haak.
Als dát geen serieuze onrust zaaide, zou ik mijn spullen pakken en naar huis gaan.
Want ik was door mijn ideeën heen.

25

St. John Corbeil

Corbeil maakte zijn gezicht en handen zwart, trok de zwarte pet over zijn haar en schuifelde over het parkeerterrein naar de ingang van de Eerste Hulp van Health North. Binnen keek de verpleegster achter de receptiebalie naar hem op – een oude man, zwart, een kleurling met een honkbalpet met een X op zijn hoofd – en zag hem onzeker om zich heen kijken terwijl hij moeizaam in de richting van de patiëntenkamers liep.

'Pardon?' vroeg ze. 'Zoekt u iemand?'

'De plee,' mompelde Corbeil. 'De wc.'

'Ligt er hier een familielid van u?'

'Mijn vrouw. Boven. Heeft me eruit getrapt voordat ik naar de plee kon.' Corbeil wist dat hij het kort moest houden, want zijn stem klonk niet als die van een oude, zwarte man.

De verpleegster trapte erin. 'Nou, goed dan. Verderop in de gang, aan de rechterkant.' Ze richtte haar aandacht weer op haar papierwerk en Corbeil schuifelde de gang in.

Hij nam de lift naar de vierde, liep de gang in en ging rechtsaf. Kamer 411. De deur was dicht maar niet op slot. Hij ging naar binnen. Hart had gezegd dat er maar één bed stond.

Een bed met een slapende man erin. In het weinige licht dat door het raam naar binnen kwam zag hij Benson op zijn rug liggen, met zijn ene been schuin omhoog en een infuus in zijn arm. Corbeil stak zijn hand in zijn zak, haalde een sigarenkoker tevoorschijn, haalde er een injectiespuit uit, stak de naald in de zak met de zoutoplossing en drukte de spuit leeg. Genoeg verdovingsmiddel om een olifant om zeep te helpen.

Ach, dacht Corbeil terwijl hij neerkeek op Benson, ze hadden gezegd dat hij moest rusten...

Hij vertrok onmiddellijk, want hij had vanavond nog heel wat te doen. Hij nam de lift naar beneden, liep naar buiten en reed naar huis. Voordat hij uit zijn auto stapte, maakte hij zijn gezicht schoon met de vochtige wattenschijfjes die hij bij een drogist had gekocht. Voor het geval hij iemand in de hal of de gang tegenkwam. Maar hij zag niemand.
Corbeil keek op zijn horloge. De tijd drong. In de badkamer waste hij de laatste resten schmink van zijn gezicht en handen. Toen hij zich had afgedroogd, haalde hij zijn pistool uit de la. Op weg naar buiten negeerde hij de woonkamer – hij kon de aanblik van zijn gesloopte muur niet verdragen – en ging op weg naar Hart. Hart verwachtte hem. Ze moesten hun volgende zet plannen...

Hart maakte zich zorgen. 'Ik vraag me af of ons verhaal standhoudt,' zei Hart. 'En of Benson standhoudt.'
'Rustig aan,' zei Corbeil. Ze waren in Harts werkkamer, een omgebouwde woonkamer die verdacht veel leek op Corbeils werkkamer, met een leren bureaustoel, van minder fijne kwaliteit. Er waren ook boeken, maar niet zoveel en getuigend van een aanzienlijk minder brede belangstelling: karate, wapens, kamperen en reizen.
Corbeil had zich er altijd aan geërgerd. 'Als hij gepakt wordt, weet hij dat wij zijn enige kans zijn. Van ons verraden wordt hij niets wijzer; dan krijgt hij een pro Deo-advocaat in plaats van de beste strafpleiter die voor geld te koop is.'
'Ik weet niet of hij slim genoeg is om dat te bedenken,' zei Hart. Hij liet zich in zijn bureaustoel zakken en raakte verzonken in gepeins. Corbeil liep langzaam een rondje door de kamer. Toen hij achter Hart langsliep, haalde hij het pistool uit zijn zak, wachtte even om zich niet te verraden door snelle, gehaaste bewegingen, zette de loop op Harts slaap en haalde de trekker over.
Pang!
Hart zakte in elkaar. Corbeil wachtte, luisterde – besefte dat áls er iets te horen was, hij het niet zou horen omdat zijn oren dichtzaten van het schot – bracht zijn hand naar Harts hals en legde zijn vingertoppen vlak onder de onderkaak. Geen hartslag. Niet dat hij die had verwacht. William Hart was hartstikke dood.
Goed. Er was nog een schot nodig, nu met Harts vinger om de trekker, en met de *Webster's* als eindstation. Hij loste het schot in het woordenboek met de harde kartonnen kaft. De kleine .380-kogel kwam tot bladzijde 480 en bleef daar steken. Corbeil pakte de twee uitgeworpen hulzen op, zette Harts duimafdruk op de ene en stak de andere in zijn zak,

deed een nieuwe patroon in het magazijn van het pistool en liet het naast Harts stoel op de grond vallen.
Corbeil keek op zijn horloge. Hij was nog lang niet klaar.
Hij zette de *Webster's* terug in de kast en vertrok.

Terwijl hij door de nacht naar Waco reed, dacht hij na over zijn mogelijkheden. Hij kon blijven en knokken, of op de loop gaan en zich ergens verstoppen.
Waar het om ging, was het volgende: als niemand wist van de satellietfoto's, was er geen enkele link met de moorden. En zelfs als iemand ervan wist, kon hij de schuld op Tom Woods afschuiven en ging hij vrijuit. Het was geen vereiste geweest dat hij betrokken was bij de samenzwering. Woods had het samen met de andere twee kunnen doen. Woods had er de technische achtergrond voor, die hij niet had.
Vanaf nu kon het gevaar nog maar uit één hoek komen...

Er stond een auto op de oprit van de ranch, en binnen brandde licht. Corbeil parkeerde ernaast, stapte uit en voelde het gewicht van zijn tweede wapen tegen zijn dijbeen. Hij bleef even op de oprit staan om naar de sterren te kijken.
Woods kwam de veranda op lopen. 'Hé, John, wat is er loos?'
'Hallo, Tom. Ik moet met je praten over volgende week. Ik heb een order van Azerbeidzjan binnengekregen.'
'Jezus, die gasten...'
Corbeil keek nog steeds omhoog. 'Moet je die sterren zien. Je kunt ze hier bijna tellen.'
Woods daalde de drie treden van de veranda af en kwam naast zijn vriend staan om naar de hemel te kijken.
'Indrukwekkend,' zei hij. Toen zei hij iets wat zijn leven een paar minuten zou verlengen. 'Trouwens, ik weet het niet zeker, maar er is een kans dat iemand hier met iets bezig is geweest.'
'Wat bedoel je?'
'Het kan zijn dat iemand met de besturing van de schotels heeft gerotzooid. Ik weet niet waar het is gebeurd – binnen of buiten – maar we kregen gisteravond een vreemd signaal binnen. Ik heb het net pas ontdekt.'
'Een vreemd signaal?'
'Verzwakt, alsof het werd geblokkeerd. Niet gestoord, maar tegengehouden.'
'Wat kan daar de oorzaak van zijn, Tom?'

'Iemand die voor de schotel heeft gestaan, of iets wat zich vlak bij de ontvanger heeft bevonden... zoiets. Misschien had het niets te betekenen. Het kan een vogel zijn geweest die er een nest wilde maken. Of, als het binnen was, iemand die aan de knoppen heeft gedraaid, hoewel ze nu allemaal weer goed staan.'

'Ben je bij de schotels gaan kijken?' vroeg Corbeil.

'Ja, maar alles ziet er normaal uit. Misschien stelt het niets voor.'

'Waarschijnlijk niet. We zijn allemaal wat nerveus vanwege dat Firewall-gedoe en die schietpartij.'

'Die Hart is me er een, John. Volgens mij moordt hij voor de lol.'

'Moet je die sterren zien,' zei Corbeil.

'Indrukwekkend,' zei Woods weer, en de loop van Corbeils pistool was nog maar drie centimeter van zijn achterhoofd verwijderd.

26

De volgende dag zat ik praktisch voortdurend op het Net en bekeek ik alle nieuwssites en on line krantenedities op zoek naar alles wat me meer kon vertellen over wat er gaande was met AmMath en Firewall, of Benson en Hart.

En als ik dat niet deed, legde ik mijn tarotspel uit of zat ik te tekenen. Het landschap ten noorden van Dallas is best interessant: op zijn eigen vlakke, zuidelijke manier, hoewel lang niet zo interessant als het gebied rondom Tulsa, sommige delen van Kansas, of de grasvlakten in Dakota.

Maar toch best interessant. Het relatief vlakke land dat nauwelijks is aangetast door mens en weer, vormt tezamen met de hemel erboven een natuurlijk abstract beeld dat je op landschapschilderijen zelden ziet, maar wel vaak in de non-figuratieve kunst tegenkomt. Doordat ik alleen het land en de hemel schilderde en alle menselijke toevoegingen weg-liet, ontstond er een abstract beeld dat een organische aantrekkings-kracht had. In het beste geval werd de kijker in het beeld gezogen in plaats van te blijven steken bij het geschilderde oppervlak...

Of het was dat, of ik lulde uit mijn nek. Hoe dan ook, de eerste echte doorbraak kwam die avond, en die verbaasde me zeer. Ik zat met de afstandsbediening langs alle kabelnetten te zappen toen ik Corbeils naam hoorde noemen. Op Channel Three zag ik een nieuwslezer – hij had meer haar dan de gemiddelde weerwolf en net zoveel tanden – die zo te zien plezier had in zijn werk en hetgeen hij te vertellen had.

Benson was dood aangetroffen in zijn ziekenhuisbed. Volgens de politie was hij het slachtoffer van een opzettelijk toegediende overdosis barbi-turaten. Hij was vermoord.

Toen Benson was neergeschoten, was hij in het gezelschap geweest van een man die William Hart heette. Hart was trouwens zijn alibi geweest voor de avond dat Lane Ward was vermoord. Toen Benson dood was aangetroffen, was de politie naar Hart gegaan om met hem te praten. Ze vonden hem dood in een fauteuil, met een pistool naast hem op de grond, een duidelijk geval van zelfmoord. De nieuwslezer voegde eraan

oe dat de politie de zaak ook met Corbeil had besproken, maar dat hij iergens van werd beschuldigd en ook niet werd vastgehouden.
'Corbeil heeft verklaard dat zijn bedrijf, AmMath, een hightech concern lat geheime coderingssoftware voor de federale overheid maakt, al vercheidene dagen wordt belaagd door een groep hackers die zich Firevall noemt, waarschijnlijk omdat AmMath een van de leidinggevende ntwerpers van de Clipper II-chip is. Clipper II is, zoals u weet, de chip lie de overheid gebruikt zou willen zien als standaard communicatieiardware, met name bij het gebruik van internet. Firewall is de groep lie de verantwoordelijkheid heeft opgeëist voor de nog altijd voortduende aanval op de belastingdienst.
Corbeil verklaarde ook dat hij niet op de hoogte was van Bensons etrokkenheid bij de dood van Lane Ward en die van haar broer, Jack Aorrison, die vorige maand tijdens een vermeende inbraak op de beveiigde afdeling van AmMath om het leven kwam. Hij zei dat hij na Morisons dood William Hart had opgedragen een oogje op Benson te houlen maar dat hij niet had geweten dat Ward in Dallas was en evenmin lat zijn twee beveiligingsmensen gewapend bij haar "op bezoek" waren egaan,' meldde de nieuwslezer, waarbij zijn wenkbrauwen getuigden an enige scepsis op dat punt.

Benson en Hart waren dood. Wie had dat gedaan? Corbeil zelf? Of varen er op de achtergrond nog meer mensen actief? Corbeils verhaal klonk eigenlijk best goed, zeker vanuit juridisch oogpunt. Hij nam zelf geen standpunt in, was alleen maar in verwarring. Als hij die verwarring kon volhouden en de zaak kon worden afgedaan als een groot misverstand tussen de nationale veiligheid en Firewall, met geheime codes en spionnen en ga maar door, zou hij misschien zelfs vrijuit gaan...
k ijsbeerde een kwartier door mijn motelkamer, pakte toen mijn laptop n ging op zoek naar een telefooncel om een bericht naar Bobby te stuen. Bobby veegde het van tafel; hij was niet langer geïnteresseerd in AmMath of wraak voor de dood van Jack en Lane. Hij dacht een uitweg gevonden te hebben voor degenen die nog wel in leven waren.

Heb meer opnames nodig van uitzendingen op ranch. Stuur vanavond iemand naar je toe met pakje. Wil het zo snel mogelijk terug hebben.
Oké. Problemen?
Heb inlogprocedure van satelliet nodig maar kan niet in

AmMath-computers komen. Zijn verzegeld. Kun je woensdag naar Memphis komen?

Ja.

Goed. Stuur adres later.

Het idee om terug te gaan naar Corbeils ranch sprak me niet erg aan, zeker niet nu ik het geweer al had gedumpt. Ik had de revolver nog die LuEllen uit Lanes kamer had meegenomen, maar ik had weinig vertrouwen in revolvers. Met een van de beste handwapens die er waren, zoals een .45 Colt ACP, kon ik op een afstand van vijfentwintig meter misschien iemand raken, als we allebei stilstonden, maar als dat niet zo was, zou het net zoiets zijn als met appels gooien.
Aan de andere kant: Bobby had een plan. Breek in in de satelliet, zei hij, en ga dan met de overheid praten. Laat ze zien dat wíj niet het gevaar zijn. We moeten onszelf indekken...
Misschien had hij gelijk.
Om halfnegen die avond kreeg ik bezoek van een knaap met een typisch zuidelijke kop en zo'n verweerd gezicht dat eruitzag alsof het onder een wijnpers uit zijn vorm was gedrukt. Toen ik opendeed, gaf hij me een pakje. 'Van Bobby,' zei hij.
Hij zag er niet uit als een vriend van Bobby. Integendeel; als je een film aan het maken was en je zocht iemand met strohaar, sproeten en blauwe lippen, die je met zijn voet op de treeplank van zijn pick-up vertelde over de idealen van de Ku Klux Klan, zou deze knaap de perfecte kandidaat zijn.
'Hoe gaat het? Met Bobby?' vroeg ik.
'Zoals altijd.' Hij stak zijn hand op in wat vroeger de Black Power-groet was en zei: 'Dood aan de blanke beesten.' Toen begon hij te lachen, en ik moest ook lachen, voelde me belachelijk toen hij wegliep op zijn afgetrapte cowboylaarzen en in zijn afgedragen spijkerjack met kapotte ellebogen.
En toen was hij weg.
Vijf minuten later was ik ook weg, weer door de nacht op weg naar het zuiden.

Driemaal is scheepsrecht.
Dat is wat er door mijn hoofd bleef gaan toen ik op weg was naar de satellietschotel in de vallei. Ik deed het heel rustig aan, alsof ik op hertenjacht was. Om elf uur liep ik in het aardedonker terug over de weg

luisterend en om me heen speurend met mijn nachtkijker. Het duurde tot middernacht voordat ik bij de afrastering was. Ik bewoog me evenwijdig aan de weg, waar in dat uur twaalf auto's langsreden en ik me elke keer in het onkruid liet zakken totdat ze voorbij waren.

Om twaalf uur klom ik over de afrastering van de oostelijke weide en begon ik Corbeils afrastering te volgen. Om halfeen, nadat ik in een halfuur vierhonderd meter had afgelegd, klom ik over Corbeils afrastering en begon ik aan de afdaling naar de dichtstbijzijnde schotel. Toen ik dichterbij kwam, bleef ik enige tijd naar het ranchhuis kijken.

De tuinlichten waren aan en voor de garage stond een enkele pick-up. In het huis zelf was het aardedonker. In het knechtenverblijf, als het dat was, brandde achter één raam licht. Ik zag een schaduw achter het raam bewegen, maar toen was hij weer weg. Wie het ook was, hij was laat op.

Nerveus maar tevreden omdat er bij het huis nauwelijks iets gebeurde, stak ik de vallei over, met behulp van mijn dichtgeplakte zaklantaarn nu, en bevestigde ik de ontvanger in de schotel. Daarna klom ik de tegenoverliggende helling op en ging ik in het gras naar het huis liggen kijken terwijl ik wachtte totdat de schotel in beweging zou komen.

Om één uur, of een paar minuten daarna, ging het licht in het knechtenverblijf uit en kwam er iemand naar buiten die over de verlichte oprit naar het ranchhuis liep, de deur van het slot draaide en naar binnen ging. Het licht in het huis ging aan en ging na twintig seconden weer uit. De man kwam naar buiten, draaide de deur achter zich op slot, rammelde eraan en liep naar de pick-up. Hij stapte in, reed de hobbelige oprit naar de snelweg af, bleef daar even staan, sloeg linksaf en reed weg.

Opgeruimd staat netjes.

De daaropvolgende drie uur lag ik op de helling te wachten totdat de schotel in beweging zou komen. Uiteindelijk drong het tot me door dat dat niet zou gebeuren. Aangezien ik verder niet veel kon doen, bleef ik in het donker liggen en begon ik mijn eigen versie van Corbeils coup uit te werken.

Hij had een bedrijf opgezet dat ooit toonaangevend was geweest in cybercommunicatie en dat coderingsproducten had ontworpen voor iedereen die behoefte had aan absoluut veilige communicatie. Andere bedrijven hadden hetzelfde kunnen doen, maar de mensen van AmMath hadden een belangrijk voordeel: hun product zou de softwarecomponent van de Clipper II-chip zijn, waardoor ze het door de overheid gesponsorde monopolie op het gebied van gecodeerde communicatie zouden verkrijgen.

Dan, op het moment dat Corbeil de miljarden aan de horizon ziet gloren, wordt hij in de hielen gebeten door een onverwachte wending.

Afgezien van de inlichtingendiensten zit niemand te wachten op Clipper II. Het Clipper-project was namelijk al verouderd voordat het voor het eerst werd gepresenteerd. Tegen de tijd dat Clipper II het licht zag, moest zelfs het Congres de stompzinnigheid ervan erkennen. Jullie kunnen de pot op met je Clipper II, zei het Congres, en Corbeil zag zijn miljarden in rook opgaan.
Corbeil moest iets anders verzinnen wat hij kon verkopen – ik was nog steeds aan het fantaseren – en hij vond iets anders: iets wat om de aarde draaide en eens in de paar uur voorbijkwam. Misschien had AmMath wel de codes ontwikkeld die de National Reconnaissance Office gebruikte voor zijn contacten met de satellieten. Hoe ze het ook deden, AmMath wierp zich op de verkenningssector en begon er een handeltje in. Jack Morrison was vermoord omdat hij ervan wist, en zijn zus was vermoord omdat ze dáchten dat ze ervan wist, en Firewall was in het leven geroepen om de schuld af te schuiven of in elk geval verwarring te stichten in de sporen die hun kant op leidden.
Kon er sprake zijn van een geheime, illegale operatie van de overheid? Ik betwijfelde het. Er zijn in de inlichtingengemeenschap genoeg mensen die bereid zijn een moord te plegen als ze daartoe de opdracht krijgen – ik kende er zelfs een paar – maar het punt was dat niemand ooit die opdracht zou geven. De Amerikaanse inlichtingendienst vermoordde geen mensen, voorzover ik wist.
Dus was het vrijwel zeker dat Corbeil op zichzelf was aangewezen, en als hij dat was, was het uitgesloten dat veel mensen ervan wisten. Niet meer dan drie of vier, durfde ik te wedden. De risico's van wat ze aan het doen waren en de straf die erop stond, waren gewoon te groot en te zwaar om te veel mensen deelgenoot te maken van het geheim.

Om vier uur in de ochtend had de schotel zich nog steeds niet bewogen. Bobby zou me niet teruggestuurd hebben als hij de informatie over de schotels niet broodnodig had, en onder me lag het huis dat vermoedelijk dienstdeed als controlecentrum, er donker en verlaten bij.
LuEllen zou me stijf gevloekt hebben als ze wist dat ik het zelfs maar overwoog, maar om een paar minuten over vier in de ochtend begon ik mijn aandacht op het huis te richten. Eerst trok ik de ontvanger van de schotel en borg hem weer op in mijn rugzak, daarna deed ik, bij het naalddunne lichtstraaltje van mijn zaklantaarn, nieuwe batterijen in de nachtkijker en checkte ik of hij nog goed functioneerde.
Ik volgde de ondiepe vallei in noordelijke richting, zo ver als ik kon, waarbij ik de laatste vijftig meter diep door mijn knieën gezakt – als een

end – aflegde om onder de horizon te blijven en vanuit het huis niet gezien te kunnen worden. Ik bleef staan, luisterde en twijfelde. Toen begon ik vanuit het noordoosten het huis te naderen. Ik tuurde naar de ramen, zocht naar licht, bewegende schaduwen, alles. Ik bleef ook vaak staan, langdurig, om te luisteren, maar ik hoorde niets anders dan mijn eigen hartslag en af en toe een passerende auto.
Om vijf uur, op vijftig meter van het huis, stond ik voor een dilemma. Hield ik me gedeisd of ging ik naar binnen? Binnen waren waarschijnlijk de papieren die we nodig hadden, en wat ik verder nog kon vinden. Er bewoog niets en ik hoorde niets.
Ik legde de laatste vijftig meter snel af, want ik kwam nu binnen het bereik van de tuinlampen en als er iemand naar buiten keek, kon hij me zien, ook zonder nachtkijker. Langs de basis van het huis stonden talloze cactussen met brede bladeren – Spaanse bajonetten, heetten ze, en met reden – dus bewoog ik me met grote zorgvuldigheid. Boven me was een balkon. Te hoog om erbij te kunnen. Maar het huis was gebouwd van boomstammen, in blokhutstijl, en als ik op het raamkozijn ging staan en mijn voet zestig centimeter hoger op een boomstam kon neerzetten, kon ik de onderste rand van het balkon vastpakken.
En zo gebeurde het. Ik trok me op, pakte de balustrade vast en klauterde eroverheen. Er stonden vier roestige tuinstoelen op het balkon en een glazen schuifdeur verschafte toegang tot het huis. Ik bleef staan en luisterde, probeerde trillingen te voelen maar voelde niets. Ik haalde mijn zaklantaarn uit mijn rugzak en richtte hem op de deur. Zo te zien zat er geen alarm op de deur, maar ik mocht aannemen dat er in huis een stil alarm zat. Dus ik kon hooguit vijf minuten binnenblijven. Als mijn aanwezigheid meteen werd gemeld, moest ik wel erg veel pech hebben als ze binnen vijf minuten voor de deur stonden... Tenzij er iemand in het knechtenverblijf was.
Ik zat op mijn hurken en dacht daarover na.
Ten slotte richtte ik mijn zaklantaarn weer op de glazen deur en keek naar binnen. Ik haalde een keer diep adem, ramde de onderkant van de zaklantaarn door de ruit, stak mijn hand door het gat, wipte de hendel omhoog en was binnen.
Ik had geen tijd te verliezen. Ik knipte de zaklantaarn weer aan en maakte een ronde over de eerste verdieping: slaapkamer, badkamer, slaapkamer, badkamer, slaapkamer... Ik bewoog me zo snel en geruisloos als ik kon en stelde me voor dat mijn aanwezigheid al was opgemerkt.
Na drie slaapkamers en twee badkamers had ik de laatste deur bijna

overgeslagen, maar toen ik de deur opendeed, vond ik waarnaar ik op zoek was geweest: de controlekamer, compleet met computer, iets wat eruitzag als een kortegolfradio – bestonden die dingen nog? – en een paar aantekenboekjes: alles dicht op elkaar in een raamloos vertrek dat meer aan een kast dan een kamer deed denken.
Ik zette de computer aan en keek op mijn horloge. Er was bijna een minuut verstreken sinds ik was binnengekomen. Ik móést binnen vijf minuten weer buiten zijn. De computer was een standaard IBM-compatible met de laatste Windows-versie, maar waarschijnlijk draaide er alleen maar een timer- en schakelprogramma op dat de schotels zou richten en ze aan en uit zou zetten. Hoewel Windows dus het meest voor de hand liggende besturingsprogramma was, werd ik gek van de tijd die het nodig had om op te starten. Terwijl ik wachtte en van de ene voet op de andere wipte, pakte ik de aantekenboekjes van de plank en sloeg er een paar open.
Ze waren leeg. Nou, niet leeg, maar gevuld met onbeschreven bladzijden.
O, shit!
Ik zat in de val, had me in een klein kamertje met één uitgang laten lokken. Vergeet de computer, dacht ik. Wegwezen!
Ik stak de zaklantaarn in de zak van mijn jack en trok het pistool. Het was nog steeds donker, ik maakte mezelf zo klein mogelijk en kroop op handen en knieën de gang in, met het pistool op het uiteinde gericht.
Ik zag iets bewegen en toen kwam het alles overstemmende, oorverdovende en oogverblindende salvo van een automatisch geweer. Een lang salvo waarvan de kogels een halve meter over mijn hoofd vlogen. Ik bevond me in een zee van licht en lawaai zonder me ervan bewust te zijn. Het enige wat ik wist, was dat ik nog niet dood was. Ik schoot een keer terug, wierp me tegen een deur en rolde een slaapkamer in.
Een halve seconde later scheurde een tweede salvo het tapijt van de vloer op de plek waar ik net had gestaan. Ik richtte me op, stak mijn hoofd om de deurpost en vuurde nog een keer.
Slaapkamer. Panisch keek ik om me heen. Als het tot een echte schietpartij kwam, had ik tegen een automatisch geweer geen schijn van kans. De slaapkamer had een glazen schuifdeur en een klein balkon, maar als ik via het balkon zou ontsnappen, zou ik vijftig meter door een verlichte tuin met een gazon zo glad als een biljartlaken moeten rennen voordat ik enige dekking vond. Ik zou in tweeën gemaaid zijn voordat ik halverwege was.
Wat moest ik doen? Wie was die man daar? Het moest Corbeil zijn.

Corbeil! Waarom sta je ons naar het leven?'
Wie zijn jullie, verdomme?'
Gewoon een paar mensen die uit de handen van de feds proberen te blijven,' riep ik terug. 'Waarom vermoord je ons?'
Het bleef even stil en toen riep hij: 'Omdat ik dat leuk vind. Ik ga je in [illegible]enen schieten, eikel.'
Geen taal voor een algemeen directeur, maar in één ding had hij gelijk: als ik probeerde te ontsnappen, zou hij me in stukken schieten. Ik maakte snel een inventarisatie. Ik had een zaklantaarn, een pistool, een nachtkijker en LuEllens inbrekersgereedschap...
Twee seconden later had ik de sprei van het bed achter me getrokken. Het was een heel dikke sprei, een mooie, ouderwetse sprei met een katoenen vulling. Ik maakte er een grote prop van, keek naar de deur, en hield LuEllens aansteker eronder. Toen hij voldoende vlam had gevat, [illegible]loop ik naar de deur en gooide ik hem met een boog door de gang in het trapgat.
Wat doe je?' schreeuwde Corbeil. 'Wat krijgen we verdomme nou?'
Jij hebt Jacks huis in brand gestoken,' riep ik terug terwijl ik mijn rugzak weer omdeed. 'Boontje komt om zijn loontje.'
Corbeil vuurde weer een salvo af en de deurpost versplinterde. Zodra het schieten stopte, wierp ik weer een snelle blik om de deurpost en zag ik – voelde ik – dat er iets op de trap bewoog. Ik moest het risico nemen, [illegible]ende in het halfduister naar de balustrade, keek omlaag en zag de brandende sprei op een bank liggen. En in de lichtgloed van het vuurtje zag ik weer iets bewegen.
Snel loste ik een ongericht schot en miste. Corbeil draaide zich om en loste een salvo in het trapgat, maar ik was de gang weer in geschoten, in de richting van de slaapkamer waar ik vandaan kwam. Ik kroop terug en stopte bij de trap.
Corbeil schreeuwde iets wat ik niet kon verstaan en toen spoot er opeens een witte wolk door de woonkamer. Hij had ergens een brandblusser vandaan gehaald, een poederblusser, en ik loste een schot op de plek waar de wolk vandaan leek te komen. Hij slaakte een kreet en de wolk veranderde abrupt van richting. Had ik hem geraakt? Ik bewoog me zo snel en zo laag mogelijk langs het trapgat, waarbij ik bijna mijn pistool verloor.
Corbeil opende het vuur weer, maar veel te dicht langs de trapleuning, waar ik al lang voorbij was. Het werd lichter; de hele bank moest inmiddels in brand staan.
Moest ik vluchten of wachten? Zoals ik gekleed was en met de rugzak kon ik de vijftig meter in zes à zeven seconden lopen, maar in mijn hui-

dige positie leek het me geen slecht idee om nog even van het vuur t
genieten. Dus wachtte ik.
Corbeil – ik wist nog steeds niet of ik hem had geraakt – kwam teru
met een andere brandblusser, nu een waaruit een witte vloeistof kwam
Maar de bank stond al in lichterlaaie en had zich via een groot ooster
tapijt uitgebreid tot onder de vleugel. Hij schreeuwde weer iets, maar i
had mijn aandacht bij mijn revolver. Ik wilde geen patronen verspille
en had geen flauw idee hoeveel ik er al had gebruikt. Vier? Vijf? Of wa
het leeg?
Ik klapte de cilinder opzij, haalde mijn zaklantaarn uit mijn zak e
bekeek de achterkant van de patronen. In vier ervan zat een deukje va
de slagpin. Dus ik had er nog maar twee over. Ik rolde de cilinder in d
juiste stand en klapte hem dicht, zodat er een ongebruikte patroon voo
de loop zou schuiven als ik de trekker overhaalde.
Moest ik in actie komen of wachten? Het vuur breidde zich uit en Cor
beil schreeuwde weer iets wat ik niet kon verstaan.
'Satellieten!' riep ik terug. Eén woord, hard.
Een woord wat hem aan het denken zette en ervoor zorgde dat hi
omhoogkeek in het trapgat. Inmiddels was ik al uit het raam en over d
balustrade van het balkon. Ik liet me op de grond vallen en zette het o
een lopen. Ik verwachtte elk moment een kogel in mijn rug. Ik rende e
rende over het verlichte gazon, nog dertig meter, twintig, vijf... ik doo
naar de grond en bleef doodstil liggen. Toen stond ik weer op, rend
vijftig meter en liet me opnieuw op de grond vallen. En ik luisterde.
Ik kon Corbeil in het huis horen schreeuwen en de gele vuurgloed wa
nu achter alle ramen te zien.
Een minuut later kwam Corbeil de tuin in rennen, net zo hard als ik ha
gedaan, maar hij liep in een andere hoek van het huis weg. Hij liet zic
op de grond vallen en ik besefte dat hij vanaf die plek het grootste dee
van de verlichte tuin kon zien; het enige wat hij niet kon zien, was d
oprit. Hij dacht zeker dat ik nog steeds binnen was en nu de brand zic
steeds verder uitbreidde, wist hij dat ik een keer naar buiten moes
komen. En dat ik niet over de oprit zou wegrennen. Hij wachtte af
geduldig, terwijl het vuur om zich heen vrat en aan het resterende dee
van zijn ranchhuis begon.
Met langzame, onopvallende bewegingen deed ik de rugzak af en haal
de ik de nachtkijker eruit. De tuinlichten brandden nog steeds en he
vuur in het huis verlichtte alle ramen. Ik stelde de kijker bij en keek naa
de plek waar ik Corbeil voor het laatst had gezien. Hij lag er nog steeds
keek naar het huis, richtte zich toen iets op en draaide zich om.

Ik liet me onmiddellijk plat op de grond vallen. Hij had ook een nachtkijker, net als ik, en zocht de omgeving af. Ik durfde me nauwelijks te bewegen, of heel traag, terwijl ik als een kat achteruit kroop en af en toe naar hem opkeek. Elke keer als hij mijn kant op draaide, liet ik me weer plat op de grond vallen en bleef ik doodstil liggen. Dan wachtte ik vijftien seconden en richtte ik me voorzichtig op, waarbij ik elke keer die droge tik tegen mijn voorhoofd en vervolgens het eeuwigdurende duister verwachtte.

Toch maakte ik op die manier vorderingen. In het begin hadden we vijftig meter van elkaar in het gras gelegen. Tien minuten later had ik de afstand vergroot tot honderd meter. Ik keek of ik hem nog zag toen een auto vanaf de snelweg de oprit op reed. Er sprong een man uit die naar de voordeur van het huis liep en schreeuwend op de deur begon te bonken. Toen rende hij terug naar zijn auto, pakte iets van de voorstoel wat waarschijnlijk een mobiele telefoon was en begon een nummer in te toetsen terwijl hij naar het brandende huis bleef kijken.

Al na twee of drie minuten hoorde ik sirenes en zag ik verderop op de snelweg de zwaailichten van de eerste brandweerwagens. De man die had gebeld rende om het huis heen en probeerde door de ramen naar binnen te kijken. Corbeil bleef in het gras liggen en observeerde hem met zijn nachtkijker, en ik kroop verder achteruit.

Toen ik tweehonderd meter van het huis was, stopte ik om naar de brand te kijken. Het hele huis brandde inmiddels en de vlammen laaiden op tot boven het dak. Een van de brandweerwagens spoot wit schuim op het knechtenverblijf en de garage. Voor het huis deden ze geen moeite meer; ze konden nergens water vandaan halen en het huis brandde zo hevig, dat het weinig had uitgemaakt als ze wel water hadden gehad. Het beste wat ze konden doen was hopen dat het vuur zich niet uitbreidde tot de belendende percelen.

Ik richtte mijn aandacht weer op Corbeil. Hij stond nu, in het duister, net buiten de cirkel van licht die de brand om het huis heen wierp. Hij draaide zich om, bracht zijn handen naar zijn gezicht en zocht met zijn kijker de omgeving af.

En ik dacht: vreemd...

Hij was ondervraagd over een moord. Hij moest weten dat de politie – of de FBI, als onze tip enige indruk op de NSA had gemaakt – ieder moment de deur van zijn appartement kon openbreken en alles wat zich erin bevond voor hen voor het grijpen zou liggen.

Het was mogelijk dat hij al het belastende materiaal al had weggewerkt, uit zijn appartement, zijn kantoor, of elke andere plek waar de politie of

FBI het zou kunnen vinden, en had opgeborgen in bijvoorbeeld een bankkluis. Hij kon het materiaal niet vernietigen, want de papieren, handleidingen en software voor de besturen van de satellietschotels waren niet iets wat je uit je hoofd kon leren en kon onthouden.
Ik richtte mijn aandacht weer op het brandende huis. De laatst aangekomen man had het enige resterende voertuig meegenomen en er was nergens nog een auto te zien. Het leek me onwaarschijnlijk dat Corbeil te voet zou vertrekken en het risico zou nemen om onderweg aangehouden te worden, dus waarschijnlijk had hij ergens een auto verstopt.
In de garage bijvoorbeeld.
Ik keek weer naar Corbeil, die nog steeds om zich heen stond te kijken. Ik bevond me rechts van de garage en als ik er in een boog omheen kroop, kon ik hem vanaf de achterkant naderen. Zolang ik Corbeil maar in het oog kon houden.
Ik begon te kruipen...

27

Een kwartier later was ik de garage tot vijftig meter genaderd. Ik bevond me nog steeds in het duister, buiten het lichtschijnsel van de brand. Voorlopig was ik nog veilig. Minder leuk was dat ik onderweg Corbeil uit het oog was verloren. De laatste keer dat ik hem had gezien, stond hij naar de heuvel gekeerd en keek hij naar de satellietschotel in de vallei.

Vanuit de schaduw zocht ik de omgeving af, maar ik zag hem nergens. Had hij me gezien? Maar als hij me had zien kruipen, waarom had ik hem dan niet naar me zien kijken? Als hij me niet met zijn nachtkijker had gezien, zou hij ook niet weten dat hij zichzelf moest schuilhouden. En als hij ergens naartoe was gelopen, tot een afstand van vier- of vijfhonderd meter, zou ik hem moeten kunnen zien.

Tenzij hij naar het vuur toe was gelopen. Toen ik me die kant op draaide en mijn zichtlijn te dicht bij het vuur kwam, werd het beeld wit en zag ik niets meer. Maar als hij aan die kant van het huis stond, gaf dat mij weer een paar minuten tijd.

Ik zorgde ervoor dat ik buiten de lichtkring van het vuur bleef, waar de schaduw extra donker was, en kroop naar de garage toe. Nog vijftien meter, en ik had haast. Ik keek nog een laatste keer om me heen, stond op, rende naar het achterraam en keek naar binnen. Er stond een auto. Ik sloeg het glas kapot met de kolf van de revolver, deed de knip van het raam, schoof het omhoog en kroop naar binnen.

Ik wachtte en luisterde. Corbeil kon niet in de garage zijn, meende ik, want dan had ik hem moeten zien. Als ik opschoot, kon me niets gebeuren. Ik liep naar de auto, een Mercedes Benz 340s. Ik scheen met mijn zaklantaarn naar binnen en keek op de voorstoel, maar ik zag niets. Op de achterbank, achter de passagiersstoel, lag een attachékoffertje. De portieren zaten op slot. Ik liet mijn blik door de garage gaan, zag dat er ook tuingereedschap werd bewaard en koos voor een bijl.

Het zou een hoop herrie maken, en een auto van deze prijsklasse zou zeker over een alarm beschikken. Ik stopte de zaklantaarn in de zak van mijn jack, de revolver in mijn broekzak, waar ik kon voelen als hij eruit

gleed – ik had te veel tv-films gezien waarin de held op het beslissende moment zijn wapen verloor – haalde een keer diep adem en zwaaide de bijl naar voren. Hij ging door het glas als een lepel door de slagroom. Het alarm ging af, ik gebruikte de steel van de bijl om de rest van het glas weg te breken, greep het koffertje en kroop door het achterraam naar buiten.
Er was geen tijd voor de subtiele aanpak, dus ik rende zo hard als ik kon, vijftig meter, honderd meter, en liet me in het donker plat op de grond vallen.
En ik luisterde. Opeens was de garage vol oranjegeel licht; iemand moest de roldeur aan de kant van het vuur hebben geopend. Ik stond op, rende nog vijftig meter door en liet me weer vallen.
In het kapotte achterraam, in het licht van het vuur, verscheen het silhouet van een hoofd. Even later verscheen er een tweede hoofd, en toen een derde. Drie hoofden keken door het raam mijn kant op, maar zoals ik gekleed was, zouden ze me onmogelijk kunnen zien. Maar het autoalarm ging af en Corbeil, waar hij ook was, zou in het duister naar me op jacht zijn.
Ik zocht de helling van de heuvel af, maar zag niets. Ik dacht daar even over na. Corbeil moest zich ergens tussen mij en mijn auto bevinden. Misschien kon ik langs hem heen sluipen – dat zou de meest directe route zijn – maar als ik in plaats daarvan naar het zuiden ging, de snelweg overstak en over het hek klom of door het groen sloop, maakte ik een boog om hem heen en kon ik onopgemerkt bij mijn auto komen.
Als ik hem nu maar kon zien...
Vroeg of laat zouden de politiemensen die zich bij de brandweermannen hadden gevoegd merken dat er iemand in de garage had ingebroken en vermoeden dat de dader nog in de buurt was. Als ze om versterking zouden vragen en met zoeklichten het omringende land gingen afzoeken, was ik er geweest.
Ik begon in de richting van de snelweg te kruipen, bewoog me langzaam, stopte om te kijken en kroop dan weer verder. Bij de afrastering langs de snelweg stopte ik en keek ik weer. En ik zag hem aankomen. Hij kwam recht op me af, in looppas, met een geweer schuin voor zijn borst. Hij bleef staan en zocht naar me. Voor mij was hij te ver weg om een schot te wagen, dus kroop ik door naar de afrastering, gooide het koffertje eroverheen, stond op, zette mijn hand op een paaltje en wipte eroverheen.
In de greppel achter de afrastering raakte ik even in paniek toen ik het koffertje niet meteen kon vinden – het was niet terechtgekomen waar ik het had verwacht – draaide me om mijn as en keek heuvelopwaarts. Hij

kwam nog steeds mijn kant op en liep zo hard als hij kon.

Ik ging linksaf, rende vijf seconden hard door, bleef staan en zag dat hij nog steeds richting afrastering rende. Hij zette zijn hand op een paaltje, wipte over de afrastering, pakte zijn nachtkijker en zocht de omgeving af. Hij bleef doodstil staan, leek te weten dat ik me aan de andere kant van de afrastering bevond, en toen hij me na vijftien seconden niet had gezien, wipte hij opnieuw over de afrastering, zakte door zijn knieën en begon de greppel in beide richtingen af te zoeken. Vervolgens ging hij linksaf, net zoals ik had gedaan, en passeerde hij me op nauwelijks vijf meter afstand.

Hij bewoog zich langzaam, maar niet zo langzaam als ik, en dertig meter verderop zag ik hem opeens de weg oversteken en in de greppel aan de overkant stappen. Ik kroop door, sleepte het koffertje achter me aan en probeerde tegelijkertijd in de gaten te houden waar hij was. Toen hij ver genoeg weg was en ik ver genoeg de heuvel op was gekropen om dekking te vinden in de lage struiken, richtte ik me op en begon ik zwaar ademend de heuvel op te rennen. Ik weet niet precies waar ik doorheen rende, maar het was hoog en taai genoeg om het lopen flink te bemoeilijken.

Ik bereikte de top van de heuvel zonder het door te hebben en struikelde letterlijk over de rand. Voor iemand met een nachtkijker moest ik even een silhouet tegen de hemel zijn geweest, maar ik was nu zo ver van hem verwijderd...

Ik bleef staan en keek achterom. De brand was over zijn hoogtepunt heen maar de vlammen laaiden nog steeds flink hoog op. Om het ranchhuis hadden zich veertig tot vijftig mensen verzameld: brandweerlieden, politiemensen en buren, vermoedde ik. Ik ging even zitten om op adem te komen en vervolgde toen mijn weg naar mijn auto. Ik deed het langzaam aan en bleef vaak staan om te luisteren en te kijken.

Ik klom over het hek aan de oostkant van Corbeils land, kwam op dat van zijn buurman terecht en begon de afrastering te volgen in noordelijke richting. Als ik de verharde weg eenmaal had bereikt, kon ik in korte tijd naar mijn auto rennen.

Bij het volgende hek gooide ik het koffertje eroverheen, deed een stap naar links, knielde neer en tuurde langs de helling naar boven. Ik zag een lichtflits, ongeveer honderd meter boven me, op hetzelfde moment sprongen de splinters van het paaltje en een fractie van een seconde later klonk het schot.

Ik rolde naar links, rolde door, kwam in een ondiepe kuil terecht en bleef daar doodstil liggen. Corbeil was daar en had me gezien, maar hij

had niet helemaal goed gericht. Hij kon niet tegelijkertijd door zijn nachtkijker kijken en schieten.
En hij kon zich geen maaiend salvo veroorloven, wist ik. Eén of twee schoten zou nog wel gaan, maar een salvo in de volautomatische stand zou zeker de aandacht van de politiemensen bij het huis trekken.
Als ze tenminste konden vaststellen waar het vandaan kwam. Er lagen een paar heuvels tussen ons en het huis. Met de herrie van het vuur en de blusapparatuur zou dat niet meevallen, en van een enkel schot helemaal niet.
Toen er geen tweede schot volgde, bracht ik heel langzaam, centimeter voor centimeter, de nachtkijker naar mijn ogen. Corbeil was me tot vijftig meter genaderd, stond stil in het duister en zocht me met zijn nachtkijker. Toen liet hij de kijker zakken, kwam weer in beweging en ik rolde me verder naar links. Toen hij opnieuw bleef staan om te kijken dook ik in elkaar, maar ik verloor hem niet uit het oog.
Hij bleef even turen en kwam toen weer in beweging op een manier die hij waarschijnlijk als geruisloos vermoedde. Op twintig meter afstand bleef hij opnieuw staan en bracht hij de nachtkijker naar zijn ogen. Ik deinsde achteruit en pakte de afrastering beet, en toen hij rechts van me keek, waar een paaltje moest staan, gaf ik een harde ruk aan het staaldraad.
Hij liet de kijker los, bracht zijn geweer omhoog en zei op kalme toon: 'Als je je overgeeft, lever ik je af bij de politie. Je hoeft niet te sterven.'
Mijn naam was haas en ik zei niets, bleef doodstil gehurkt zitten.
'Ik kan zien in het donker,' zei Corbeil. 'Ik heb het licht van de sterren en er is nog genoeg ander licht. Ik zie je recht voor me.'
Mijn naam was nog steeds haas...
Hij kwam naar voren, ingespannen turend, en ik zat met mijn rug tegen het hek, kon geen kant op. Hij had de nachtkijker in de ene hand en het geweer in de andere. Het geweer had een pistoolgreep, net als de AK. De loop werd op de afrastering gericht en wees toen mijn kant op.
Had hij me gezien? De loop schoof verder naar rechts en kwam toen met een ruk terug. Ik kromp ineen.
'Ik kan je zien,' zei hij zelfverzekerd. 'Doe je handen omhoog. Als je het niet doet, moet ik je doodschieten. Ik kan niet dichterbij komen zonder je een kans te geven met dat handwapen van je. Kom op nou, ik wil je geen pijn doen...'
Op dat moment zag hij me. Ik weet niet waardoor het kwam; misschien had ik mijn voet bewogen of had de nachtkijker het licht van de sterren weerkaatst. Hoe dan ook, hij liet zijn kijker tegen zijn borst vallen.

zwaaide de loop van zijn geweer opzij en richtte hem recht op mijn hoofd.

Ik hád hem niet willen doodschieten. Hij stond zes meter van me vandaan toen ik opzij rolde en de loop van de revolver min of meer op Corbeils inktzwarte silhouet tegen de bijna net zo zwarte hemel richtte, maar toen schokte zijn geweer. Ik zag hem staan in de lichtflits uit de loop, en richtte de revolver...

En ik hoorde *klik*.

De klik was nauwelijks hoorbaar, maar ik wist dat er niets gebeurd was. Ik kon Corbeil alleen nog zien als het beeld dat op mijn netvlies was achtergebleven, richtte de revolver op de plek waar hij volgens mij moest staan en haalde opnieuw de trekker over. Deze keer schokte het wapen in mijn hand, hoorde ik een kreun, en zag ik hem even oplichten. Het geweer was nog steeds op mijn hoofd gericht, dus rolde ik me om en schoot nog een keer.

En dat was het, want ik had geen kogels meer.

Die had ik ook niet nodig. Het enige wat ik nog van Corbeil hoorde, was een snel geschuifel van zijn voeten gevolgd door een zachte, langgerekte kreun toen zijn laatste adem zijn inmiddels ontzielde lichaam verliet.

28

Memphis is in november geen aangename stad. De lucht is bewolkt en blijft bewolkt, en het wordt koud. Niet echt koud, niet het soort kou waarvan je kunt genieten als ze een dikke laag sneeuw over het landschap legt, nee, in Memphis heb je die Engelse, vochtige kou die je tot op het bot verkilt. In plaats van sneeuw valt er ijskoude motregen. Je loopt rond met opgetrokken schouders, je handen diep in je zakken en hebt het gevoel alsof er een ijsbeer op je staat te piesen.

We waren met z'n zessen en woonden in drie motels, verspreid over de stad. We sliepen halve dagen, deden het meeste werk 's nachts en als we elkaar moesten ontmoeten, deden we dat steeds in een ander motel. Bobby nam deel aan het project met behulp van de vergadertelefoon en na drie weken, met een korte onderbreking toen twee van de jongens naar huis waren voor Thanksgiving, hadden we het softwarepakket klaar.

Daarvoor was al aan bod gekomen wat we met die software gingen doen. Dat was in zekere zin een nog groter probleem. Drie van onze jongens wilden de software schrijven en dan overdragen aan de NSA, om ze te laten zien waartoe we in staat waren. De rest wilde tot het eind door gaan, met Bobby en mijzelf als kern van de harde kern, want we wisten waartoe die overheidseikels in staat waren.

'Als wij hen niet slopen, slopen zij ons,' zei Bobby. 'Daar zijn ze trouwens al een tijdje mee bezig.'

En dat was waar. De hackerswereld werd overspoeld door een golf van overheidsterreur waarin de bullebakken van de FBI overal deuren intrapten en apparatuur in beslag namen. Bewijzen voor ongeoorloofde handelingen schenen niet langer nodig te zijn. Als je een onafhankelijke hacker boven een bepaald niveau was, was je hun doelwit. De tendens kwam overeen met die waarmee de overheid wapenbezitters had aangepakt, een groep waarvoor ik voor het eerst enige sympathie begon te voelen.

Het argument van de overheid was dat niemand zo'n zware, snelle computer nodig had, tenzij hij of zij van plan was er kattenkwaad mee uit te halen. Natuurlijk, aandelenmakelaars, accountants en de grote jonens van Microsoft hadden redenen om zo'n computer te bezitten, maar en jonge knul uit Wyoming? Die had geen redenen om iets krachtigers : bezitten dan een Gameboy... Zware, snelle computers waren gewoon et bewijs dat ze er iets mee deden wat fout en on-Amerikaans was. let was alleen maar een kwestie van tijd voordat de Dwaze Moeders 'egen Hackers in Washington gingen demonstreren om er zeker van te ijn dat we geen software roofden als we ons niet bezighielden met rinken, roken, hamburgers eten, high worden, wapens en seks zonder ondoom.

'an de vijf anderen in Memphis kende ik er twee: Dick Enroy uit Laning, Michigan, en Larry Cole uit Raleigh, North Carolina, en ik had vel eens horen praten over de andere drie. Bobby had gezegd dat ze llemaal goed waren, en Enroy en Cole wáren heel goed, dus geloofde : hem op zijn woord als het ging om de andere drie. Niemand vroeg de nderen wat ze precies deden in hun computerleven, maar iedereen kon en goed coderingsprogramma schrijven. Er zat een knul bij, Chick uit 'olumbus, Ohio, die een stuk schakelcodering schreef dat zo strak, vaterdicht en elegant was, dat ik me bijna begon te schamen voor de ingen die ik zelf schreef.

'orbeils koffertje bleek voornamelijk financiële documenten te bevat-en, bewijzen van het geld dat hij overal had weggestopt. Het enige niet-inanciële voorwerp was een doodgewone 3M-diskette van 1.4 MB, die ij bewaarde in het transparant blauwe doosje van een Zip-disk. De dis-ette bevatte alle OMS-codes. OMS stond inderdaad voor *Old Man of the ea*, het verhaal van Sinbad. De OMS-code was een hack die was inge-racht in de geavanceerde codes van de NRO-computers die de Keyhole 5-satellieten bestuurden.

)e OMS-code zat boven op het besturingssysteem van de satellieten oals de oude man van de zee boven op Sinbads rug had gezeten. Wan-eer de behoefte bestond, kon iemand van Corbeils groep in de satelliet ringen, een foto laten maken, deze naar hun basis laten sturen en ten lotte alle sporen wissen. Zelfs de opnameteller in de satelliet werd eruggezet.

)ns probleem op dat moment was dat als de NRO ontdekte dat er een MS-code bestond, ze deze kon blokkeren. De NRO hield de controle ver de satelliet en kon er een programmaatje naartoe sturen dat de MS-codes zou afzonderen en uiteindelijk onschadelijk zou maken...

)e codes die wij gingen schrijven moesten dat voorkomen. De codes

die wij gingen schrijven, moesten óns de macht over de satelliete
geven...
In het meningsverschil – de software schrijven en deze als demonstrati
naar de NSA sturen, óf de feitelijke toe-eigening van de macht over d
satellieten – bracht een van de jongens die ik niet kende en die Loomi
heette, het argument op tafel dat we op het punt stonden zelf een soor
Old Man of the Sea te worden.
'Sinbads probleem was dat hij de oude man niet van zijn rug kon krijgen
maar het probleem van de oude man was dat hij niet van Sinbads rug ko
gaan omdat Sinbad hem zou doodslaan als hij dat deed. Als wij op de ru
van de NRO of NSA klimmen, kunnen we er nooit meer af, want als we da
wel doen, zullen ze ons de rest van ons leven opjagen als dolle prairie
honden. Als ze zeggen: "Krijg de pest; we zetten een nieuw Keyhole
systeem op," en wij worden er buitengesloten, zijn we de pineut.'
'Maar er is ook het element tijd,' zei Bobby via de vergadertelefoon, e
zijn stem klonk metalig uit de goedkope computerspeakers. 'Als het on
lukt de overheid drie, vier of vijf jaar van ons lijf te houden, zal het t
laat zijn om ons nog te vervolgen. De macht die ze nu hebben, is hun u
de handen aan het glippen, en over vijf jaar is daar niets meer van over.
'Maar toch...'
'Er is nog een ander punt. Jullie kunnen zeggen dat de hele zaak i
opgezet door Bobby, de beruchte telefoonfreak. Ik heb misschien no
vijf jaar te leven. Volgend jaar om deze tijd zal ik een stemsynthesize
nodig hebben. Als ik hun doelwit ben en ze pakken me over twee, dri
jaar, nou, dan krijgen ze niet veel...'
'Godsamme,' zei ik. 'Dat klinkt hard.'
'Het leven is waardeloos en dan ga je dood,' zei Bobby.

Op 3 december namen we de zaak over.
Bobby seinde de software door in vier uur tijd, met behulp van ee
satellietschotel die normaliter voor telecommunicatie werd gebruik
Het werkte ongeveer zo: we logden in als de NRO, wat ons toegang to
het systeem gaf, en vervingen de OMS-bestanden door andere OMS
bestanden waaraan wij iets hadden toegevoegd. Het zou niet erg lan
onopgemerkt blijven, maar wij hoefden niet de moeite te nemen di
AmMath zich had getroost, om alles geheim te houden.
Als we er niets over zeiden, zou het de NRO enige tijd kosten om te ont
dekken wat we hadden gedaan. Ze hadden nog steeds toegang tot d
satellieten met dezelfde gecodeerde commando's die ze altijd hadde
gebruikt, konden nog steeds foto's nemen en de baan van de satelliete

bijstellen... Het was zelfs zo dat totdat we ze op de hoogte brachten, er maar één verandering was die ons kon verraden: die van het aantal bytes in het computergeheugen van de satelliet. Maar dat aantal was al zo vaak gewijzigd, dat het niet zou opvallen. In elk geval niet meteen...

Op 3 en 4 december deden we de laatste controles en probeerden we zelf ons systeem te ontmantelen. Nadat we een paar laatste verfijningen hadden aangebracht, gingen de vijf anderen naar huis. Zelf ging ik naar Washington.
Rosalind Welsh, staffunctionaris beveiliging van de NSA, ging die ochtend om halfzeven van huis in een metallic blauwe Toyota Camry waarvan ik het kentekennummer opschreef. Bobby had het kentekennummer de vorige dag al gevonden in de bestanden van de Dienst Motorvoertuigen, maar we wilden het zekere voor het onzekere nemen. Ik kon haar niet helemaal naar het gebouw van de NSA volgen, maar we hadden vooraf een tijd- en afstandberekening gemaakt. Ik belde Bobby met een mobiele telefoon en zei: 'Ze passeert nu de lijn. Vier tot vijf minuten tot het parkeerterrein.'
'Heb je de kentekenplaat gezien?'
'Ja, jouw nummer klopte.'
'Ben je zenuwachtig?'
'Ja.'
'Goed zo,' grinnikte hij. 'Dan ben je nog steeds bij zinnen. Hoe het ook uitpakt, dit gaat heel interessant worden...'

De volgende dag bevond ik me in het oosten van Ohio en was ik op weg naar huis. Ik stopte bij een truckerscafé langs de I-80, haalde mijn mobiele telefoon tevoorschijn en belde Rosalind Welsh op kantoor. Toen haar secretaresse opnam, zei ik: 'Je spreekt met Bill Clinton en je hebt vijftien seconden om me door te verbinden met Welsh. Dit kan het belangrijkste telefoontje van het jaar voor haar zijn, dus ik raad je aan dat je haar gaat halen.'
Vijf seconden later had ik Welsh aan de lijn. 'Wat wil je?'
'Een telefoonnummer waarop ik een computerbestand kan dumpen.'
'Waarom zou ik...'
'Spreek me niet tegen. Ik weet zeker dat je deze foto's wilt zien. Geef me een nummer of je hoort nooit meer iets van me.'
Ze gaf me het nummer.

Ik belde Bobby in het truckerscafé, gaf hem het nummer en reed door in

oostelijke richting. Ik twijfelde er geen moment aan dat de NSA in staa
was mijn laatste mobiele gesprek te traceren, net zoals ze in staat zou
den zijn het volgende gesprek te traceren. Daaruit zou blijken dat ik o
weg was naar het oosten.

Ik belde twintig minuten later. 'Met Bill Clinton,' zei ik tegen de secreta
resse.

'Een ogenblikje...'

Welsh nam op, maar haar telefoon klonk anders. 'Wat heb je met d
telefoon gedaan?' vroeg ik.

'Er zijn hier een paar mensen die willen meeluisteren,' zei ze. 'Je staa
in de vergaderstand.'

'Heb je de foto's gezien?'

'Ja.'

'Weet je wat ze voorstellen?'

'Nou, we hebben een vermoeden. We denken dat het ons parkeerterrei
is.'

'Dat klopt. Als je kijkt hoe de auto's geparkeerd staan – jouw auto staa
trouwens in de rechter bovenhoek en jij stapt er net uit – zul je ontdek
ken dat deze foto's gisteren zijn genomen, met een Keyhole-satelliet
Dat is waar AmMath mee bezig was. Ze hadden een coderingsprogram
ma geschreven – een code die trouwens door jullie is goedgekeurd – e
dat boven op het besturingsprogramma van de satellieten gezet, wat he
in staat stelde de satellieten te gebruiken. Ze hebben satellietfoto's aa
talloze landen in het Midden-Oosten en Azië verkocht sinds de Key
holes zijn gelanceerd. We hebben ontdekt dat ze die foto's bijvoorbeel
zowel aan India als aan Pakistan verkochten.'

'Wie weet hiervan?' Nu hoorde ik een mannenstem die boos en veront
waardigd klonk.

'Nog niemand,' zei ik. 'Maar we hebben perspakketten samengestel
voor een tiental senators en Congresleden en voor *The New York Times*
The Washington Post, de *L.A. Times*, *The Dallas Morning News*, d
Chicago Tribune en nog een aantal mensen van wie jullie niet willen da
ze die pakketten ontvangen. Ik bedoel, misschien sturen we ze op, mis
schien niet.'

'Misschien?'

'Als jullie ons niet onmiddellijk met rust laten. Jullie zijn een stel ver
domde fascisten zoals jullie overal onschuldige mensen oppakke
onder het mom van dat zogenaamde Firewall-gedoe. Firewall is bedach
door AmMath en die aanval op de belastingdienst is afkomstig van ee
stel rotjongens in Europa. Dat weten jullie, dat weten wij en dat wee

het merendeel van de pers, die alleen vanwege de amusementswaarde met jullie meedoet. Wij willen dat jullie daarmee ophouden, anders gaan de perspakketten de deur uit en wordt de NSA het lachertje van het land. Bovendien twijfel ik er niet aan dat sommigen van jullie dan de kans krijgen om Leavenworth de eerstkomende jaren aan de binnenkant te bekijken.'

'We weten wie jullie zijn,' zei de mannenstem. 'We zijn je nu aan het traceren en gaan jullie hele organisatie ontmantelen.'

'Hou toch op. Jullie hebben pas een paar van onze mensen opgepakt en alleen omdat ze zelf onvoorzichtig waren,' zei ik. 'We hebben nog genoeg mensen die jullie vreselijk gaan naaien als jullie je niet onmiddellijk terugtrekken.'

'Je hebt het hier tegen de Amerikaanse regering, klootzak...'

'Nee, ik heb het tegen een laffe, bange bureaucraat. Maar ik kan je garanderen dat je nog veel banger zult zijn als we die foto's naar de pers gaan sturen.'

'Jullie zijn er geweest. Wij zullen ervoor zorgen dat jullie geen toegang meer hebben tot de Keyholes.'

'Sorry, vriend, zo werkt het niet,' zei ik. 'De Keyholes zijn nu van ons. Jullie toegang tot de Keyholes wordt volledig afgeschermd door onze software. We hebben een *firewall* rondom jullie toegangspoort gebouwd. Ga het je mensen maar vragen, ga ze maar vragen of ze nog binnen kunnen komen... Ze kunnen foto's nemen zolang wij dat toestaan. Ze kunnen de satellieten zelfs nieuwe taken geven, zolang wij dat toestaan. Maar als we de pest in krijgen, sluiten we jullie toegang af en gaan we foto's maken van naaktstranden en de Britse koninklijke familie en de president op vakantie, en gaan we die foto's – allemaal met het Keyhole-logo in de rechter onderhoek – naar *The Star* en *People* sturen, en naar iedereen die ze wil hebben.'

Er volgde een lange stilte en toen zei Rosalind Welsh: 'Doe dat niet.'

'Dat hangt van jullie af,' zei ik. 'Jullie zullen onmiddellijk weten wanneer wij de pest in hebben, want dan hebben jullie geen toegang meer tot de Keyholes. Ik bedoel, jullie kunnen het Congres natuurlijk vragen om nog eens twintig miljard om een nieuw Keyhole-systeem op te zetten, maar ik ben bang dat ze niet echt blij zullen zijn als ze ontdekken dat jullie het oude systeem zijn kwijtgeraakt.'

'Vuile schoft,' zei de mannenstem. 'Vuile verrader.'

'Hé, je hebt het tegen Bill Clinton,' zei ik. 'Trouwens, we willen de regering helemaal niet omverwerpen; we willen alleen dat jullie ons met rust laten.'

'We kunnen niets beloven...' zei Welsh aarzelend.
'Hoor eens, dit is geen vriendelijk verzoek aan jullie,' zei ik. 'Begrij
me vooral niet verkeerd. Dit is een rechtstreeks dreigement. Als julli
ons met rust laten, kunnen jullie met de Keyholes doen wat jullie altij
hebben gedaan. Niemand zal van ons horen dat AmMath Amerikaans
satellietfoto's aan Pakistan verkocht, of dat Firewall is verzonnen doo
AmMath om diverse moorden te verdoezelen, en dat jullie daarvan wis
ten, of dat het peperdure Keyhole-project nu in handen is van een ste
hackers. Het enige wat jullie hoeven te doen is ons met rust laten. En al
jullie dat niet doen, nou, zet je dan maar goed schrap, want dan gaat e
iets vreselijks gebeuren...'

Ik zette de mobiele telefoon uit, nam de eerstvolgende afslag, veegd
het toestel schoon, gooide het in een greppel en begon aan de terugr
naar St. Paul.

En ze hielden op.
De belastingdienst verklaarde dat Interpol, in samenwerking met d
Amerikaanse autoriteiten, arrestatiebevelen had uitgevaardigd voor ee
zestal Europese hackers voor de aanval op de belastingdienst, en dat d
teruggavesite nu beter beveiligd was. De FBI meldde trots dat ze Fire
wall had opgerold en dat het Amerikaanse volk weer eens getuige wa
geweest van een beeldschoon staaltje volhardend speurwerk. Ander
hackersgroepen, aldus de woordvoerder van de FBI, konden maar bete
inbinden, anders zouden ze zich de toorn op de hals halen van de fede
rale gezagshandhaving.

Ik lag op de bank de plaatselijke krant te lezen, met de kat op de leunin
boven mijn hoofd, toen er op de deur werd geklopt. Ik deed open e
daar stond LuEllen. Ze had een spijkerbroek en cowboylaarzen aan e
een halflange jas die verdacht veel op mink leek.
'Zitten we goed?' vroeg ze.
'We zitten goed,' zei ik. 'Kom binnen.'
Ze kwam binnen en we dronken een kop koffie in de keuken, bij he
raam dat uitkeek op de Mississippi. Er dreven ijsschotsen in de rivier e
de mensen op straat liepen in dikke parka's de heuvel op en af. Het wa
twaalf graden onder nul, had het weerbericht gezegd, dus het was ee
perfecte dag om binnen te blijven en een beetje te schilderen.
LuEllen en ik hadden een hoop te bepraten. Over de relatieve veilighei
waarin we verkeerden, over Jack en Lane, over de vraag of de overhei

woord zou houden of weer zou komen rondneuzen. Over het einde van AmMath en de verdwijning van Corbeil.
'De overheid houdt zich gedeisd,' zei ik. 'Tenminste, voor zo lang het duurt.'
Ik vertelde haar dat op het Net om de zoveel tijd een cryptische boodschap zou verschijnen. BOBBY, BEL JE OOM.
'Zal hij dat doen, denk je?'
'Ik weet het niet,' zei ik. 'Dat laat ik aan hem over.'
'Denk je echt dat hij doodgaat?'
'Dat zegt hij zelf, maar dat zal nog wel even duren.'
We bleven even zwijgen en na een tijdje zei LuEllen: 'De kaart van de duivel. Het is gegaan zoals het tarotspel zei.'
'Misschien... als je erop terugkijkt.'
'Hang tegen mij niet de scepticus uit, Kidd. Jij ontvangt boodschappen ergens vandaan, en ik denk dat het beter is als je daarmee ophoudt.'
'Juist, boodschappen,' zei ik. Maar ze keek me zo ernstig aan, dat ik moest lachen. Bijgelovige onzin.

De kranten in Texas meldden dat Corbeils paspoort kort na de brand op de ranch in Waco was opgedoken in Mexico. Een ranch die Corbeil op een valse naam had gekocht, zeiden de kranten, en die inmiddels was verzegeld door de FBI. Corbeil zelf was nog niet gevonden, maar er gingen geruchten dat hij naar Zuidoost-Azië was gegaan.
LuEllen was bang dat hij op een dag misschien weer voor onze neus zou staan.
'Daar hoef je je geen zorgen om te maken,' zei ik.
Ze vroeg niet verder.

LuEllen bleef slapen. Clancy, de computerdame met wie ik aan het ontwerpprogramma voor de Amerikaanse radarboot had gewerkt, had iemand anders gevonden om dat mee te doen, en ik had al een paar dagen last van koude voeten. Dus LuEllen was welkom.
Maar toen ik die nacht naast haar lag, wakker, en luisterde naar haar rustige, regelmatige ademhaling, voelde ik die duistere hand weer op mijn hoofd rusten. Het was me in de afgelopen twee maanden een paar keer eerder gebeurd, meestal vlak voordat ik in slaap viel: de geest van St. John Corbeil.
Ik was de enige die het ooit zou weten, maar het paspoort dat in Mexico was opgedoken, was hetzelfde dat Green, Lane, LuEllen en ik over de eettafel hadden geschoven na onze inbraak in Corbeils appartement. De

man aan wie ik het had gegeven, was een vriend van Bobby; hij was betrouwbaar en zonder vragen bereid geweest – tegen betaling – om ermee door de Mexicaanse paspoortcontrole te gaan, om het vervolgens te verbranden in de badkamer van het California Royal Motel in Matamoros, en dat was hopelijk het laatste wat we ooit van St. John Corbeil zouden horen.

Corbeil zelf lag begraven onder dertig centimeter Texaanse zanderige aarde, in een haastig gedolven graf een paar kilometer ten noordwesten van Waco, Texas.

Soms, als ik 's nachts in bed lag, dacht ik aan de eenzaamheid die hij daar moest voelen.

Misschien, dacht ik nu terwijl ik me omdraaide en me tegen LuEllens rug vlijde, kon LuEllen ervoor zorgen dat hij wegging.

Misschien...

Lees ook van A.W. Bruna Uitgevers B.V.

John Sandford

Vals spel

Lucas Davenport is een ongewone politieman, niet alleen vanwege zijn extravagante, luxueuze levensstijl, maar vooral vanwege zijn onconventionele, nietsontziende manier van werken.

James Quata is een opmerkelijke man. Hij doceert kunstgeschiedenis aan de universiteit, is een gerenommeerd schrijver en houdt van chique kleding en mooie vrouwen. Zijn hobby's: fotografie en... moorden. Quatar is een psychopaat die vrouwen fotografeert en vervolgens hun gezichten monteert in pornografische foto's die hij van internet haalt. Maar hij wil meer dan alleen dit papieren resultaat, hij wil ze ook lijfelijk bezitten.
En dan ontpopt hij zich tot een sadistische seriemoordenaar.

Wanneer het gewurgde lichaam van Julie Aronson wordt gevonden, gaan Lucas Davenport en zijn team zich met de zaak bezighouden. Maar door het gebrek aan aanwijzingen lijkt het een onmogelijke opgave te worden.

ISBN 90 229 8564 4

Lees ook van A.W. Bruna Uitgevers B.V.

Matthew Reilly

Ultimatum

Diep in de woestijn van Utah bevindt zich Amerika's meest geheime luchtmachtbasis: een gigantisch complex van zes ondergrondse verdiepingen dat wordt aangeduid met de codenaam Area 7.

Vandaag komt de president van de Verenigde Staten de basis inspecteren, ,et in zijn gevolg kapitein Shane Schofield en zijn team van *Ijsstation*. Een simpele routineklus, zo lijkt het.
Maar de presidentiële escorte heeft de basis nog niet betreden, of ze worden geconfronteerd met een doodgewaande ex-generaal, codenaam *Caesar*, die de president een gruwelijk ultimatum stelt.

ISBN 90 229 8617 9

Lees ook van A.W. Bruna Uitgevers B.V.

Brian Haig

Gesloten gelederen

Een militaire rechtszaak in Zuid-Korea dreigt uit te lopen op een internationale diplomatieke rel met verstrekkende gevolgen. Drie Amerikaanse militairen zijn gearresteerd voor een gruwelijk misdrijf; de verkrachting van en moord op een Zuid-Koreaanse soldaat. Het slachtoffer is niemand minder dan de zoon van de Zuid-Koreaanse minister van Defensie.

Majoor Sean Drummond krijgt orders om de verdediging op zich te nemen van kapitein Thomas Whitehall, de homoseksuele officier die wordt beschouwd als de hoofdverdachte. Drummond is allerminst gelukkig met deze opdracht. De Zuid-Koreanen eisen bloed en het Amerikaanse leger en de natie zijn volledig verdeeld en volgen de zaak op de voet. Tot overmaat van ramp blijkt ook dat Drummond moet samenwerken met een oude vijand uit zijn studietijd, de meedogenloze advocate Katherine Carson.

Maar dat is nog niet alles. Als Drummond wordt benaderd door de CIA, dringt de akelige waarheid pas echt tot hem door. Wat een uiterst gevoelige, maar eenvoudige rechtszaak had moeten zijn, zou wel eens het topje kunnen zijn van een duistere samenzwering...

ISBN 90 229 8585 7

Lees ook van A.W. Bruna Uitgevers B.V.

Brian Haig

Missie: Kosovo

Majoor Sean Drummond wordt naar Kosovo gezonden met een gecompliceerde missie: hij moet onderzoek doen naar de wandaden van een peloton Groene Baretten. Deze elite-eenheid wordt beschuldigd van massamoord op een groep van 35 Serviërs en zou daarmee het oorlogsrecht hebben overtreden. Ze zijn geïnterneerd in afwachting van het juridische onderzoek.

Al snel realiseert Drummond zich dat hij in een *no-win*-situatie is beland: als hij de Amerikanen onschuldig verklaart, dan zullen de media hem ervan beschuldigende zaak in de doofpot te stoppen; maar verklaart hij hen schuldig, dan verraadt hij zijn medesoldaten en kan hij zijn eigen militaire carrière wel vergeten. Toch begint hij met zijn collega-juristen in Tuzla een intensieve serie verhoren, die echter een hoop tegenstrijdige verklaringen opleveren.

Wat is er precies gebeurd op die bewuste middag in de binnenlanden van Kosovo? En waarom houden de mannen elkaar zo duidelijk de hand boven het hoofd? Wie is er te vertrouwen?

De antwoorden hierop zal Sean Drummond alleen kunnen krijgen als hij bereid is zijn eigen reputatie op het spel te zetten...

ISBN 90 229 8525 3

Lees ook van A.W. Bruna Uitgevers B.V.

David Baldacci

De laatste man

FBI-agent Web London heeft een vlekkeloze reputatie en een uitstekende staat van dienst. Maar tijdens een inval van zijn eenheid in een drugspand gaat het helemaal mis. Het blijkt een hinderlaag te zijn en het complete team komt om het leven… met uitzondering van London.

Londons mysterieuze ontsnapping aan de dood roept nogal wat vraagtekens op binnen de FBI. Is hij een lafaard die zijn collega's in de steek liet, of, nog erger, een verrader die ze in de val heeft gelokt? Vastberaden om zijn onschuld te bewijzen stelt London een eigen onderzoek in en gaat op zoek naar de enige getuige, de tienjarige Kevin Westbrook, die kort na de schietpartij is verdwenen. Maar de FBI en London zijn niet de enigen die op zoek zijn naar Kevin…

Dan komen er aanwijzingen boven water die erop wijzen dat de hinderlaag en Kevins verdwijning verband houden met een gijzelingsactie van enkele jaren daarvoor.

ISBN 90 229 8582 2

Lees ook van A.W. Bruna Uitgevers B.V.

Ross LaManna

Krachtproef

In Centraal-Azië is een nieuwe agressieve supermacht verrezen. Mongolië en Kazachstan hebben zich verenigd in de Transaltaïsche Alliantie en tal van republieken hebben zich hierbij aangesloten. Leider van de alliantie is de charismatische dictator Batu Khan, die het legendarische Mongoolse Khan-imperium in zijn oude glorie heeft hersteld. Zijn expansiedrift is groot en zijn leger – een wonderlijke mengeling van supermodern wapentuig en traditionele krijgers te paard – neemt met geweld nieuwe gebieden in bezit. En nu is Batu's uitdagende blik op het Westen gericht…

In Washington groeit de bezorgdheid met de dag, want alles wijst erop dat een confrontatie met deze nieuwe agressor onvermijdelijk is.
President Marsh verklaart zich zelfs bereid tot een persoonlijke ontmoeting met Batu Khan. Koortsachtig bereiden de diplomaten dit virtuele topoverleg voor, waarbij de heersend wereldleider en de nieuwkomer via een satellietverbinding met elkaar in contact zullen treden. Zal Goliath het hoofd voor David buigen?

Alle ogen zijn gericht op de krachtmeting tussen deze leiders, die van doorslaggevende betekenis voor de machtsverdeling in de wereld is. Maar wat niemand kan vermoeden, is dat de geschiedenis in werkelijkheid weleens bepaald zou kunnen worden door een merkwaardig, maar schijnbaar onbetekenend fenomeen…

ISBN 90 229 8492 3